Smail Balić

Islam für Europa

KÖLNER VERÖFFENTLICHUNGEN ZUR RELIGIONSGESCHICHTE

Im Auftrag des
Interdisziplinären Instituts für Religionsgeschichte
Bad Münstereifel

herausgegeben von

Michael Klöcker und Udo Tworuschka

Band 31

Smail Balić

ISLAM FÜR EUROPA

Neue Perspektiven einer alten Religion

2001
BÖHLAU VERLAG KÖLN WEIMAR WIEN

Gedruckt mit Unterstützung
der Österreich-Kooperation
und der Österreichischen Kulturvereinigung, Wien

Die Deutsche Bibliothek – CIP-Einheitsaufnahme

Balić, Smail:
Islam für Europa: neue Perspektiven einer alten Religion / Smail Balić –
Köln ; Weimar ; Wien : Böhlau, 2001
(Kölner Veröffentlichungen zur Religionsgeschichte ; Bd. 31)
ISBN 3-412-07501-9

Ursulaplatz 1, D-50668 Köln
Tel. (0221) 91 39 00, Fax (0221) 91 39 011
vertrieb@boehlau.de

Druck und Bindung: MVR-Druck GmbH, Brühl
Gedruckt auf säurefreiem, chlorfrei gebleichtem Papier
Printed in Germany
ISBN 3-412-07501-9

INHALT

Vorwort VII

Einführung IX

Islamisch contra europäisch? 1
Mit dem Islam leben in Europa 21
Islam und Demokratie 29
Kann der Islam in einer säkularistischen Welt existieren? 38
Die säkulare Gesellschaft als Herausforderung und Chance 45
Die Tradition als Lebenshilfe und Belastung 51
Renaissance oder Rückfall? 59
Was begründet die Identität eines Muslims in der westlichen Welt? 68
Islam und Christentum 76
Das Scharīʿa-Verständnis in pluralistischer Gesellschaft 84
Religion und Politik im Islam 88
Gleichberechtigung der Frau 99
Worüber können wir sprechen ? 114
Der Glaubenskrieg – gibt es den noch? 130
Was sagt der Islam zu den Menschenrechten? 137
Technik und Umweltschutzthematik 146
Vom Kopftuch steht nichts im Qur'an 149
Der Islamismus bedeutet Instabilität und Unsicherheit 153
Gemeinsame Betroffenheit 157
Zum Religionsunterricht an staatlicher Schule 163
Der Islam in der europäischen Schule 167
Bosnien: Paradigma eines europäischen Islam 178
Islam und Nationalismus 193
Göttliche Wahrheit und menschlicher Glaube im Islam 199

Ein Euro-Muslim wie er leibt und lebt 214
In Eigenverantwortung glauben 223
Vor der Zukunft stehend 226
Qur'an-Botschaft für Leute von heute 230

Erklärung der Fremdausdrücke 233

Erläuterungen zur Umschrift 237

Auswahlliteratur 238

Nachweis 241

Sachregister 243

Personenregister 253

Ortsregister 257

Vorwort

Die Geschichte der islamisch-europäischen Beziehungen ist auch eine Geschichte der Missverständnisse. Das moderne Bild des Islams in Europa dürfte vorwiegend von der Iran- und Nahost-Berichterstattung der Medien geprägt werden, die den Begriff „Islam" fast ausschließlich im Zusammenhang mit extremistischen, gewaltbereiten Gruppierungen verwenden, so dass der Islam in jüngerer Zeit in Europa häufig mit Fundamentalismus und dieser mit Gewaltbereitschaft verbunden wird. In weiten Kreisen der öffentlichen Meinung wird der Islam – etwa unter Hinweis auf die Rolle der Frau – als rückständig und unaufgeklärt angesehen.

Umgekehrt sehen sich viele im Westen lebende Muslime ausgegrenzt. Der westliche Liberalismus wird in vielen muslimischen Gesellschaften als Dekadenz verstanden. Dies lässt sich wohl zum Teil auf im TV weltweit ausgestrahlte Fernsehserien meist amerikanischen Ursprungs zurückführen, die häufig das Bild eines sexuell libertinistischen Westens zeichnen, charakterisiert durch zerrüttete Familienverhältnisse, mangelnden Respekt vor traditionellen Autoritäten und religiösen Normen sowie ein hohes Maß an Materialismus.

Es liegt auf der Hand, dass beide Bilder – das weitverbreitete Bild des Islams in Europa sowie das gängige Bild des Westens in islamischen Gesellschaften zu kurz greifen. Zudem erzeugen sie den Eindruck einer radikalen Inkompatibilität beider Welten, was geeignet ist, ein Zusammenleben erheblich zu erschweren. Indessen ist diese Annahme unüberbrückbarer Differenzen keineswegs zwingend.

Es ist wohl kein Zufall, dass der Autor des vorliegenden Buches ein Österreicher bosnischer Herkunft und der Verlag ein österreichischer ist. Österreich ist der einzige Staat der EU, in dem der Islam eine staatlich anerkannte Religionsgemeinschaft ist. Mit dieser staatlichen Anerkennung wird die islamische Glaubensgemeinschaft auf rechtlicher Ebene voll in das öffentliche Gemeinwesen integriert. So wird etwa als Folge der Anerkennung der islamische Religionsunterricht für muslimische Schüler und Schülerinnen an öffentlichen Schulen vom österreichischen Staat finanziert, die von der islamischen Glaubensgemeinschaft bestimmten Religionslehrer werden vom österreichischen Staat bezahlt. Diese Einbeziehung des Islams in das öffentliche Leben Österreichs ist keine jüngere Entwicklung, sondern steht in engem Zusammenhang mit der spezifisch österreichisch-bosnischen Geschichte. Schon in der Habsburgermonarchie kam es zu einer überaus fruchtbaren Begegnung zwischen dem christlich-europäisch geprägten Gesamtstaat und dessen muslimisch geprägtem Teilgebiet Bosnien. So wurde etwa bereits 1874 der Islam hanifitischen Ritus' in Österreich gesetzlich anerkannt, 1912 wurde dies nochmals gesetzlich bekräftigt und erweitert, 1909 wurde für das Gebiet Bosnien ein „Statut über die autonome Verwaltung der islamischen Religions-, Stiftungs- und Schulangelegenheiten" in Kraft gesetzt.

Durch die Begegnung mit der österreichischen Habsburgermonarchie lernten bosnische Muslime im Zuge eines intensiven Europäisierungsprozesses frühzeitig mit den Realitäten der modernen Welt fertig zu werden. Gleichzeitig lernte Österreich einen gedeihlichen Umgang mit dem Islam. Diese gemeinsame österreichisch-bosnische Erfahrung könnte für die gegenwärtige Situation des Islam in Europa von großem Wert sein. Dies ist umso bedeutsamer, wenn man berücksichtigt, dass derzeit bereits rund 12 Millionen Muslime in der EU – davon ca. 320.000 in Österreich – leben, dass der Islam in einigen europäischen Staaten – und auch in Österreich – auf dem besten Wege ist, zur zweitgrößten Religionsgemeinschaft heranzuwachsen, dass der Islam somit bereits heute zu einem festen Bestandteil des europäischen Lebens zählt und angesichts der demographischen Entwicklung und der geographischen Nähe muslimisch geprägter Staaten in einer durch die wirtschaftliche und technologische Entwicklung immer näher aneinander rückenden Welt mit einer steigenden Bedeutung zu rechnen ist. Das vorliegende Buch erscheint daher überaus wichtig und aktuell.

Es gibt wohl kaum eine Person, die so berufen ist wie der Autor, der seit über 60 Jahren in Österreich zu Hause ist, die eingangs erwähnten Missverständnisse aufzuklären. Für Fuad Kandil (Professor an der Universität Karlsruhe) verkörpert Smail Balic schlicht und einfach d e n I s l a m als Vertreter des weltoffenen Islams.

Kardinal König, der schon 1964 an der Al-Azhar-Universität in Kairo einen wichtigen Vortrag über den Monotheismus vor islamischen Schriftgelehrten hielt, hat dies in eindrucksvoller Weise zusammengefasst: „*... Dr. Balic kann als die europäische Dimension eines südeuropäischen autochtonen Islam bezeichnet werden. Ich vertrete seit langem die Meinung, dass die Muslime in Bosnien, auch aus europäischer Sicht, eine sehr wertvolle Brücke sind zwischen der Welt des Islam, vor allem im Bereiche der arabischen Staaten, und einer christlichen Orientierung des westlichen Europas ...*" (6. Mai 1995).

Die Österreich-Kooperation und die Österreichische Kulturvereinigung Wien hoffen mit der Unterstützung dieser Publikation einen Beitrag zur Integration von Europa's Bürgern und Bürgerinnen islamischen Glaubens geleistet zu haben.

Dr. Bernhard Stillfried
Österreich-Kooperation

Dr. Michael Dippelreiter
Österreichische Kulturvereinigung Wien

Einführung

Ältere Leute, wie der Verfasser des vorliegenden Buches, haben den Islam ihrer Jugendzeit in einer besseren Erinnerung als sie ihn heute erleben. Damals hat er als Quelle des Friedens und als Seelenheil in Notlagen gewirkt. Er hat Güte, Wärme, Besonnenheit und Liebe in jedes Haus seiner Bekenner getragen. Die Heilsgewißheit in dieser und in jener Welt ist sein Markenzeichen gewesen. Er hat sich wie eine Medizin der Herzen, ganz genau im Sinne des Qur'an (13:28), vernehmen lassen. Diejenigen, die sich zu ihm bekannt haben, sind redlich, bescheiden und selbstbewußt gewesen.

Die nahezu fünfzigjährige Herrschaft des Kommunismus in Südosteuropa hat das Bild völlig verändert. Die dort seit Jahrhunderten lebenden Muslime haben ihr Gesicht verloren. Ihre Identität ist fraglich geworden. Sie haben die Züge einer hybriden Gesellschaft angenommen. Eine Leere hat sich ihrer Herzen bemächtigt. Vom Islam sind nur schwache Spuren geblieben.

Erst in der Zeit ihres großen Leidens – im letzten Jahrzehnt des 20. Jahrhunderts, als sie ihrem biologischen Untergang entgegensahen –, ist eine neuerliche, massenhafte, Begegnung mit dem Islam geschehen. Aber weh, die Religion ihrer Vorväter ist diesmal anders gekleidet erschienen. Es ist der harte Islam gewesen, der seit geraumer Zeit der demokratischen Weltgemeinschaft Sorgen bereitet. Mit diesem Glaubensverständnis will sich dieses Buch auseinandersetzen.

Das Bestreben, den Menschen mit dem Unvermeidlichen zu versöhnen und ihm dadurch zum Frieden zu verhelfen, ist ein gemeinsamer Zug aller Religionen. Jede Religion bemüht sich auf ihre Weise um die Bildung eines Bewußtseins von der Eingebundenheit des Menschen in ein Ganzes, hinter dem der letzte, absolute Wille steht; eine Versöhnung mit diesem Willen wird erwartet. In seiner Wirkungsgeschichte erscheint dieser Wille als das oberste Naturgesetz. Ihm gilt automatisch der Respekt. Vor ihm vermag das Machtstreben des Menschen, eine der wichtigsten Triebfedern seines Handelns, seine Grenzen zu erkennen.

Die Vertrautheit mit dem Willen, der in der Natur schaltet und waltet, führt zur Gewißheit, weil sie mit der Wahrheit eng einhergeht. Daher wird das Absolutum als Wahrheit empfunden. Und die Wahrheit verpflichtet.

Die moralischen Forderungen versprechen nur dann tragfähig zu werden, wenn sie an eine befriedigende Beantwortung der Sinnfrage rückgekoppelt sind. Die Religion bietet eine solche Beantwortung an. Das Anliegen der Religion ist die Erlangung des Friedens. Ihr Friedenswille wird am

Stellenwert, den sie dem Dialog, der Menschenwürde und der Freiheit einräumt, gemessen.

Nach der islamischen Lehre ist der Mensch „Stellvertreter Gottes auf Erden". Jedes Kind gilt grundsätzlich als gottausgerichtet. Vom Ansatz her steht diese Religion in einem dauernden Wechselverhältnis zum Judentum und zum Christentum. Sie empfindet sich vom Haus aus nicht als eine neue Glaubenslehre.

Konstitutiv für den Glauben ist die Offenbarung. In ihr ist sein Kern. Das ist im Islam Lebens- und Leidensbewältigung durch Hingabe an Gott. Dafür sind keinerlei Kulthandlungen und auch keine Priester notwendig. Mit anderen Worten der Islam ist eine ontische Kategorie. Da jedes Kind mit dieser Anlage geboren wird, gibt es keine Taufe.

Die Offenbarung zieht sich durch die ganze Geschichte hindurch. In zwischenmenschliche Beziehungen umgesetzt und der Frömmigkeit zugrundegelegt, ergibt sie den Islam.

Da es nur eine Wahrheit gibt, muß die Offenbarung in ihrer Kernaussage einheitlich sein. Das ist sie auch nach dem islamischen Offenbarungsverständnis. Der Islam zieht ganz eindeutig an demselben Offenbarungsstrang wie das Judentum und das Christentum. Historisch ist allerdings die von Muhammad gepredigte Lehre zu einer neuen Religion geworden. Im langen Prozeß ihrer geschichtlichen Entwicklung kommen manchmal christliche, manchmal jüdische Eigentümlichkeiten des Glaubensverständnisses in ihr zum Vorschein. Der Rückgriff auf die Urgeschichte, ja auch auf diverse Volksmythen, spielt im politischen Geschehen der orientalischen Völker eine große Rolle. Nicht nur der aufgeklärte Westen – auch zahlreiche Bekenner des Islam sind darüber besorgt, weil die Rückwärtsgewandtheit leicht die Zukunftsperspektiven verschließen und die Hoffnung zunichte machen kann.

Wie im Mittelalter alle Religionen, so ist der Islam heute noch weitgehend ein zivilisationsbildender Faktor. Ja, seiner Zivilisation wird vielfach eine überzeitliche und sakrale Bedeutung beigemessen. Deshalb muß jede Darstellung des Islam auch jene Lebensbereiche erfassen, die sich im weitgehend säkularisierten Abendland dem Einfluß der Religion entziehen.

In Gesellschaften, die am Sakralen hängen, hat der Islam in der Regel beachtliche Toleranz zu entfalten gewußt. Ausgangspunkt dieser Toleranz ist der qur'anische Lehrsatz „Es gibt keinen Zwang im Glauben" (2:256). Multireligiöse und – dort, wo die Religion weitgehend in die Kultur überfließt – auch multikulturelle Gesellschaften im islamischen Machtbereich sind seit eh und je gang und gäbe. Es wird sich noch zeigen, ob der Islam fähig ist, eine völlig offene und von der Religion losgelöste Welt zu akzeptieren. Schwache Ansätze dazu gibt es schon – etwa in der laizistischen Türkei. Dies hängt freilich von der Erweiterung des Einflußradius der Aufklärung, von den allgemeinen Bildungsprozessen und von der Sanierung der morbiden sozialen Zustände eines Großteils der islamischen Welt ab.

Es gibt wohl keine andere Religion, die so vielen Vorurteilen und Mißdeutungen ausgesetzt ist wie der Islam. Das kommt u. a. davon, daß manche seiner Aussagen über die beiden verwandten Religionen sich wie ein Spiegel ausnehmen, der jenen vorgehalten wird. In diesem Aspekt seiner Wirkungsgeschichte kommt der Islam einer ketzerischen Bewegung gleich. Tatsächlich ist jeder „Prophet" – so auch Muhammad – in gewissem Sinne ein Reformer. Und eine radikale Reform kann sehr wohl als Ketzerei empfunden werden.

Im Islam ist die Reflexion sehr gefragt. Daraus läßt sich erklären, daß es mehrere Interpretationsschulen der Lehre gibt.

Ähnlich wie das Judentum, ist der Islam stark weltlich orientiert. Eine Überlieferung lautet: „Arbeite für diese Welt, als ob du ewig leben dürftest; denke an jene Welt und richte dich danach, als ob du morgen sterben müßtest!" Das weltliche Gesicht des Islam ist indessen mehr eine Folgeerscheinung der geschichtlichen Entwicklung als seines originären Lehrkonzepts. So ist etwa die *Scharīʿa*, d. h. all jene islamischen Lebensregeln, die als das Recht des Islam angesehen werden, ein zum Großteil von der Nachwelt geschaffener Lehrüberbau. Die Institutionen wie das Kalifat, die grüne Fahne als Symbol des Islam, das Derwischtum, das schiitische Imamat u. a. m. sind „nachprophetische" Stiftungen.

In der postkolonialistischen Zeit, beginnend mit dem Ende des Zweiten Weltkriegs, wird der Islam häufig als politischer Mobilisierungsmechanismus benutzt. Das Weltliche an ihm, verstärkt durch Anschwemmungen der Zeit, nimmt zuweilen den Charakter eines politischen Systems an. Man redet von der „islamischen Gesellschaftsordnung" (*an-niẓām al-islāmī*), vom „islamischen Wirtschaftssystem" (*al-iqtiṣād al-islāmī*), von der „Islamisierung der Wissenschaft", ja von der „islamischen Kleidung" (*az-ziyy al-islāmī*). Das bewegende Lebensgefühl, dem der theologische Betrieb folgt, ist mittelalterlich und die religiöse Argumentierungsweise scholastisch und kasuistisch. Die in der Grundurkunde der Lehre, nämlich dem Qur'an, festgelegten humanistischen Grundsätze wie die Glaubensfreiheit, die Universalität, die Unverletzbarkeit des menschlichen Lebens, der aus der Erhebung des Menschen zum „Stellvertreter Gottes auf Erden" (*ḫalīfatallāh fi'l-arḍ*) hervorgehende Kreativitätsauftrag verbunden mit hoher Verantwortung vor Gott und der Selbstwert des religiösen Tuns werden vielfach von einer rigiden Tradition erdrückt. Was diese an Entgleisungen nicht zu rechtfertigen vermag, das wird durch Rechtskniffe (*ḥiyal aš-šarī'a*) formalrechtlich gedeckt.

Als eine Art neue Propheten nehmen sich politisch motivierte Islam-Interpreten neuen Schlages wie Abu'l-Aʿlā Mawdūdī (gest. 1979) ʿAlī Šarīʿatī (gest. 1977) und Ḥasan Turābī, der Generalsekretär der vom Sudan aus agierenden „Islamischen Volkskonferenz" (PIC) aus. Alle drei genannten Persönlichkeiten kommen – der neuzeitlichen Islam-Szene in der Welt angemessen – aus nichttheologischen Berufen: aus der Journalistik, der Soziologie und der Politikwissenschaft.

Der politische Islam tritt immer häufiger in der Rolle der einstigen *Ḫāriǧiten*, einer der frühesten religiös-politischen Sekten, die zum fanatischen Gottesstreitertum neigte, auf. Die Sekte fand in ihrer rigorosen Form Ende des 10. Jahrhunderts ihr Ende. Sie scheute nicht vor Terror. Ihr prominentestes Opfer war der Kalif ʿAlī (656–661).

In der Weltöffentlichkeit werden die Prediger und Anhänger des politischen Islam als Fundamentalisten definiert. Sie selbst verstehen sich meistens als „Islamisten" (*islāmiyyūn*), sind aber auch nicht abgeneigt, sich als *uṣūliyyūn*, d. h. jene, die sich nach den Grundlagen orientieren, zu definieren. Wesentlich für ihr religiöses und soziales Verhalten ist es, daß sie nach Lebensmodellen der Erstgeschichte des Islam zurückgreifen und diese als manifestes Zeugnis ihrer Frömmigkeit in die Praxis umzusetzen trachten. Dabei gehen sie nicht selten eklektisch vor: Geholt wird, was man für den Aufbau einer religiös verbrämten politischen Ideologie gut brauchen kann. Für sie ist der Islam Religion und Staatstheorie in einem. Er wird als Patentgut zur Lösung aller möglichen Lebens- und Weltprobleme (*al-islām ka-kull*) gehandhabt. In krisenhaften Situationen lassen sie sich zu Gewalttaten hinreißen, wobei auch völlig unschuldige Menschen zu Schaden kommen können. Die fanatischsten unter ihnen beschuldigen die Gesamtheit der übrigen Gläubigen des Glaubensabfalls. Gewalt und anmaßende Exkommunizierungspraktiken (*takfīr*), ein im konventionellen Islam unbekanntes Verfahren, sind ihre Markenzeichen.

Das weltliche Gesicht des Islam in der angedeuteten Schattierung macht der Welt und sich selbst zu schaffen. Niemals in der islamischen Geschichte hat es unter den Muslimen so viel Uneinigkeit und Zwistigkeiten gegeben wie heute. So ist der Islam selbst innerlich und äußerlich höchst bedroht.

Muhammad soll einmal gesagt haben: „Die Verelendung ist nahe daran, in Unglauben umzuschlagen". Ist das nicht etwa auch heute bereits der Fall?

Europa und der Westen insgesamt dürfen also ruhig schlafen. Der Islam bedroht sie nicht. Der Totalitätsanspruch seiner verselbständigten

Gruppierungen bedroht ihn zusehens. Die Sorgen sind jedoch nicht abzulegen. Denn ohne den Frieden in der Religion kann es nicht den Frieden der Religionen geben.

Die gemeinsamen Wurzeln des Judentums, des Christentums und des Islam aufzuzeigen, ist eine der Aufgaben dieses Buches. Dies bewußt zu machen, heißt, den Dialog zu fördern und der interreligiösen Ökumene eine Hilfestellung zu gewähren[1]. Durch das Zusammengehen der Religionen nähern wir uns dem Weltfrieden.

Die Idee vom „Euro-Islam", dem Zentralgedanken dieses Buches, verdankt der Autor einer von der schwedischen Regierung Mitte Juni 1995 in Stockholm veranstalteten internationalen Konferenz, die ein Jahr später in Mafraq, Jordanien, ihre in islamischer Regie geführte Fortsetzung gefunden hat[2]. Die bei diesen Konferenzen von zahlreichen Gelehrten aus Ost und West geäußerten Gedanken stimmen vielfach mit den hier vertretenen Ansichten überein. Der Terminus „Euro-Islam" will eine Distanzierung von der Einbeziehung der Religion in die Politik oder gar in den Terrorismus andeuten. Unter dem Modebegriff ist keine geographische Ausgrenzung zu verstehen. Vielmehr soll dadurch die Verbundenheit mit all den großen Errungenschaften der Aufklärung wie Freiheit, Menschenrechte und Demokratie, bekundet werden. Auch wird hier die geistige Verbundenheit mit Europa und seiner Kultur, ohne daß diese zu einer „Leitkultur" erklärt werden muß, bezeugt. Gleichheit, Pluralismus und Toleranz, die im zeitgenössischen Europa als Säulen der Ordnung geschätzt und praktiziert werden, standen für den Islam nie in Frage.

Eine Form des praktischen „Euro-Islam" ist in Bosnien, wo eine alteingesessene muslimische Mehrheitsbevölkerung lebt, gegeben. Die Bosniaken, die in Altösterreich als tapfere und treue Soldaten geschätzt wurden, bekennen sich mehrheitlich zu ihm. „Unter österreichischem Kultureinfluß", schreibt die deutsche Religionshistorikerin Anne Herbst, „habe der bosnische Islam europäische Züge angenommen, doch diese innere

---

1 R. Bernhardt : Auf dem Weg zur „größeren" Ökumene. Paradigmenwechsel in der ökumenischen Theologie. In Reinhard Kirste (Hrsg.): Vision 2001. Die größere Ökumene. Köln, Weimar. Wien 1999, S. 24.

2 Über diese beiden Tagungen und die Referate, die in ihrem Rahmen gehalten wurden, sind bisher drei Bücher veröffentlicht. Diese sind: Euro-Islam. Stockholm, 15.–17.6.1995. Dokumentation. Ed. Thomas Lundén (u.a.) Stockholm: The Swedish Institute 1995. The Second Conference on Euro-Islam. Mafraq, 10.–13.6.1996. Documentation. Ed. Thomas Lundén (u. a.) Stockholm. The Swedish Institute 1996. The Second Euro-Islam Conference. 24.–27. Muḥarram 1417 (=10.–13.6.1996). MafraqJordan: AL al-Bayt University 1996.

Umwandlung habe die kommunistische Herrschaft zum Stillstand gebracht. Seit dem Zusammenbruch Jugoslawiens sei nun eine Re-Islamisierung im Gange, die allerdings in der Gefahr stehe, politisiert zu werden ... Es gibt Hinweise, daß diese eigene Ausrichtung des bosnischen Islam sich wohl zu wehren weiß. Im vorigen Jahr traf sich in Sarajevo der ‚Islamische Eurasische Rat' zu seiner vierten Tagung. Unter dem Thema ‚Die verschiedenen Religionen müssen in Frieden und Sicherheit zusammenleben' verständigten sich hohe Islamführer aus Bosnien, Kosovo, Bulgarien, Griechenland, Türkei, Rußland und der Mongolei über ein verständnisvolles Zusammenwirken mit den nicht-muslimischen Religionen. Man kam überein, sich dem Vordringen der Wahhabiten zu widersetzen, die den ‚traditionell praktizierenden Islam unterwandern und in gewissen ethnischen Moslem-Gemeinschaften die innere Eintracht zerstören"[3].

Die Zurückführung des Glaubens auf pures Ritual und alte, vermeintlich in der Tradition des Religionsverkünders begründete Lebensvorlagen, gefährdet nicht nur die Einheit und das Zusammenleben der Menschen, sondern auch das Kulturgut der Menschheit, wie das kultur- und menschenverachtende Verhalten der afghanischen Taliban es zur Empörung der Welt zeigt.

Die Herausgabe dieses Buches, das einige meiner früheren Aufsätze und neue Texte enthält, verdanke ich vor allem der Initiative und der nie erlahmenden Einsatzbereitschaft meines Freundes, *Dr. Bernard Stillfried*, des geschäftsführenden Leiters der *Österreich-Kooperation*. Diese hat sich dem Verlag gegenüber verpflichtet, ein Fünftel der Auflage abzunehmen. Wichtige technische und organisatorische Arbeit hat auch sein Mitarbeiter, *Dr. Michael Dippelreiter*, geleistet. *Prof. Dr. Udo Tworuschka* hat freundlicherweise die Schrift in die Reihe „Kölner Veröffentlichungen zur Religionsgeschichte" aufgenommen. *Johannes van Ooyen*, Programmleiter in Köln, und *Dr. Peter Rauch*, Verleger in Wien, haben alles daran gesetzt, dieses Buch in angemessener Form zu publizieren, wozu *Julia Beenken* und *Simone Vogt* in professioneller Weise beigetragen haben.

Zwerndorf, im Mai 2001 — Der Verfasser

---

3 A. Herbst: Fünf Jahre Dayton – eine Bilanz. In: Glaube in der 2. Welt (Zollikon) 29/2001, Heft 2, S. 4/5.

ISLAMISCH CONTRA EUROPÄISCH?

Jegliches Gespräch von einem europäischen Christentum oder Islam impliziert die Annahme ihrer Teilhabe an einem vorwiegend innerweltlich orientierten Humanismus, am Menschenbild der Antike und an der Autonomie des Menschen bis hin zu seiner „Selbstverwirklichung". Die moderne europäische Kultur beruht eben auf diesen Elementen. Sie sind inzwischen, zum Teil notgedrungenerweise, auch theologisch von christlichen Kirchen abgesegnet worden. Zu dieser Entwicklung hat ganz wesentlich die Trennung der Kirchen vom Staat beigetragen. Auf kirchlicher Seite ging damit eine schrittweise Abkoppelung von vorgeschriebenen Lehrmeinungen und Traditionen einher. Die Machtpositionen der Kirchen wurden arg angeschlagen; ein *modus vivendi* zwischen Staat und Kirche wurde gefunden.

Im Islam geht der Weg zu Gott nicht etwa über Christus oder Muhammad und deren Amtsvertreterschaft, sondern direkt. Dies ergibt theoretisch die Möglichkeit, ohne theologische Bedenken wenigstens einen Teil des Weges zu bewältigen, der in Europa mit viel Mühe zur Säkularisierung geführt hat. Wenn *Erich Fromm* die Thora wegen des Fehlens des Absolutismus der Kirche als human beschreibt, so könnte diese Qualifikation ohne weiteres auch auf den Qur'an angewendet werden. Schwierigkeiten bereitet ein anderer theologischer Ansatz im fundamentalistischen und traditionalistischen Islam: sein Verständnis als eine unaufgebbare Lebensphilosophie und Ideologie. Einer der prominentesten Vertreter dieser Geisteshaltung, der Ägypter *Yūsuf al Qarḍāwī,* skizziert das Verhältnis des weitgehend säkularisierten Europa zum Islam folgendermaßen:

„Unter den Befürwortern des säkularen Gedankens befinden sich wohl solche, die die Existenz Gottes oder den göttlichen Auftrag an die Propheten und die Offenbarung oder auch nur eine Begegnung mit Gott und die Abrechnung am Tage des Gerichtes leugnen, doch ist dies nicht ein Wesenszug des Säkularismus, wie er im Westen aufscheint. Seine Vertreter sind demnach nicht notwendigerweise gottlose Menschen. Sie lehnen lediglich die Bevormundung der Wissenschaft und des Lebens durch die Kirche ab. Worauf es ihnen in erster Linie ankommt, ist die Fernhaltung der Kirche und ihrer Strukturen von der Staatspolitik und dem Lenkungsmechanismus ihrer Angelegenheiten, seien diese politischer, wirtschaftlicher, gesellschaftlicher, kultureller oder erzieherischer Natur. Dem Christen – ob in Funktion des Regierenden oder des Regierten – ist möglich, den Säkularismus zu akzeptieren, ohne dadurch sein Christentum aufzugeben und ohne sich dabei im eigenen Glauben und Gesetz beschnitten oder gar vergewaltigt zu fühlen ... Die Dinge stehen aber im Islam völlig anders: Der Islam ist ja eine vollkommene Lebensordnung, deren Lenkungswerk keinerlei Mitwirkung von anderen Ideologien zuläßt"[1]. Freilich wird diese Meinung des Kairoer Gelehrten vom ideologischen Charakter des Islam nicht von allen seinen Glaubensgenossinnen und -genossen geteilt. Die Opponenten melden sich insbesondere im Rahmen der islamischen Philosophie, der Mystik und der freidenkerischen Theologie der Muʿtaziliten oder Neomuʿtaziliten zu Wort. Nicht zu unterschätzen ist vor allem der versteckte oder offene Hang zu den Idealen der Freiheit und offenen Meinungsäußerung in der islamischen Mystik, in der über weite Strecken hinaus das Gedankengut des Neoplatonismus wirkt.

Folgt man dem Prophetenverständnis des deutschen Religionshistorikers *Gustav Mensching*, so darf Muhammad (571–632) lediglich als Reformer angesehen werden. Der Islam ist demnach keine neue Religion. Historisch ist er allerdings zu einer solchen herausgewachsen. Muhammad ist ohne den biblischen Hintergrund nicht zu verstehen. Der Niederschlag des antiken, biblischen und mittelalterlichen Rechtsdenkens in der islamischen Strafjustiz hat dazu geführt, daß dem Islam mangelnde Sensibilität für die Menschenrechte nachgesagt wird. Die Praxis mancher betont traditionalistischer Gesellschaften des Islam verstärkt diesen Eindruck. Es ist richtig, daß der Qur'an den Ursprung allen Rechts auf Gott zurückführt und somit für den bekannten Grundsatz der Aufklärung „Der Mensch ist Maßstab aller Dinge" kein Verständnis hat; doch hat er, wie eine in Zusammenarbeit mit der UNESCO im September 1981 in Paris stattgefundene internationale Gelehrtenkonferenz herausgefunden hat, von Anfang an nicht weniger als zwanzig grundlegende Menschenrechte sehr bewußt formuliert. Darunter sind: das Recht auf Leben und Freiheit, das Recht auf Schutz vor Übergriffen und Mißhandlungen, das Asylrecht, der Minderheitenschutz, die Freiheit des Glaubens, das Recht auf soziale Sicherheit und der Arbeitsschutz. Der Qur'an billigt dem Menschen eine besondere, von Gott selbst gestiftete Würde zu. Die Liebe zu Gott verlangt den Respekt für seine Schöpfung und beeinflußt die Handlungsweise der Gläubigen. In ihrer höchsten Entfaltung ist diese Liebe allumfassend.

---

1 Zit. nach *As-Sayyid Muḥammad aš-Šāhid, Riḥlat al-fikr al islāmī min at-ta'aṯṯur ila't'-ta'aẓẓum*, Beirut 1994, 83.

Gottesbegriff, Naturreligion und der menschliche Anteil an der Gestaltung des religiösen Lebens

Der Gottesbegriff des Islam ist ein rein monotheistischer und personbezogener. In der islamischen Mystik kommen monistische Tendenzen zum Vorschein, die jedoch auf fremde Einflüsse zurückzuführen sind. Gott ist frei von allen Einschränkungen, wie sie sich in Geburt und Tod manifestieren. Es ist unzulässig, ihm geschlechtliche Merkmale zuzuschreiben. Das göttliche Wort hat über dem menschlichen zu stehen. „Wird der moderne Mensch zum Maßstab dafür erhoben", bemerkt richtig *Hans Urs von Balthasar,* „was das Wort Gottes sagen und nicht sagen darf, dann ist die Religion offenbar am Ende". Dieser Tatsache sind sich gerade die Muslime besonders bewußt. Nicht zuletzt deshalb vermitteln sie den Eindruck, unverbesserliche „Fundamentalisten" zu sein. In der Tat kann die Religion ebenso wenig aus nackten „Fundamenten" bestehen wie ein Haus. Sie hat immer auch einen inneren und äußeren „Verputz", dessen Ausstattung von Zeit, Raum und Menschen, die sie jeweils in Anspruch nehmen, weitgehend abhängt. So ist die Existenz verschiedener Interpretationsschulen des Islam erklärlich. Wird der Fundamentalismus als die legitime Suche nach dem Originären verstanden, so dürfte sie im Islam nicht bei Muhammad und seiner Zeit Halt machen, sondern noch tiefer in die Vergangenheit zurückgehen, weil sich der Islam als die Religion des ersten sich selbst bewußten Menschen, nämlich des *Propheten Adam,* versteht. Da andererseits der Islam nach Muhammads Worten eine ontische Kategorie ist („jedem Kind ist er angeboren"), dürfte es zulässig sein, seinen Wesenskern im ungetrübt Menschlichen zu vermuten. Darauf deutet auch die Definition des Islam hin, wonach er eine Lebens- und Leidensbewältigung im Zeichen der Hingabe an Gott bedeutet. Dieser Wesenskern ist in jeder monotheistischen Religion zugegen, was neben der engen Verbindung der Entstehungsgeschichte des historischen Islam mit dem Judentum und dem Christentum ein ausreichender Grund für den Dialog der monotheistischen Religionen ist.

Geographische und ethnische Brücke zu Europa

Bereits dreiunddreißig Jahre nach dem Tode Muhammads standen Gruppen von Europäern in den Diensten des Islam. Damals wechselten nämlich ganze Kontingente slawischstämmiger Soldaten des byzantinischen Kaisers auf die gegnerische Seite über und unterwarfen sich dem Befehl des arabischen Heerführers *'Abdarraḥmān.*

Im 8. Jahrhundert befanden sich Spanien, Sizilien, Süditalien und zahlreiche Mittelmeer-Inseln fest in muslimischer Hand. Die islamische Kultur hatte dort inzwischen wichtige Pflegestätten gefunden. Abseits der kriegerischen Auseinandersetzungen entlang der südlichen Flanke Europas vollzog sich in seinem Herzen – in der Pannonischen Ebene – sowie im äußersten Osten ein Wanderungsprozeß, in dessen Zuge es zur Bildung von beachtlichen islamischen Gemeinden kam. Die ungarischen Muslime *(böszörmeny* oder *izmaeliták)* waren noch im 11. und 12. Jahrhundert ein wichtiger militärischer und wirtschaftlicher Faktor in den Ländern der Krone des Hl. Stephan. Geschätzt wurden sie vor allem als Soldaten – ähnlich wie vor ihnen die „Sarazenen", die in den Schweizer Alpen für die einheimischen Landesfürsten auf der Wacht standen oder, nach ihnen, die bosnischen und tatarischen Lanzenreiter, die den preußischen und polnischen Königen dienten.

Im Zuge der etwa ein halbes Jahrhundert nach dem Ende des mittelalterlichen ungarischen Islam eingesetzten und fast fünf Jahrhunderte dauernden osmanischen Herrschaft konnte diese Religion auf das Leben und die Mentalität der südosteuropäischen Bevölkerung von neuem Einfluß nehmen. Sichtbare Folgen dieses Einflusses sind zahlreiche über den ganzen Balkan verstreute Städte und Dörfer orientalischen Typus. Zwei Staaten in diesem Raume haben heute noch eine muslimische oder von der islamischen Tradition geprägte Bevölkerungsmehrheit: die Republik Bosnien und die Herzegowina und die Republik Albanien.

Im thrakischen Gebiet von Griechenland pflegt eine gemischte türkische und slawische *(pomakische)* Bevölkerung ungebrochen ihre islamische Tradition. Nach dem Zusammenbruch des Osmanischen Reiches konnte sich auf dem ganzen Balkan gebietsweise die alte osmanische Gelehrsamkeit erhalten.

Fast in allen südosteuropäischen Ländern ist bei den Muslimen die Religion ein Bildungsfaktor der nationalen Identität. Dies kommt in besonders ausgeprägter Form bei den Volksbosniern oder *Bosniaken* – in der kommunistischen Zeit eigentümlicherweise „Muslime im nationalen Sinne" genannt – und den *Pomaken* – den Muslimen bulgarischer Herkunft – sowie der kleinen Gruppe der *Torbeschen* im serbischen Volkstumsgebiet zum Ausdruck. Bei den Albanern hat im Prozeß des Werdens zur Nation die religiöse Komponente weniger stark gewirkt, doch verdanken die Albaner gerade dem Islam die Erhaltung ihrer Volksidentität. Er hat sie in ihrem Widerstand gegen die Slawisierung und Gräzisierung wirkungsvoll unterstützt.

Entgegen der früher häufig vertretenen Ansicht, der Islam sei der Balkanbevölkerung durch die Türken gewaltsam aufgedrängt worden, hat sich in der modernen Osmanistik die Erkenntnis durchgesetzt, daß die Islamisierung im großen und ganzen auf freiwilliger Basis erfolgt sein muß. Die These, der Islam in Südosteuropa sei ein Überbleibsel des osmanischen Imperialismus, kann aus zweierlei Gründen nicht aufrechterhalten werden:

1) weil es lange vor dem Auftreten der Osmanen in Südosteuropa muslimische Gemeinschaften und Splittergemeinden gegeben hat,
2) weil weite Teile der einheimischen Bevölkerung aus gruppeneigenen und individuellen Gründen freiwillig den Islam angenommen haben.

In allen ehemals muslimischen Ländern Europas haben sich starke Spuren der islamischen Kultur erhalten: in der Lebensweise, der Mentalität und der Sprache der Bevölkerung sowie in der Gestaltung der Siedlungen.

Die Lehren der Geschichte und das spanische Beispiel

Der Islam, der eine wiederhergestellte biblische Botschaft in authentischer Form *(kitāb lā rayba fīh)* sein will, ist seiner Natur gemäß rückwärtsgewandt, weil in eine alte Tradition eingebettet. Dennoch hat er es von allem Anfang an verstanden, sich als eine dynamische und dem Leben zugewandte Kraft zu profilieren. Die Völker, die als erste den Islam annahmen, verwirklichten im Zeitraum vom 8. bis 10. Jh. eine Art Aufklärung. Im 13. Jh. erfaßte sie aber, vor allem auch infolge des Mongolensturmes, ein tiefgreifender kultureller Stillstand. Dessen ungeachtet war die kulturelle Ausstrahlung des Islam bis Ende des 15. Jhs. in gewissen Ländern beeindrukkend stark. Der kulturelle Rückgang erreichte in der Zeit des europäischen Kolonialismus seinen Tiefpunkt. Der islamische Kulturboden beherbergte in der Regel gut funktionierende multikulturelle Gesellschaften. Ob unter den Omaijaden (661–749 bzw. 1030) oder den Abbasiden (749–1258), ob unter den Moguln (1526–1803) oder den Osmanen (1300–1922) – in allen diesen Reichen begegneten – meist in befruchtender Form – Kulturen und Religionen einander; ein tragfähiger interkultureller und zwischenreligiöser *modus vivendi* hatte sich herausgebildet. Diese multikulturellen Gesellschaften lebten – sieht man einmal von den wenigen, zu vernachlässigenden Ausnahmen ab – in Frieden und Eintracht. Die interkulturelle Kommunikation war allerdings auf elitäre Kreise beschränkt. Die einzelnen *Millets* (Religions- und Nationalitätengemeinschaften) führten vielfach ein autonomes und von eigenen Wertvorstellungen beherrschtes Leben. Die Gettoisierung im europäischen Sinne war unbekannt, wenn es auch an Konzentrierung von Gleichglaubenden und Gleichnationalen in gesonderten Stadtbezirken nicht gefehlt hat. Der Islam als die Staatsreligion war politisch und kulturell tonangebend, wodurch sich das damalige interkulturelle Leben von jenem der Moderne und der Postmoderne immerhin unterschied.

Die positiven Auswirkungen der Begegnungen von Kulturen im mesopotamischen Raum und im Mittelmeerbecken sind hinreichend bekannt.

Die frühislamische Kulturgeschichte wird in drei Perioden geteilt. Die erste fällt in die Zeit der Begegnungen mit fremden Kulturen und Religionen und deckt sich mit der Expansion des Kalifats nach Norden. Das ist die Zeit des 7. und 8. Jhs. Die zweite Periode ist vor allem durch regen Gedankenaustausch zwischen der hellenistischen und der persischen Welt auf der einen und der arabischen Welt auf der anderen Seite gekennzeichnet. In diese Zeitspanne fallen Übersetzungen, Diskussionen, Vorträge, Abschriften von Handschriften in zahlreichen Skriptorien, aber auch empirische Forschung, wie sie etwa am Fall des Alchimisten, Naturforschers und Philosophen *Ǧābir ibn Ḥayyān* aus der zweiten Hälfte des 8. Jhs. bezeugt worden ist. In der dritten Periode erfolgte die stärkste Befruchtung des Abendlandes durch die islamische Kultur. Diese Periode dauerte vom 11. bis 15. Jh. Sie deckt sich mit der Zeit der Kleinstaaterei und der inneren Machtkämpfe, die schließlich zum Verlust der arabischen Vormachtstellung in der Welt führten. Nach dem erfolgreichen Abschluß der spanischen Reconquista traten die Spanier einen Teil des arabischen Kulturerbes an. Vieles aber ging in den Stürmen der Kriege und der Inquisition verloren. Die Normannenkönige von Süditalien bedienten sich noch lange nach der Vertreibung der Sarazenen aus dem nördlichen Mittelmeerbecken der arabischen Gelehrten, Baumeister und Künstler. Ähnliches geschah in Spanien, wo die zusehends von Assimilierung erfaßten Muslime – die sogenannte *Mudéjares* – aus ihrer Mitte hervorragende Baumeister, Bildhauer und Handwerker aller Gattungen hervorbrachten. Ihr künstlerischer Einfluß reichte sogar bis in das Herz des Hl. Römischen Reiches Deutscher Nation. So ist z. B. der Krönungsmantel des Hl. Römischen Reiches, der in der Wiener Schatzkammer aufbewahrt wird, mit arabischen Inschriften verziert.

In der dritten Periode der islamischen Kulturgeschichte verdichtete sich die Experimentalforschung, wofür eine Anzahl von kürzlich durch das Institut für die Geschichte der arabisch-islamischen Wissenschaften in Frankfurt am Main herausgegebenen Handschriften ein beredtes Zeugnis ablegt. Die medizinischen Forschungen erhielten besonders in Spanien und Ägypten einen mächtigen Auftrieb. Das Hauptwerk des maurischen Arztes *Abu'l-Qāsim az-Zahrāwī* (gest. 1013) über die Chirurgie, in dem er bis dahin unbekannte Operationen beschreibt und die benutzten chirurgischen Instrumente vorstellt, wurde bis Ende des 18. Jhs. als grundlegendes Lehrbuch der Chirurgie an medizinischen Fakultäten in Europa benutzt. Oft verband man das medizinische Studium mit jenem der Philosophie und Psychologie. So waren die berühmten Philosophen *Muḥammad ar-Rāzī* (Rhazes, gest. 925, Verfasser des „Liber Almansoris"), *Ibn Sīnā* (Avicenna, gest. 1037), *Ibn Ṭufayl* (Abubacer, gest. 1185), *Ibn Bāǧǧa* (Avempace, gest. 1138) und *Ibn Rušd* (Averroes, gest. 1198) ebenso hervorragende Mediziner, Theologen und zuweilen Mathematiker, Astronomen und Musiker. In mehreren Fächern gut bewandert war auch der vor allem als Mathematiker, Physiker und Optiker hervorgetretene *Ibn al-Ḥayṯam* (Alhazen, gest. 1039).

Die scholastische Philosophie des Islam führt den Namen *'ilm al-kalām* (Dialektik). Ihre Vertreter *(al-mutakallimūn)* haben auf die Entwicklung der jüdischen Philosophie des Mittelalters nachhaltigen Einfluß ausgeübt. Aber auch die abendländische Scholastik ist von ihren Gedanken nicht frei geblieben. Dort wurden sie unter dem Namen „Loquentes" zitiert. So nennt sie vor allem *Thomas Aquinus* (gest. 1274). Der 1316 ermordete Missionar *Ramon Lullus* hat seinen Missionsroman *Blanquerna* weitgehend durch Zusammenstellung von übersetzten Zitaten aus der theosophischen Mystik des Islam verfaßt. *Muḥammad al-Ġazālī* (Algazel, gest. 1111), den Orientalisten zum „zweiten Stifter des Islam" erklärt haben, wurde vielfach als „christlicher Theologe" empfunden. Sein Werk *Tahāfut al-falāsifa* (Die Widerlegung der Philosophen) lieferte etwa dem Theologen *Raymundus Martini* die Hauptargumente in der Auseinandersetzung mit dem Averroismus, der die monopolistische Stellung der Kirche im allgemeinen Lehrbetrieb ernstlich angeschlagen hatte.

Mit dem Sieg der Orthodoxie Ende des 10. Jhs. beginnt eine zunehmende geistige Versteifung der islamischen Religionswissenschaften, die sich in den beiden vorangehenden Jahrhunderten am Gegensatz zu verschiedenen philosophischen und religiösen Systemen geschärft hatten. „Es erfolgte im Osten das", meint der Islamwissenschaftler *Alfred von Kremer*, „was in Europa hätte eintreffen müssen, wenn die deutsche Reformation unterlegen wäre, oder wenn sie vollständig versagt hätte. Das eine wie das andere würde wahrscheinlich der Kultur gleich verderblich geworden sein".

Nicht nur religiös – auch *kulturell* hatten das Christentum und der Islam im Mittelalter eine gemeinsame Sprache. Aristoteles (gest. 322 v. Chr.) wurde im christlichen Europa als „christlicher", im islamischen Europa und im Orient als „muslimischer" Denker empfunden. Europa lernte aus Werken muslimischer Autoren.

Es war naheliegend, daß sich als erste Interessenten an diesem Kulturgut die Juden aus der semitischen Verwandtschaft der Araber einstellten.

Hervorragende Übersetzer kamen aus ihren Reihen. Man denke an die „Übersetzerschule von Toledo". Die kulturelle Angleichung des Judentums an den Islam hatte zeitweise solche Ausmaße, daß *Bernard Lewis* dies am liebsten als „Islamisierung" bezeichnen würde[2].

Die islamisch-jüdische Symbiose betraf nicht allein das Gebiet der Wissenschaft und Philosophie; sie reichte bis in den Bereich des Rituals und des Gottesdienstes in der Synagoge. Die islamische theologische Dialektik oder spekulative Theologie – der bereits erwähnte *'ilm al-kalām* – fesselte das Interesse von Rabbinern. Auf dem Boden dieses argumentierenden Disputs und des Neoplatonismus der islamischen Mystik sind Denker wie *Salomon ibn Gabirol* (gest. 1058) und *Bahja ibn Paquda* (gest. 1080) geistig gewachsen.

Manche der Wissenschaftler des islamischen Mittelalters gehörten noch bis ins 17. Jh. hinein, vereinzelt auch darüber hinaus, zu den anerkannten Schulautoritäten an europäischen Lehrstätten. Sogar ein Papst, Silvester II. (999–1003), erhielt seine philosophische Ausbildung bei islamischen Lehrern.

Das *maurische Spanien* war in mancher Hinsicht ein Vorläufer multikultureller und multireligiöser Staatlichkeit. Manches, was dem heutigen, weitgehend im mittelalterlichen und orientalischen Denken der östlichen Orthodoxie befangenen Islam fremd erscheint, hat es dort gegeben. Der gotische Gouverneur von Murcia, *Theodor*, erhielt 713 laut dem von ihm und den arabischen Eroberern unterzeichneten Kapitulationsvertrag für die Christen volle Religionsfreiheit zugesichert[3]. Den Juden wurde dagegen der Status der Schutzbefohlenen (*ḏimmī*) gewährt. Nach einer in der konventionellen Schari'a verankerten Bestimmung drohe einem vom Islam abgefallenen Konvertiten die Todesstrafe. Die Geschichte des Mittelmeerraumes bis zum Entflammen der Reconquista berichtet uns aber von wiederholten Religionsübertritten berühmter Persönlichkeiten ohne strafrechtliche Folgen. Ein rebellischer Gouverneur verhandelte 890 mit der Herrscherfamilie in Kairuan in Tunesien. Neun Jahre später erfahren wir, daß er zum Christentum übergetreten war. *Al-Ḥasan ibn Muḥammad al-Wassān,* ein Geograph (gest. 1550), ist sogar nach der Vertreibung der Mauren aus Spanien (um 1550) im freien Exil Christ geworden. Bekannt ist er im Abendland als *Leo Africanus.* Der berühmte jüdische Theologe und Philo-

---

2 *B. Lewis,* Die Juden in der islamischen Welt, München 1988. Zitiert nach: *Bassam Tibi*, Die Geschichte einer Symbiose, in: Frankfurter Allgemeine Zeitung vom 24.5.1989.

3 *B. Brentjes,* Die Mauren. Der Islam in Nordafrika und Spanien, Darmstadt 1989, 67.

soph *Mūsa Ibn Maymūn* (Maimonides) war drei Jahre lang Muslim. Das in einer Handschrift der Österreichischen Nationalbibliothek aufbewahrte „Barnabas-Evangelium" hat wohl einen zum Islam konvertierten hohen katholischen Geistlichen zum Verfasser, falls es sich nicht – wie manche Anzeichen dafür sprechen – als eine Fälschung herausstellen sollte.

Das europäische Christentum und der Islam ähnelten im Mittelalter einander in Weltanschauung und Moral, in Staat und Gesellschaft, in der Sozial- und Wirtschaftslehre und in der Intimsphäre der Gläubigen. „Die Wurzeln der mittelalterlich-christlichen und der islamischen Kultur", stellt der ehemalige preußische Kulturminister und Islamwissenschaftler *Carl Heinrich Becker* fest, „sind identisch"[4].

Ibn Ruschd (gest. 1198) hat mit seiner Philosophie – dem Averroismus – nahezu bis Ende des 17. Jhs. Europa fasziniert. Diese Philosophie geht von der Grundannahme aus, daß es zwischen Offenbarung und Wahrheit keinen Gegensatz geben könne. Folglich laufe die wissenschaftliche Forschung keine Gefahr, mit der in der Offenbarung begründeten Religion in Konflikt zu geraten. Dies hat die Schaffung eines Freiraumes für außertheologische Überlegungen und Denkkategorien begünstigt und somit indirekt die europäische Aufklärung vorbereitet. Dieser Tatsache bewußt, stellt der Berliner Religionshistoriker *Carsten Colpe* die Frage, ob die europäische Renaissance, „die wir als Anbruch eines autonomen Denkens zu sehen gewohnt sind ... der arabischen Welt vielleicht ebenso viel oder gar mehr" zu verdanken hat „als der in ihren eigenen christlichen Fundamenten angelegten Befreiung von sich und von der Welt", um den Weg zu sich und zur Welt zu finden[5].

Der Islam und die „judeo-christlichen Grundlagen" der europäischen Kultur

Die Wurzeln der mittelalterlichen jüdischen, christlichen und islamischen Kultur sind, wie wir gesehen haben, gemeinsam. Der historisch erwachsene konträre Gegensatz der Islamwelt zum Abendland ist inzwischen, wie es der Islamwissenschaftler *Rudolf Geyer* formuliert hat, zu einem kontradiktorischen geworden. Die Reformation hat im christlichen Kulturbereich eine Verinnerlichung der Religion bewirkt. Parallel damit hat aber die Religion ihre Bedeutung als Zivilisationsfaktor weitgehend eingebüßt. Er-

---

4 Mehr darüber in: *C. H. Becker,* Islam und Christentum, Tübingen 1907.

5 *C. Colpe*, Problem Islam, Frankfurt 1989, zit. nach: *Ch. von Wolzogen*, Der Islam und die Quellen der Aufklärung, in: Neue Zürcher Zeitung, 23.4.1991, 28.

scheinungen dieser Art haben bisher in der islamischen Welt gefehlt, wenn auch die orientalische Mystik schon lange vorher mit der Verinnerlichung der Religion vertraut war. Die Aufklärung im Sinne des von *René Descartes* (1596–1665) entworfenen metaphysischen Dualismus ist dort ausständig geblieben. Die Trennungslinie zwischen den beiden Existenzbereichen – jenem der Seele und jenem der sichtbaren Wirklichkeit – mußte also im Islam, ähnlich wie im Judentum, nur schwach erkennbar bleiben. Die genuine philosophische Entwicklung hat sich dazu ziemlich indifferent verhalten. Die mittelalterliche jüdische Philosophie ist übrigens, wie bereits erwähnt, auf dem interpretierenden Werk islamischer Gelehrter begründet worden, was diese Gemeinsamkeit erklärlich macht.

Eine gemeinsame Betroffenheit verbindet in der heutigen, eng gewordenen Welt alle Menschen miteinander. Die Zwänge des Industrie-Zeitalters, der rapide Bevölkerungszuwachs in der Dritten Welt, die zunehmende Armut, die Unterdrückung der Menschenrechte, die Fragen der Freiheit, der Gerechtigkeit und des Friedens, der Umweltschutz und der Kampf um die Zukunft sind Anliegen, die von der Religion nicht mißachtet werden dürfen. Freiheit, Gerechtigkeit und Versöhnung sind Ideale, die die Menschheit seit Urzeiten bewegen. Niemand darf sich frei wähnen, der in einer ausgebeuteten und gespaltenen Welt, wie wir heute, lebt. Umso mehr ist jeder auf die Botschaft des Glaubens am Ende der Neuzeit angewiesen. Nach der islamischen Philosophie ist der Mensch berechtigt, sich sein Glück zu suchen. Dabei ist sein persönlicher Einsatz von entscheidender Bedeutung. In Anlehnung an Plato sieht diese Philosophie die wichtigsten Determinanten des menschlichen Glücks in der Verähnlichung des Menschen mit Gott. Deshalb müsse das Individuum gerecht, edel und weise handeln, um des wahrhaften Glücks teilhaftig zu werden.

Muḥammad al Farābi (gest. 950), einer der größten islamischen Staatstheoretiker und Philosophen, wertet das persönliche Glück des Staatsbürgers als die höchste Lebenserrungenschaft. Das Vorhandensein dieses Glücks sichere in entscheidendem Maße die Vollkommenheit der Gesellschaft. In seiner Abhandlung „Der Musterstaat“ beschreibt al-Farābī das Glück als Zustand der Seele, in dem diese sich von der Materie befreit und nach reinen Substanzen strebt. Dieser Zustand könne am ehesten in einem Idealstaat erreicht werden.

Der Islam hat eine Reihe von konkreten Maßnahmen verordnet, um die soziale Gerechtigkeit zu fördern. Dennoch hat auch die islamische Welt im Laufe der Geschichte nicht nur einmal an internen Ungerechtigkeiten gelitten. Man denke allein an die Sklaverei, die ja zu Muhammads Zeiten gang und gäbe war und selbst vom Qur'an als legitime Institution geduldet wird. Erst im 19. Jahrhundert hat sich die islamische Theologie gegen die

Sklaverei in entschiedener Form ausgesprochen. Leider gibt es im Rechtsdenken traditionalistischer und fundamentalistischer Kreise noch immer Denkmuster, die unser Gefühl der Gerechtigkeit verletzen. Erwähnt sei ihre Einstellung zur Frau. Unter Berufung auf eine mißverständlich für normativ gehaltene indikative Aussage des Qur'an wähnen sich die Männer aus diesen Milieus im Besitze einer Vorrangstellung. So ist die Frau im familiären und öffentlichen Leben vielfach diskriminiert.

In der Scharī'a, die völlig zu Unrecht mit dem Islam identifiziert wird, gibt es eindeutige Entlehnungen aus dem altarabischen und dem jüdischen Recht. Mit diesem Rechtserbe müßte es sich so verhalten wie mit dem Recht der hebräischen Bibel. Dieses ist nach der Auffassung der jüdischen Reformer nicht religiös jüdisch, sondern national-jüdisch – so etwa wie das preußische Landesrecht nicht christlich-religiös, sondern preußisch ist. Der dem jüdischen Recht in seiner Totalität zuerkannte göttliche Ursprung, der den jüdischen Staat zu einem Gottesstaat gemacht hat, ändert daran nichts; denn mit dem Untergang dieser Theokratie hörte der Jude auf, dessen Bürger zu sein. Er entnimmt ihm als eine Lebensform für die Existenz innerhalb der nichtjüdischen Gemeinwesen lediglich das allgemeine religiöse Gebot des Gehorsams und der Unterwerfung unter die Landesgesetze.

In der Tat war auch in der islamischen Welt das Recht immer sehr flexibel. Der Umfang und die Form seiner Anwendung hingen in beträchtlichem Maße von dem jeweiligen Herrscher und dem aktuellen Zustand der Gesellschaft ab.

Die gegenwärtig laufende Rückbesinnung auf die Ursprünge des Islam setzt die Gläubigen eher einer Arabisierung aus. So bedeuten die fundamentalistischen Rückgriffe auf die Handlungsmuster der Erstzeit, an denen sich vielfach der Zustand einer noch im Beduinentum steckenden Gesellschaft reflektiert, eine religiöse Verflachung und eine Verfremdung der heutigen Welt.

Das Problem der Fortdauer der islamischen Identität in Europa

Das Verharren in zum Teil schon längst überholten patriarchalischen Lebensgewohnheiten wird auf die Dauer im aufgeklärten Europa nicht möglich sein.

Orientalische Verhaltensweisen und Lebensgewohnheiten, die als fremde Einschübe oder als übernommenes arabisches Erbe im Islam wirken, werden im Sittenkodex des europäischen Muslims kaum ihren Platz beibehalten können.

Der zum Islam konvertierte und hochangesehene französische Denker und Politiker *Roger Garaudy* plädiert im innerislamischen Diskurs für eine wesentlich stärkere Inanspruchnahme der freien Rechtsfindung, eines anerkannten rechtlich-theologischen Verfahrens, als bisher. Der Qur'an vermittle, meint er, zwar überzeitliche Grundsätze und mache die Gläubigen mit ewigen Werten vertraut; er gehe aber auch auf historische Probleme ein und löse sie auf eine ort- und zeitspezifische Weise, in concreto gemäß den Bedürfnissen der Zeit, in der Muhammad gewirkt hat. Es gelte nun, jene Richtlinien herauszufiltern, die den Problemen und Bedürfnissen des 20. Jhs. angemessen sind. Gott habe ja im Qur'an wie in der Bibel vielfach nur in Parabeln und Metaphern oder mittels Symbole gesprochen. Ein Kleben am Wort des heiligen Textes könne nicht die Flamme, sondern lediglich die Asche der Urgemeinde überliefern.

Einer kontinuierlichen Fortdauer der islamischen Identität im Westen stellt sich vor allem das unbefriedigende, den Bedingungen der neuen Umwelt nicht angemessene Glaubensverständnis entgegen. Unter dem Begriff des Islam werden veraltete Denkmodelle und Strukturen, die gar nicht zum Wesenskern der Lehre gehören, sondern lediglich Reste eines alten orientalischen Kulturgutes sind, verstanden. Die Gläubigen, die so rückwärtsgewandt sind, machen sich zu Gefangenen einer einzigen, beklemmenden Perspektive des Islam.

Bei Begegnungen, die die neuzeitlichen Migrationen in aller Welt bewirken, kommen sich Christentum und Islam vielfach in der Weltdeutung, der Denkweise, dem Lebensgefühl und den Wertvorstellungen gegensätzlich vor.

Die Frage, wie sich die Muslime zu den demokratischen Gesellschaftsstrukturen des säkularisierten Europa verhalten werden, ist von entscheidender Bedeutung für die Zukunft. Es liegt auf der Hand, daß sie sich aus den hier laufenden demokratischen und emanzipatorischen Prozessen auf die Dauer nicht heraushalten können, selbst wenn sie es wollten. Von ihrer Anpassungsfähigkeit, ihrem Anteil an den gemeinsamen Weltproblemen, ihrer Solidarität mit den Mitbürgern anderer Weltanschauungen und von einer Erweiterung ihres religiösen Bewußtseins im Sinne einer Aufnahmebereitschaft für die großen geistigen Errungenschaften der Aufklärung hängt weitgehend sowohl ihr persönliches, als auch ihr kollektives Wohlergehen ab. Das islamische religiöse Leben muß sich neue Prioritäten zu eigen machen. Nur als eine ständige Aufgabe verstanden, die aus der alltäglichen Wirklichkeit herauswächst, vermag sich der Islam im europäischen Kontext auf einen Daueraufenthalt einzurichten.

Die gebildeten Schichten der autochthonen muslimischen Bevölkerung in Europa sind weitgehend säkularisiert. Anders die Massen der bäuerlichen Bevölkerung und der unqualifizierten Arbeiterschaft. Hier bietet sich im allgemeinen das Bild des traditionellen Islam. Hier gestaltet sich die Gläubigkeit auf eine traditionelle, nahezu biblische Weise, die im aufgeklärten Europa oft schwer verstanden werden kann. In der islamisch geprägten Dritten Welt gibt es ganz gewiß Denkmuster, die das Gerechtigkeitsgefühl des aufgeklärten Menschen und somit auch etwa den Geist der *Europäischen Konvention zum Schutze der Menschenrechte und Grundfreiheiten (European Convention on Human Rights)* von 1950 verletzen. Dazu gehört z. B. die Art der Behandlung der Frau im familiären und öffentlichen Leben. Die ewigen Werte wie Gerechtigkeit, Rechtssicherheit, soziale Gesinnung, zwischenmenschliche Solidarität und Barmherzigkeit gegen Mensch und Tier – also *lex charitatis* – sind im islamischen Sittenkodex ebenso fest verankert wie etwa im Christentum. Es kommt auf das Verständnis der Religion an.

Der exzessive Charakter einiger politisch pervertierter Ausformungen des Islam läßt sich schwerlich mit der authentischen Lehre des Islam und seinem Geist in Einklang bringen. So verurteilt der Qur'an z. B. ganz entschieden jeglichen unberechtigten Übergriff auf das menschliche Leben. Im Vers 5:32 heißt es: „Wer einen Menschen, der sich keines Mordes schuldig gemacht noch Unheil auf der Erde gestiftet hat, tötet, der hat auf sich eine so schwere Schuld geladen, als hätte er die ganze Menschheit getötet".

Auch die in halbfeudalen oder diktatorischen Gesellschaftssystemen einiger muslimischer Länder praktizierte Unterdrückung der Gedankenfreiheit darf nicht dem Islam, sondern einem undifferenzierten Verständnis der religiösen und politischen Autorität angelastet werden. Mehrere Qur'anaussagen sind eindeutig auf die Gedankenfreiheit ausgerichtet. Hier zwei Beispiele: „Geh' nicht einer Sache nach, von der du kein Wissen hast: Gehör, Gesicht und Verstand – für all das gilt es, sich einmal zu verantworten" (17:36) und „Sind die Wissenden auf dieselbe Stufe zu stellen wie die Ignoranten?" (39:9).

Zweierlei Identitäten: Am Offenbarungsverständnis scheiden sich die Geister

Die islamische Identität lehnt sich eng an die Überzeugung an, daß der Islam die vollkommenste – die einzige bei Gott geltende – Religion sei. Ihre Anhänger seien die beste Gesellschaft, die die Natur hervorgebracht hat, weil sie – so die Begründung! – zum zivilisierten Leben hinführen und sich dem Übel in der Welt (dem „Verwerflichen") entgegenstellen. So lauten nämlich zwei wichtige Aussagen über Islam und Muslime im Qur'an.

Soziologisch gesehen ist die Identität jenes Verhalten des Individuums, in dem sich „Handlungsmuster der Sozialisationsumwelt und überkommene Rollen miteinander verbinden". Die Identität unterliegt den Einflüssen sozialer Prozesse, wobei neue Regeln, Normen und Interpretationen, die ihr beigegeben werden, „nur in Verbindung mit Selbst-Erlebtem, Gehörtem und Empfundenem" entstehen. Die islamische Identität hat im Laufe der Geschichte verschiedene Perturbationen erfahren.

So sehr der einzelne Gläubige unter Inanspruchnahme des religiösen Angebots zur Überwindung seiner Abhängigkeiten und persönlichen Krisen eine seelische Befreiung erlangen kann, so sehr ist der heutige Islam, als Lebenssystem gesehen, ein Gefangener der Zeit. Das hängt mit dem als orthodox geltenden Offenbarungsverständnis des Islam zusammen. Diesem Verständnis zufolge sind die Offenbarungsinhalte als Teil der göttlichen Weisheit jeweils mit unverrückbar feststehenden Wahrheiten identisch. Theoretisch stehen sie außerhalb der Zeit und des Raumes, was allerdings vielfach durch den exegetischen Betrieb der Theologie faktisch in Frage gestellt wird. Im Islam ist man sich sehr wohl der auslösenden Momente der einzelnen Offenbarungssegmente bewußt. Davon zeugt u. a. die Existenz eines besonderen theologischen Forschungszweiges, der den Namen *'ilm asbāb an-nuzūl,* d. h. die „Kunde von den äußeren Veranlassungen der Offenbarung", führt. Die Hermeneutik des Islam *(al-fiqh)* zieht allerdings daraus nicht die notwendigen Konsequenzen. Der Respekt vor der Meinung der Vorväter im Glauben verbietet vielmehr, die offenkundig historisch gewachsenen Aussagen des Qur'an als solche zu handhaben. Beim Fehlen einer historischen Sicht erweist sich der Qur'an als eine enorm starke Konservierungskraft, die die islamische Gesellschaft im rein humanen Bereich auf einer veralteten Entwicklungsstufe festhält. Das ist sicherlich nicht die Absicht des offenbarenden Religionsstifters. Heute sind traditionalistische Muslime die hartnäckigsten Bewahrer und Verteidiger des antiken und des jüdisch-altchristlichen Denkens. Das macht sie zu Fremdlingen in der Welt der Moderne und Postmoderne. Ihr Glaube stützt sich in der Regel auf die Autorität der Altvorderen, denen sie fraglos folgen. Darin liegen die Wurzeln ihres unilateralen religiösen, aber auch gesellschaftlichen Verhaltens.

Eine multikulturelle Gesellschaft setzt zwangsweise ihre Einzelelemente kritischen Rückfragen aus. Sie fördert das Streben nach dem Eigenwert jeglichen Tuns. Sie kann mitunter unangenehm werden, weil sie die Selbstgenügsamkeit anschlägt und Ausbrüche aus der eigenen Tradition erleichtert. Immerhin ist die Grundvoraussetzung einer multikulturellen Gesellschaft die gesetzlich und moralisch abgesicherte Meinungsfreiheit. Im muslimischen Fall ist das Bekenntnis zur Religionsfreiheit ein ausdrückliches religiöses Gebot (vgl. den Qur'an 2:256). Das Eintreten für die Freiheit von weniger sakralen geistigen Inhalten und Äußerungen, etwa auf dem Gebiete der Wissenschaft, der Kunst, der Presse usw. müßte umso eher verpflichtend sein.

Glaubensgerechtes Leben ohne Ideologisierung des Glaubens und ohne Irrationalitäten

Der europäische Islam bedeutet für den Muslim ein glaubensgerechtes Leben ohne Politisierung der Religion, mit sachlichem Bezug zur Lebenswirklichkeit und in Freiheit von fragwürdigen Loyalitäten.

Die Verquickung des Islam mit der täglichen Politik bringt es mit sich, daß er in der Kampfarena zwischen politischen Systemen und Kulturen als Schirm benützt wird. In der geistigen Auseinandersetzung mit der modernen Welt herrscht die Apologetik vor. So ist auch die vorherrschende Reaktion auf die Herausforderung der historischen Kritik die Apologetik. „Leider geben ihre Wortführer", bemerkt in kritischer Weise *Rotraud Wielandt*, „vor lauter Eifer um die ‚Verteidigung des Islam' nicht selten kampflos einen ethischen Wert preis, dessen Verlust sich für die Zukunft der islamischen Religion auf die Dauer viel bedrohlicher auswirken könnte als ein Abgehen vom traditionellen Offenbarungsbegriff: die intellektuelle Aufrichtigkeit"[6].

Einige neuzeitliche muslimische Denker, wie *Ḥasan Ṣa'b, Ibn Mīlād* und *Muḥammad Laḥbābī*, vertreten die Meinung, daß der Qur'an-Text als solcher nicht die Offenbarung ist, „sondern das, was dem Gläubigen jeweils neu aufgeht, wenn er ihn liest. Dadurch verliert im Glaubensakt das Fürwahrhalten des Verbalsinnes des Qur'an an Gewicht, und das ethisch-personale Moment tritt stärker hervor: Es geht für die Menschen nicht so sehr darum, all das Wissen (*'ilm*) zu bestätigen, das im Qur'an steht – ein Moment, das der Qur'an selbst betont –, sondern vielmehr darum, den Anspruch, den er erhebt, in ihrer jeweiligen Lebenswirklichkeit zu konkretisieren"[7].

Die in einigen politisch motivierten muslimischen Kreisen in Mode gekommene Devise „Der Islam ist Religion und Staat in einem" hat keine Begründung im göttlichen Recht. Im Qur'an ist dafür kein erkennbarer Ansatz zu finden. Der Islam der Frommen setzt sich vielmehr aus *diyāna*

---

6 *R. Wielandt,* Offenbarung und Geschichte im Denken moderner Muslime, Wiesbaden 1971, 170.

7 *Wielandt.* a.a.O., 166.

(Gläubigkeit), *taqwā* (Frömmigkeit) und *tanazzuh* (Lauterkeit des Herzens) zusammen.

Das staatstheoretische Denken im Islam beginnt mit dem Anfang des zweiten Milleniums. Es waren zwei Rechtsgelehrte, die die Grundlagen der islamischen Staatstheorie gelegt haben: *'Abdallāh al-Māwardī* (gest. 1058) und *'Abdalmalik al-Ǧuwaynī* (gest. 1085). Vom ersten stammt die Lehrschrift *Al-Aḥkām as-sulṭāniyya* (Das Regelwerk des Regierens). Für ihn ist es wichtig, daß der Staat einen, wenn auch nur nominellen, muslimischen Herrscher hat. Im idealen Staat sollte danach alles unter dem Maßstab der Religion, nämlich des Islam, ablaufen, vorausgesetzt natürlich, daß die Bevölkerung sich zum Islam bekennt.

Al-Ǧuwaynī ist demgegenüber realistischer. Schon zu seiner Zeit mußten sich die Muslime mit der Tatsache anfreunden, daß die Staatsmacht in einer zunehmenden Verweltlichung begriffen war. So deutet er das Regieren zweckgebunden – nicht mehr, wie seine Vorgänger, religiös. Für ihn ist es entscheidend, daß der Fähigste unter den Anwärtern auf die Macht diese auch bekommt. Die Aufgabe der Religion und ihrer Hüter bestehe lediglich in der moralischen Kontrolle und Anleitung. Die Fernhaltung der Schriftgelehrten von der Macht sei theologisch gerechtfertigt und legitim.

„Während das moderne abendländische Bildungssystem auf ständiger Suche nach neuen wirksameren Unterrichts- und Erkenntnismethoden ist – die gestrigen und überholten verlassend –, beharrt der muslimische Lehrbetrieb auf der alten Methodik der Arbeit. Dieser Betrieb ist ein beispielloser Anachronismus. Und so sinkt mit ihm auch unser Glaube." Mit diesen Worten versucht ein islamischer Aktivist aus Bosnien, Salih Behmen, in seinem Buch „Die islamischen Antworten", die Herausforderung durch das Abendland und die Frustrierung der islamischen Welt zu erfassen[8].

Eine Befreiung von der historischen Verkrustung vermag ein vergeistigtes, historisch-kritisches und vernunftorientiertes Offenbarungsverständnis herbeizuführen. Ein solches Verständnis ist durch das Bemühen des Reformtheologen *Muḥammad 'Abduh* (gest. 1905) innerhalb des islamischen Lehrbetriebs in Ansätzen vorhanden. Von 'Abduh stammt die exegetische Regel: „Kein gesundes Qur'anverständnis ohne ein wissenschaftlich tragbares Welt- und Menschenbild!"

---

8 *Salih Behmen,* Islamski odgovori, Zagreb 1990, 229.

Mit nahezu zwei Millionen Mitbürgern, die sich formell zum Islam bekennen, ist Frankreich zum größten europäischen Begegnungsland zwischen Okzident und Orient geworden. Herkunftsmäßig sind die französischen Muslime überwiegend Maghrebiner. Aber unter ihnen gibt es auch viele Schwarzafrikaner, Türken und – in letzter Zeit – Bosnier und Albaner. Allen gemeinsam ist es, daß sie – mit Ausnahme vielleicht der bosnischen Kriegsflüchtlinge – zu den untersten Bevölkerungsschichten gehören. Sie leiden an mangelnder Bildung, Armut, Wohnungsnot und machen zum Teil schwere Identitätskrisen durch. Ihre Jugend ist weitreichend vom Identitätsverlust bedroht. In Anbetracht ihrer Anwesenheit wird die französische Öffentlichkeit mit einer Flut von Büchern, Aufsätzen und visuellen oder akustischen Berichten über den Islam berieselt. Denn im Islam wird die entscheidende Steuerungskraft ihres Verhaltens, das mit jenem der Franzosen nicht konform geht, vermutet. Die laufende Informationsmaschinerie trägt zwar auf einer Seite zum Abbau des Bildungsdefizits bei, auf der anderen Seite vertieft sie die bestehenden Ängste und Mißverständnisse, weil sie nicht immer sachlich und aufklärend ist. In Frankreich fehlt bis dato eine Einwanderungssoziologie in der Funktion eines ausgleichenden und beruhigenden Faktors wie dies – dank dem Einsatz einiger Professoren der Katholischen Universität – in Louvain der Fall ist. Die Einwanderungsfrage ist einer wachsenden Politisierung ausgesetzt. Sie ist zum beliebten Behandlungsgegenstand extremistischer Gruppierungen geworden. Von diesen werden die Muslime global als Menschen, die die europäische Zivilisation bedrohen, hingestellt. Schützend stellen sich vor die Angegriffenen Linksparteien und die Katholische Kirche.

Nicht, daß es in Frankreich mehr als anderswo an Islamverständnis mangele. In der französischen politischen Strategie hat es vielmehr immer Islamverständnis gegeben, ja gelegentlich – so etwa unter *Napoleon* – auch eine gewisse Sympathie. Im 19. Jh. waren es vor allem *Gérard de Nerval* (gest. 1855) und *Alphonse de Lamartine* (gest. 1869), die dieser Stimmungslage literarisch einen entsprechenden Ausdruck zu verleihen wußten[9]. In unserem Jahrhundert haben sich als verständnisvolle Ausleger des Islam vor allem *Louis Massignon* (gest. 1960) und *Gilles Kepel* bewährt. Schließlich bekennen sich etwa zehntausend Franzosen, darunter

9 Vgl. *H. Djait*, L'Europe et l'Islam, Paris 1974, (Kapitel „Das Profil des engagierten Intellektuellen").

einige angesehene Intellektuelle, zum Islam. Der weltbekannte Orientalist *Gilles Kepel* steht dezidiert auf dem Standpunkt, daß der Islam bei Aufgabe gewisser traditionsbedingter Schlacken, vor allem in der Mentalität seiner Bekenner, als europakonform einzuschätzen ist. Im französischen Kulturraum wird übrigens der Kampf zwischen dem Traditionalismus und dem Modernismus im Islam besonders nuanciert ausgetragen.

Armut und Unwissenheit bieten den besten Wachstumsboden für den Fundamentalismus. Da beides unter Frankreichs Muslimen zu beklagen ist, sind die Beeinflussungen durch den politisierten, von der Lust nach Selbstdarstellung ergriffenen Islam nicht zu verhindern. Das geschieht über manche Hinterhofmoscheen, Qur'ankurse und Schriften. Ein vor ein paar Jahren gegründetes Islam-College in der Nähe von Paris steht daher verstärkt im Visier der Behörden. Seitens der Organisatoren wehrt man sich. Der Konflikt um das Kopftuch wurde zu einiger Zufriedenheit der Traditionalisten (Fundamentalisten?) entschärft. Die Behörden sind nach wie vor besorgt. Das Projekt der Gründung einer modernen islamischen Hochschule, in der eine moderate, europagerechte Islaminterpretation vermittelt werden sollte, ist über die Planungen nicht hinausgekommen. Eine zeitgemäße religiöse Erziehung für muslimische Kinder besteht in Frankreich ebenso wenig wie in den meisten anderen westeuropäischen Ländern.

Um ein neues, den Erkenntnissen der modernen Linguistik angepaßtes Verständnis des Qur'an als der zentralen Botschaft des Islam ringt der Algerier *Mohammed Arkoun,* ein Professor an der Sorbonne. Seine Bemühungen finden höchstens in akademischen Kreisen Widerhall. Auf einer breiteren, volkstümlicheren Grundlage verlaufen die modernistischen Bemühungen seines Kollegen von derselben Universität *Ali Merad.* Er ist in einer Islamisch-christlichen Vereinigung aktiv, die sich im besonderen um den interreligiösen Dialog bemüht. In Frankreich und der Schweiz hatte die in den siebziger Jahren blühende internationale Organisation „Islam and the West" ihre geistige und organisatorische Heimat. Ihr stand jahrelang ein frankophiler syrischer Politiker, *Dr. Ma'rūf ad-Dawālibī,* z. Z. Berater des saudi-arabischen Königs, an der Spitze.

Unter den französischen Konvertiten fällt die beträchtliche Anzahl von Frauen auf. Häufig ist es die Mystik, die den Islam attraktiv macht. Über dieses Segment der islamischen Kultur hat z. B. die bekannte Islamwissenschaftlerin *Eva de Vitray Meyerovitch* ihren Weg zum neuen Glauben gefunden. Der Direktor der Editions du Seuil, *Michael Chodkiewicz,* ebenfalls ein guter Kenner der islamischen Mystik, trat zum Islam über, „um den Beweis zu erbringen, daß eine Koexistenz des Islam und der modernen Kultur möglich ist und so an die vergangenen Jahrhunderte zu erinnern, als die Muslime friedliche und fruchtbare Beziehungen zu anderen Religionen gehabt haben"[10].

Der französischen Denkschule zuzurechnen sind einige prominente arabische Schriftsteller, die sich im französischen Sprachgebiet – ähnlich wie *Bassām Ṭībī, Khalid Durán, Fu'ād Kandīl, Zafer Şenocak* und *Heitham Muftī* im deutschsprachigen Raum – für ein vergeistigtes und vom historischen Ballast befreites Islamverständnis einsetzen. Sie sind sich dessen bewußt, daß mit einem statischen Wertesystem neue Kulturhorizonte nicht zu erreichen sind, und treten daher für einen dynamisierenden Kulturbegriff ein. „Es geht nach ihrem Empfinden", so erklärt ihr Grundanliegen die Islamwissenschaftlerin *Rotraud Wielandt,* „nicht um die Bewahrung eines immer Gleichen, sondern um die Bewährung der Tragfähigkeit einer sich kontinuierlich fortentwickelnden Tradition. Eine solche Vorstellung von der Zukunft arabischislamischer Kultur haben während der letzten zwanzig Jahre vor allem Denker des arabischen Westens verfochten, so zum Beispiel die Tunesier *Maḥǧūb ibn Mīlād* und *Hīšām Ǧu'ayyit (Hichem Djait),* ferner der Marokkaner *'Abdallāh al-'Arwī* (Abdallah Laroui)"[11]. Hinzugefügt werden können noch die Namen *Muḥammad Ṭalbī* und *Muḥammad 'Azīz al-Ḥabbābī* (gest. 1994).

England blickt im Umgang mit dem Islam und seinen Anhängern auf alte Erfahrungen zurück. Die Zahl der Islamanhänger in Großbritannien erreicht nach einigen Angaben 1,5 Millionen. Darunter sind nur wenige Engländer. Die meisten sind Asiaten; etwa 40 000 gehören der zypriotisch-türkischen Volksgruppe an.

In seiner berühmten Vorlesungsreihe „Über Helden, Heldenverehrung und das Heroische in der Geschichte" hat *Thomas Carlyle* (gest. 1881) Muhammad einen unter den Briten bis dahin nicht geahnten Ehrenplatz eingeräumt. „*Der Held als Prophet*", wie er seine Vorlesung über den Verkünder des Islam nannte, hat später viele ernstere Analysen des Islam, an denen sich auch christliche Theologen beteiligten, ausgelöst. Führend unter diesen Analytikern ist in unseren Tagen *William Montgomery Watt,* Verfasser der beiden wichtigen Werke „Muhammad at Mecca" und „Muhammad at Medina".

Die Integration der muslimischen Mitbürger ist eine vordringliche gesellschaftliche Notwendigkeit. Für den westlichen Teil Europas, wo die Muslime als Immigranten in Erscheinung treten, dürfte das – um mit *Wer-*

---

10 *N. Ivanković,* Tko su novi muslimani? (Wer sind die Neumuslime?), in: Danas, Zagreb 1986, Nr. 236.

11 *R. Wielandt,* Islam und kulturelle Selbstbehauptung, in: Ende/Steinbach (Hg.), Der Islam in der Gegenwart, München 1984, 559.

ner Wanzura zu sprechen – „der Vorgang des voranschreitenden Zurechtkommens und Sich-Wohl-Fühlens von neu hinzugekommenen Menschen in der Gesellschaft“ sein. „Integration ist gelungen, wenn das eigenständige Organisieren des Lebens möglich ist und das freie Orientieren an Werten – und vielleicht: Wenn das Gefühl entstanden ist, hier zu Hause zu sein, in unserer Gesellschaft Heimat zu haben“[12].

---

12 *W. Wanzura,* Integration als interkulturelles und interreligiöses Geschehen, in: Moslemische Revue 14/1994, Heft 1, 98. – Weitere Literatur: *W. Ende/U. Steinbach* (Hg.), Der Islam in der Gegenwart, München 1984; *Weltmacht Islam,* hg. von der Bayerischen Landeszentrale für politische Bildungsarbeit, Red. R. Hilf, München 1988; *Ch. Elsas* (Hg.), Identität. Veränderungen kultureller Eigenarten im Zusammenleben von Türken und Deutschen, Hamburg 1983; *J. Lähnemann* (Hg.), Kulturbegegnung in Schule und Studium. Türken – Deutsche, Muslime – Christen: ein Symposion, Hamburg 1983; *S. Balić,* Der Islam – europakonform? Würzburg/Altenberge 1994.

Mit dem Islam leben in Europa

Die Tatsache, daß die Wurzeln der mittelalterlich-christlichen und der islamischen Kultur identisch sind, hat in unserem weitgehend säkularisierten Zeitalter an Bedeutung verloren. Im Zuge der christlich-jüdischen Versöhnung, die nach dem Zusammenbruch des Nationalsozialismus in Deutschland und der Gründung des Staates Israel in Europa intensiv und vorrangig betrieben wird, ist diese Tatsache nahezu unbekannt geworden. Unter dem Eindruck der nahöstlichen Terrorszene, die von westlichen Medien in einseitiger Weise muslimischen Arabern und dem Islam angelastet wird, will man von der ursprünglichen Gemeinsamkeit der beiden Kulturen nichts mehr wissen.

Der Westen ist mit dem Geist des Mittelalters längst fertig geworden. Im Osten lebt dieser Geist hingegen weiter im überbetonten Gefühl der Kreatürlichkeit, in der Macht des sakralen Wissens, in der starken Eingebundenheit des Einzelmenschen in die Gemeinschaft, im Nacheifern der Lebensbeispiele der Vorfahren, im Fortbestand von unantastbaren Autoritätsstrukturen, in der Fixiertheit auf die Geschichte, in der Scholastik und Kasuistik des theologischen Betriebes, in der Ermangelung gesellschaftlicher Selbstinitiativen und in der Liebdienerei der Untertanen ihren Herrschern gegenüber.

Im Zuge des Erdöl-Booms und des Petro-Dollar-Flusses zum einen, und des Nahost-Konflikts zum anderen, prallt heute der afro-asiatische Islam zusehends in seinen regressivsten Formen Europa entgegen. Manches aus seinen Handlungsmustern wirkt auf den modernen Menschen befremdend, ja schockierend.

Aber auch der Islam hat, wie jede andere Religion, verschiedene Gesichter. In der Zeit der Hochblüte der islamischen Kultur vom 8. bis Ende des 10. Jahrhunderts hat eine freidenkerische theologische Schule – die *mu'tazilitische* – die Gemüter der Muslime beherrscht. Schaffensfreude und ein gesunder Kritizismus haben damals ihren Alltag begleitet.

Das heutige Spektrum der islamischen Welt weist neben traditionalistischen und fundamentalistischen Staaten auch laizistische oder säkularisierte Staatsgebilde auf. In die letztere Gruppe von Staaten gehören die Türkei, Tunesien und Indonesien. In Europa – so im ehemaligen Jugoslawien und in dem europäischen Teil der früheren Sowjetunion – wirkt ein Islam mit jahrzehntelanger Europa-Erfahrung.

In der Diasporasituation müssen Abstriche in Kauf genommen werden

Die hanafitische Interpretationsschule – eine der vier innerhalb des sunnitischen Islam – gilt als verhältnismäßig liberal. Bezeichnend für sie ist es, daß sie das rein rechtliche und staatspolitische Teilgebiet der Scharī'a, d. h. der Gesamtheit der islamischen Gesetze, in den erschwerten Lebensumständen einer Diaspora- oder Minderheitssituation für aufgebbar hält. Die Hauptsorge dieser Schule gilt der Erhaltung der Substanz, nämlich der religiösen und moralischen Inhalte der islamischen Verkündigung. Dem Gläubigen ist also gegeben, die religiöse Identität auch in einer Gesellschaft zu wahren, die die Religion in den privaten Lebensbereich verweist.

In den islamischen Lehrquellen finden wir keine ausdrückliche Feststellung, daß der Mensch frei geboren wird. Doch jedem neugeborenen Erdenbürger wird die Naturveranlagung zum Glauben an einen Gott bescheinigt. Somit wird zu verstehen gegeben, daß er fähig ist, göttlichen Eigenschaften nachzueifern. Der Qur'an qualifiziert den Menschen als *Vicarius Dei,* d. h. als Stellvertreter Gottes auf Erden. Eine besondere Würde wohnt ihm inne: *Wa la-qad karramnā banî Adama* = Wir haben doch wahrlich die Kinder Adams geehrt (Qur'an 17:70).

Freisein widerspricht nicht dem Muslimsein

Als Beauftragter des Schöpfers ist der Mensch Träger einer weitreichenden Freiheit. Doch so frei wie Gott ist er nicht. Er ist vielmehr in eine allumfassende Verantwortung gestellt. Gleichzeitig ist er in ein Dienstnetz der Natur eingebunden, daß seine Freiheit unaufhörlich einschränkt. Er muß ferner in Anbetracht der Mitmenschen, denen gegenüber er Rücksichten schuldet, ein beträchtliches Maß an weiteren Einschränkungen in Kauf nehmen. Solidarität, Loyalität, Brüderlichkeit u.a.m. gehören zu den Tugenden, auf die man nicht verzichten kann.

„Alle Macht geht vom Volke aus“, lautet ein sympathischer Grundsatz unserer demokratisch-liberalen Staatsordnung. „Doch wohin geht sie?“ fragt man sich mit Recht. Sicherlich bedeutete es eine Entleerung des Sinninhalts unseres Lebens, wüßten wir nicht, wohin die Macht, das Leben und die Reise gehen.

Die Freiheit des Menschen ist nach dem religiösen Verständnis in dem Auftrag der Statthalterschaft Gottes begründet. So wird das Verhalten des Gläubigen weitgehend vom dialektischen Verhältnis *Gott und Mensch* bestimmt. Er will sich den Folgerungen dieses Verhältnisses nicht entziehen.

Der Muslim handelt im Bewußtsein der Tatsache, daß die Menschen letztlich nicht aus Gottes Macht ausbrechen können und daß ihre irdische Reise zu Ihm führt. *Înnā lillāhi wa innâ ilayhi râği'ûn = Gottes sind wir und zu Ihm kehren wir zurück.* (Qur'an 2:156).

Das Ziel des Gesetzes: die Humanitas

Das religiöse Gesetz ist nicht darauf angelegt, den Gläubigen das Leben zu erschweren. Gott ist weit davon entfernt, der Entfaltung von Schaffenskräften und dem freien Hervorbrechen von Begabungen sich hindernd in den Weg zu legen. Die Religion ist vorrangig als Lebenshilfe gedacht. Viele qur'anische Aussagen verdeutlichen diese ihre Bestimmung.

Das Gesetz hat nach der islamischen Lehre die besondere Aufgabe, fünf grundlegende menschliche Güter zu schützen: Religion, Leben, Familie, Vernunft und Besitz. Wo dieser Schutz gewährleistet ist, dort bestehen echte Voraussetzungen zum Frieden. Das Gesetz kann entsprechend den veränderten Lebensumständen jeweils stärkere oder schwächere Akzente erhalten. Mit dem sozialen Wandel ändert sich auch das Gewicht der Gesetze (*taġayyur al-aḫkâm bi-taġayyur az-zamân*). Fortschrittliche islamische Traditionen sind wegweisend für die Art, wie neuauftretenden rechtlichen und sozialen Problemen beizukommen ist. Das Leben kann immer klaglos im Zeichen der Hingabe an Gott bewältigt werden. Und darauf kommt es an! Der Islam ist ja eine Lebens- und Leidensbewältigung unter der Ägide Gottes.

Die Vernunft zu schützen, heißt, im Einklang mit dem religiösen Gesetz – der Scharī'a – zu handeln. Der Gläubige ist, wie jeder andere Mensch, zu allererst angehalten, von seinem Verstand Gebrauch zu machen. Es liegt an ihm, „zu erkennen, welche Entscheidungen in konkreten Fragen der Welt Gottes Willen entsprechen. Aber er kann niemals ganz sicher sein, daß sich die aus eigener Vernunft gefällte Entscheidung mit dem Willen Gottes deckt. Daraus resultiert einmal die Pflicht zur Toleranz gegenüber Andersdenkenden und sodann ein großer Spielraum für sachliche Diskussion, was die richtige Entscheidung in weltlichen Fragen ist"[1].

Der soziale Wandel unserer Zeit hat den Islam weitgehend unvorbereitet vorgefunden. Deshalb ist er sowohl in seinen Stammländern als mehr noch in pluralistischen Gesellschaften, wo er sich in einer Minderheitssituation befindet, von manchen Sparten des realen Lebens getrennt worden.

---

1 *Fritz Steppat*, Zwischen Integralismus und Säkularismus. In: Islam und der Westen 7/1987, 1, S. 2.

Die Religionsgelehrten des Islam haben zur Bewältigung des Problems sozialen Wandels bisher kaum brauchbare Rezepte zu liefern vermocht. Gegenüber den weitgehend tempozentrisch orientierten christlichen und jüdischen Theologen sind sie eher der Geschichte verpflichtet.

In Anbetracht des erschreckenden Mißbrauchs des Islam zu politischen Zwecken entsteht die Frage, ob die islamische Religion im westeuropäischen demokratischen Kontext als grundgesetzkonform zu betrachten sei. Es gibt Politiker, die diese Frage voreilig verneint haben. Zu diesem Trugschluß hat sie aller Wahrscheinlichkeit nach vornehmlich das nahöstliche terroristische Treiben im Namen des Islam verleitet. Doch nichts Falscheres als eine solche Annahme! Der Islam verurteilt ebenso entschieden wie etwa das Christentum die Übergriffe auf das Leben, die Familie und den Besitz. Der Sinn seiner Gesetze ist ja der Schutz dieser Werte.

Die Bundesrepublik und die benachbarten Länder sind infolge ihrer freiheitlichen und demokratischen Ordnung von einigen Gruppen islamischer Fundamentalisten zur vorläufigen Heimat ausgesucht worden. Sie entfalten von hier aus eine zum Teil rege propagandistische Tätigkeit und bauen soziale Solidaritätsstrukturen auf. Ihre Wirksamkeit verletzt aber, soweit ich es übersehen kann, in keiner Weise das Grundgesetz. Immerhin ist auch in Deutschland der Ruf nach stärkerer Einbeziehung der Scharîʿa, des sakralen islamischen Gesetzes, in das Leben der Gläubigen laut geworden. Die Konferenz der europäischen Kirchen hat ihm Gehör geschenkt und eine Kommission gebildet, die sich mit der Bedeutung der Scharîʿa im Leben der Muslime auseinanderzusetzen hat. Ich bin mir aber nicht sicher, daß die in der Bundesrepublik lebenden Muslime in ihrer Mehrheit an der Aktualisierung einer in alten, vergilbten Büchern des Orients dargestellten Scharîʿa – und darum geht es bei den Verhandlungen der KEK-Kommission – interessiert sind.

Der Gegenstand dieser Studie erfordert ein besonderes Eingehen auf das Verhältnis *Religion – Recht – Staat* im Islam. Zur Klarstellung dieses Verhältnisses gilt es zunächst, drei entscheidende Fragen zu beantworten:

1) Steht der Scharīʿa mit all ihrer Komplexität die Qualität des Offenbarungsrechts zu? Ist sie also für die Muslime in all ihren Erscheinungen verbindlich?
2) Ist der Islam, wie häufig behauptet wird, tatsächlich ein Syntagma von Religion und Staat *(dîn wa dawla)* oder ist er nur die Religion allein?
3) Stimmt mit dem islamischen Menschenbild die Eingliederung des Menschen in die freien, demokratischen Entwicklungsläufe der Gesellschaft überein, wobei der Gläubige seine religiöse Identität voll und ganz bewahren kann?

Evidente Vorgänge in unserer Wirklichkeit lassen die zentrale Maxime unseres Rechtsdenkens als fragwürdig erscheinen: Der Mensch als oberstes Kriterium aller Werte hat die Naturordnung in Gefahr gebracht. Die Umweltbedrohung hat somit in der Überhöhung des Menschen ihren Ursprung. Die hemmungslose Selbstverwirklichung ist in ihrem Ansatz weder sozial noch umweltfreundlich.

Andererseits liegt es auf der Hand, daß es gefährlich wäre, auf den anthropologischen Sinninhalt der Gesetzgebung zu verzichten, weil dadurch die volle Freiheit des Menschen – ein respektables Merkmal der westlichen Demokratie – nicht gewährleistet werden könnte. Nur in der vollen Entscheidungsfreiheit des Individuums vermag sich übrigens auch die Religiosität zu ihrem Eigenwert durchzudringen.

Lex charitatis im Islam?

Das religiöse Gesetz ist in allen monotheistischen Religionen von überragender theologischer Bedeutung. Selbst der Protestantismus des Augsburger Bekenntnisses, in dem man vom *ius divinum* zeitweise ungern gesprochen hat, wendet sich neulich zusehends zu den „gottgestifteten Ordnungen", nämlich zu biblischen Weisungen, hin. Das *lex charitatis* behält dabei aber seine Schlüsselrolle im Rechtsdenken. Dieses Gesetz ist für das Christentum nicht aufgebbar. Aber auch der Islam steht dem „Gesetz der Barmherzigkeit" durchaus positiv gegenüber. Heißt es doch im Qur'an, Muhammad sei nur aus Barmherzigkeit zu allen Menschen als Gottgesandter beauftragt worden (*Wa mâ arsalnâka illâ raḥmatan li'l'âlamîn.*) Gott habe sich die Barmherzigkeit selbst vorgeschrieben (6:13, 55); Seine Barmherzigkeit kenne keine Grenzen (7:157).

Das islamische Staatskonzept ist eine Konstruktion der Nachwelt: der Rechtsgelehrten zum einen, und der Philosophen zum anderen. Dieses Konzept fällt folglich aus dem Rahmen der Offenbarung und somit auch der authentischen Scharī'a hinaus.

Zu einem erweiterten religiösen Bewußtsein und zur Zersprengung der gegenwärtig herrschenden Verkrustung des islamischen Lehrbetriebs könnte ein Rückgriff auf die besten Seiten der islamischen Philosophie beitragen. Diese Philosophie bewegte sich bei all ihrer prinzipiellen Treue zur Religion in ihrem Wollen stets auf die rational erfaßbare Wahrheit hinzu. Das war ihr oberster Leitsatz. So finden wir bereits bei *al-Kindî*, dem „arabischen Philosophen" (gest. um 870), ein glühendes Bekenntnis zum schöpferischen Geist und zur freien Wahrheitsermittlung. Er schreibt in seiner *Metaphysik*: „Unsere ganze Dankbarkeit gilt jenen, die etwas für die Ermittlung der Wahrheit beigesteuert haben. Erst recht zollen wir ihnen unsere Dankbarkeit, wenn sie für die Ergründung der Wahrheit viel geleistet haben. Wir sollten uns nicht schämen, die Wahrheit einzugestehen und sich zu ihr zu bekennen, von welcher Quelle auch sie gekommen sein mag – ja selbst, wenn frühere (heidnische) Generationen oder fremde Völker sie an uns herangetragen haben sollten. Für den Wahrheitsuchenden gibt es nichts Wertvolleres als die Wahrheit. Sie erniedrigt nie den Menschen noch verringert sie seinen Wert. Ganz im Gegenteil, sie erhebt und veredelt ihn."

In ähnlicher Weise äußert sich etwa 300 Jahre später der aus einer streng islamischen Gelehrtenfamilie stammende *Ibn Rušd* (Averroes, gest. 1198), durch dessen aristotelische Gedankenwelt übrigens Europa in ein besonders Nahverhältnis zur islamischen Kultur getreten ist. Freilich sprechen die Vertreter der Orthodoxie eine andere Sprache. Typisch für ihre Haltung ist die Lehrmeinung des traditionalistischen sunnitischen Gelehrten *Ibn Taymiyya* (gest. 1328), eines Anhängers der strengen hanbalitischen Rechtsschule. Er meint, daß das Wohl der islamischen Weltgemeinschaft lediglich vom Gehorsam Gott und seinem Gesandten gegenüber abhänge, allerdings unter der Voraussetzung, daß dieser Gemeinschaft eine Autorität vorsteht, die zum Guten anleitet und das Verwerfliche verhindert und in der Lage ist, ihre Vorstellungen darüber auch durchzusetzen. Von der Masse der Gläubigen verlangt er eine strenge Beobachtung der Gebete und anderer religiöser Pflichten und die Bereitschaft für den höchsten Einsatz (*ǧihād*) zugunsten des Allgemeinwohls.

Worin wurzelt die islamische Identität?

Ein allein auf die Glaubenslehre, die Pflichtenlehre und die Moral bezogener Islam ist legitim. Niemandem steht es zu, ihn etwa als fragwürdig anzusehen.

Mit der freien Entscheidung beginnt der gelebte und eigenwerthaltige Islam. Das Vorhandensein eines orientalisch-islamischen zivilisatorischen Hintergrunds ist dabei irrelevant.

Die islamische Identität wurzelt im Bekenntnis zu Gott als Herrscher des Daseins und zu seiner Offenbarung als Richtschnur des religiösen und ethischen Verhaltens. Diese Offenbarung geht nach der islamischen Lehre durch die ganze Geschichte. Der Islam gewährt seinen Gläubigen viele Möglichkeiten, sich in einer weitgehend säkularisierten Gesellschaft zurechtzufinden. Erinnert sei an das Fehlen von Sakramenten, Priesterschaft und Taufe, an den zivilrechtlichen Charakter der Ehe, an das unbelastete

Verhältnis zur Sexualität, an die Ablehnung des Exkommunikationsgedankens, die positive Einstellung zur Naturforschung und zum Wissen, an die Duldung von bestimmten Formen von Mischehen und an die uralte islamische Dialogoffenheit gegenüber den monotheistischen Religionen.

Die Behauptung, der Islam sei ein „kompletter Lebensweg", ist nicht für alle Zeiten und alle Räume haltbar. Muhammad kann weder durch die von ihm vermittelte Offenbarung noch durch sein Lebensbeispiel die ganze reichhaltige Palette der Lebensmöglichkeiten erfaßt haben, die der dauernde Entwicklungsprozeß der Menschheit erbringt. Es ist auf ein falsches Weltbild und auf einen mangelnden Realitätssinn zurückzuführen, wenn fromme oder politisch motivierte Muslime in der Weisheit des Qur'an und der Tradition Antworten auf alle möglichen Lebensfragen zu finden glauben. Zu Muhammads Zeiten haben das sakrale und das überlieferte Wissen die Wissenshaft ersetzt. In ihren Dilemmata, Sorgen und Nöten haben daher die Menschen begreiflicherweise vorrangig auf dieses Wissen zurückgegriffen. Läge es in der qur'anischen Absicht, dieses Wissen für alle Zeiten zu zementieren, so fände man im Qur'an keinen Ansporn zur Naturbeobachtung, zum Nachdenken und zum Forschen.

Das übersteigerte Gefühl der Kreatürlichkeit, das wir heute in der islamischen Welt antreffen, ist ein Ausdruck asketischer Gesinnung, die die Muslime hauptsächlich durch ihre Begegnung mit dem syrischen Mönchschristentum gelernt haben. Der Mensch als Sklave – nicht als ein bewußter, freier und verantwortungsvoller Diener Gottes – ist von allen Zukunftshoffnungen abgeschnitten. Ein Schritt weiter – und er ist Sklave jener, die vorgeben, Gott besonders nahezustehen. So entsteht eine Gesellschaft mit Sklavenmentalität. Feudalismus, Rentenkapitalismus, Ausbeutung des Menschen durch den Menschen. Kriege, Raubzüge, Tyrannei, fehlende Gerechtigkeit und andere gesellschaftliche Übel sind die Folgen.

Der Islam kennt, ebenso wie das Judentum und das Christentum, die Idee der Auserwähltheit. Im Qur'an finden wir den Vers: „Wir haben euch zur besten Gemeinschaft gemacht: Setzt ihr euch doch für das Gute ein und legt euch quer gegen das Böse." (3:110) Obwohl aus diesem Vers klar hervorgeht, welche Dimension des Islam diese Auserwähltheit begründet, ist die landläufige orthodoxe Meinung, daß der eigentliche Glaubensakt das Bekenntnis zum Islam ist. Es genüge, sich innerlich und verbal zu Gott (Allâh) zu bekennen und Muhammad die Stelle eines der Gottesboten zuzuerkennen, um der Seelenrettung gewiß zu sein und zu den „Auserwählten" zu gehören.

Diese Auffassung entspricht freilich nicht der authentischen Lehre des Qur'ân. Von ihm wird vielmehr auch jenen gottergebenen Menschen, die sich nicht ausdrücklich zum Islam bekennen, Anteil am Heil zugesprochen. Eine alte islamische theologische Schule – die *murǧi'tische* – vertrat den Standpunkt, daß es nur Gott zustehe zu beurteilen, wer der echte Gläubige ist und wer nicht. Sie kannte den Begriff „anonyme Muslime".

Das Abendland ist eine pluralistische Welt. Das heißt, jeder kann in ihm nach „seiner Fasson selig sein". Die Freiheit ist ein unschätzbares Gut, niemand wird in eine Zwangsjacke gesteckt. Es gibt so gut wie keinen sozialen Druck. Die abendländische Kultur ist nicht mit einem bestimmten „Lebensweg" identisch. Die Offenheit für Probleme ist allgegenwärtig. Im Abendland hat der Mensch tatsächlich bessere Möglichkeiten, seine Rolle als Stellvertreter Gottes auf Erden zu spielen, als in der islamischen Welt.

Der Glaube hat im Altertum häufig das Wissen ersetzt. Diese Funktion erfüllt er in unterentwickelten Gesellschaften heute noch. Das kurzlebige Dasein des Menschen bietet ganz einfach keine Möglichkeit, die Fülle der Wahrheit zu erfassen; deshalb ist ihm der Glaube willkommen. Bei der Erkenntnisgewinnung heute geht es nicht ohne Kritik: Die Frage des Verhältnisses zwischen dem Islam und dem demokratischen, weitgehend säkularisierten Europa ist für die in diesem Teil der Welt lebenden Muslime von Lebenswichtigkeit. Sie können sich aus den hier laufenden demokratischen und emanzipatorischen Prozessen nicht heraushalten, wollen sie eine gesicherte Zukunft erwarten.

Das Glaubensleben der in einer pluralistischen Gesellschaft lebenden Menschen ist auf die Entscheidungsfreiheit jedes einzelnen Bürgers angewiesen. Ein unreflektiertes Nachahmen von Lebensschablonen der Vorväter im Glauben ist hier fehl am Platz.

Islam und Demokratie

Das vorherrschende Handlungsprinzip für den frommen Muslim ist die Übereinstimmung mit Gottes Willen, wie sich dieser in der Offenbarung niederschlägt. Der Glaubende meistert folglich sein Leben im Zeichen der Hingabe an einen so erkennbaren Gott. Aber der Islam spricht erst den mündigen und im Vollbesitz seiner geistigen Kräfte befindlichen Menschen, ob Mann oder Frau, an. Nur ein solcher Mensch kann *mukallaf* sein, d. h. eine Verantwortung im religiösen Sinne tragen. Dementsprechend ist der Islam eine Sache der persönlichen Entscheidung und Verantwortlichkeit.

Das Islam-Verständnis hängt weitgehend vom Verständnis der Offenbarung ab. Traditionalistische Interpretationsschulen rigoristischer Ausrichtung schreiben dem Lebensbeispiel Muhammads den Charakter der Offenbarung zu. Die übergroße Mehrheit lehnt jedoch diesen Standpunkt ab. Denn Muhammad ist nach der islamischen Lehre in keiner Weise Träger einer göttlichen Emanation. Das widerspräche dem streng monotheistischen Gottesbegriff des Islam. Muhammad ist eben nur ein Mensch gewesen wie alle anderen, der lediglich einen besonderen, von Gott erteilten, Lehrauftrag zu erfüllen hatte. Durch den verschiedenartigen Zutritt zum Qur'an als der von allen Muslimen anerkannten Offenbarung und zur *sunna,* d. h. zum exemplarischen Lebensverhalten Muhammads, haben sich innerhalb des Islam verschiedene Denkrichtungen herausgebildet, die kein einheitliches Verhältnis des Islam zur Demokratie bezeugen. Im praktischen Leben hängt die Einstellung der einzelnen Gläubigen weitgehend von ihrem Glaubensverständnis und ihrer persönlichen Kultur ab. Bei der Beurteilung der Gewichtigkeit der beiden erwähnten Glaubensquellen – des Qur'an und der *sunna* – ist es wichtig, vor Augen zu halten, daß die überwiegende Mehrheit der Gläubigen den Qur'an für nicht erschaffen, also Gott immanent, hält – gegenüber einer rationalistischen und elitären Minderheit, die ihn für erschaffen und somit in Zeit und Raum eingebunden erklärt.

Entwicklungsgeschichtliche Zusammenhänge

Das Wort Demokratie ist griechischer Herkunft. Es bedeutet die Herrschaft des Volkes und ist so weit für jedermann verständlich. Die Schwierigkeiten entstehen bei seiner philosophischen und rechtlichen Auslegung bzw. seiner Umsetzung in die Praxis. Bereits in der Antike war der Begriff der Demokratie bekannt, doch seine eigentliche Geschichtswirksamkeit beginnt mit der Aufklärung. Die Aufklärung ist bekanntlich jener Erkenntnisprozeß, der im 17. Jahrhundert in Europa eingesetzt hat, um im Laufe der nächsten drei Jahrhunderte durch seine sozial-kritischen Impulse und seine erkenntnistheoretischen Ansätze grundlegende Änderungen in der gesellschaftlichen, politischen und kulturellen Struktur des Abendlandes auszulösen. Sein Kind ist die gegenwärtig herrschende Säkularisierung oder Verweltlichung des menschlichen Lebens.

Die Welt des Islam und namentlich ihr Theologiebetrieb sind diesem Prozeß und seinen Folgen entronnen. Die islamische Theologie ist deshalb heute noch vorwiegend scholastisch und kasuistisch. Sie versteift sich in konventioneller Art auf die kreatürliche Dimension des Menschen. Ihre Argumentiermethoden sind folglich weitgehend einem vorwissenschaftlichen Menschenbild angepaßt. Es ist klar, daß eine solche überholungsbedürftige Theologie für die freie Selbstverwirklichung des Menschen wenig Verständnis aufzubringen vermag. Sie ist der neuzeitlichen abendländischen Demokratie nicht besonders zuträglich. Daraus darf man aber nicht schließen, daß – wie der sonst gut orientierte deutsche Orientalist *Martin Forstner* es tut – „der abendländische parlamentarische Demokratiebegriff in entscheidenden Punkten von den islamischen Werten abweicht“[1]. Hier muß bedacht werden, daß der Islam an demselben Offenbarungsstrang wie Judentum und Christentum zieht und daß ihm somit dieselben Deutungsmuster und Eingliederungsmöglichkeiten in das wissenschaftliche Weltbild offen stehen wie dem Judentum und dem Christentum.

Die Grenzen der Demokratie

Die Umsetzung des Volkswillens in die Tat, was die Demokratie in der Praxis bedeutet, hat zweifellos ihre Grenzen. Sie muß vor allem früher oder später auf jene Macht stoßen, die sich nach der religiösen Terminologie als Gottes Wille bekundet, nämlich auf die Naturgesetze. Die zweite bedeutsame Barriere, vor der die Demokratie gelegentlich Halt machen muß, sind die moralischen Gesetze, deren Ersthüterin die Religion ist. Einschränkend wirken ferner verschiedene kleine und große Sachzwänge, die sich namentlich in der hochtechnisierten Welt geltend machen. Die Stimme des Volkes kann also auf keinen Fall von absoluter Geltung sein. Sie hat ihre Grenzen. Bedenklich ist ferner die Qualität der Entscheidungsfä-

---

1 *Martin Forstner*, Islam und Demokratie. In: CIBEDO-Texte 9/10. 1981, S. 16.

higkeit der Volksmassen. Nicht die Zahl der Entscheidungsträger, sondern deren Qualifikation und Kompetenz bestimmen den Wert der Entscheidungen. Dieses Arguments bedienen sich gerne traditionalistische und fundamentalistische Islam-Gelehrte, wenn sie auf ein seit je in der islamischen Tradition befolgtes Prinzip der Beratung in Handlungs- und Regierungsangelegenheiten zu sprechen kommen, das sie als Ausdruck eines demokratischen Geistes betrachten. Die Beratung steht nämlich nach der Auffassung dieser Gelehrten lediglich den berufenen Männern zu.

Vieldeutig ist nicht nur der Begriff *Volk,* sondern ebenso der Begriff *Herrschaft.* Das Ziel der Demokratie ist eine freie, gleichberechtigte, solidarische und glückliche Gesellschaft, die nach Möglichkeit keinen Herrschaftsdruck von oben zu spüren bekommt. Aber so eine Gesellschaft ist in Wirklichkeit eine Utopie. Islam lehrt, wie übrigens auch die anderen Religionen, daß die eigentliche, nämlich die unausweichliche und nicht abschüttelbare Herrschaft, nur Gott gehört. Daraus leiten islamische Moralisten und Staatstheoretiker den Grundsatz der göttlichen Souveränität ab, dem sich ein islamischer Staat zu unterwerfen habe. Die göttliche Souveränität in diesem Sinne wäre eine Floskel, würde dahinter nicht die Forderung stehen, daß der Staat nach den religiösen bzw. göttlichen Gesetzen zu handeln habe. Für *Martin Forstner* ist deshalb der islamische Staat „eine Theokratie im wahrsten Sinne des Wortes, in der Gott Oberhaupt ist". Abgesehen davon, daß die Vorstellung von Gott als Oberhaupt dem strengen islamischen Monotheismus zutiefst widerspricht und demnach unter den Muslimen nie aufkommen könnte, wissen wir aus der Geschichte, daß der Islam zwischen den Männern der Religion – den *'Ulamâ'* – und den Männern der politischen Macht – den *Wuzarâ'* – eine fein differenzierte Scheidungslinie zu ziehen weiß. Was heute im Iran geschieht, ist ein Ausbruch aus der Geschichte. Er ist in iranischer Form nur im Rahmen des von Haus aus stark politisch determinierten schiitischen Islam möglich gewesen.

Viele zeitgenössische muslimische Denker sprechen mit einem gewissen Stolz von einer demokratischen Gesinnung des Islam. Dabei berufen sie sich auf den betonten Gerechtigkeitssinn des Islam und seine Sozialethik. Tatsächlich lehrt der Islam die Gleichheit aller Menschen und setzt sich für die Gerechtigkeit ein. Die Regierenden sind verpflichtet, sich vor wichtigen Entscheidungen mit den Vornehmen und Weisen des Reiches zu beraten. Das ist das berühmte *šûrâ*-(Konsultations-)Prinzip. Obwohl der Islam mit der antiken Einrichtung der Sklaverei nicht aufgeräumt hat, ist ihm das Bewußtsein von der angeborenen Freiheit des Menschen nie abgegangen. So warnte *'Alî,* der vierte Kalif, in Anbetracht der Klagen, die ihm aus dem eroberten Ägypten zugegangen waren, seinen ägyptischen Gouverneur *Mâlik ibn Hâriṯ*: „Wer gibt Dir das Recht, Menschen zu versklaven, wo sie doch von ihren Müttern frei geboren sind?" Die ersten vier Kalifen lebten im Volk und sorgten vorbildlich für ihre Bürger. Darin sehen muslimische Geschichtsinterpreten Anzeichen einer demokratischen Gesinnung.

Zu den Wesenszügen der abendländischen Demokratie gehört aber neben der Freiheit und Gleichheit aller Bürger noch die Beteiligung der Volksmassen an der Gesetzgebung und an der politischen Macht. Die Beteiligung kann unmittelbar oder mittels frei gewählter Vertreter (Parlamentarier) erfolgen. Der Parlamentarier ist entweder an eine klare und begrenzte Beauftragung gebunden, oder er übt seine Funktion durch das freie Mandat aus. Der Abgeordnete mit freiem Mandat handelt nach seinem Gewissen, allerdings im Sinne der Erwartungen seiner Wähler. In der parlamentarischen Demokratie hat jeder mündige und im Vollbesitz seiner geistigen Kräfte befindliche Staatsbürger ohne Ansehen des Geschlechts, der Religion, der politischen Überzeugung oder der Herkunft, das Recht auf die Wahl der von ihm gewünschten Volksvertreter. Ein demokratischer Staat ist ein Rechtsstaat mit Gewaltenteilung. Die meisten dieser Elemente fehlen im traditionellen Bild des islamischen Staates. Theoretisch ist er zwar ein Rechtsstaat, ja eine Nomokratie, d. h. „die Herrschaft des Gesetzes", doch praktisch ist er nur auf die muslimische Bevölkerungsmehrheit zugeschnitten. Diese Mehrheit bildet die *natio militans*. Sie ist in jeder Hinsicht federführend. Das Herrschaftssystem eines traditionellen islamischen Staates ähnelt in manchem jenem der Volksdemokratie. Es ist vor allem eine ideologisch determinierte Herrschaftsform, die zur Ausschaltung des politischen Willens aller anderen Interessengruppen und Gesinnungsgemeinschaften führt. Die sogenannten „Schutzbefohlenen", d. h. die Juden, die Christen und, stellvertretend für alle anderen Gottgläubigen, die Sabier, partizipieren in begrenztem Rahmen an der Macht. Immerhin hat es im Laufe der Geschichte viele einflußreiche jüdische und christliche Berater und Minister muslimischer Herrscher gegeben. Die Kirchen- und Synagogengemeinschaften mit ihren obersten Leitungsorganen haben zeitweise beachtliche Machtzentren innerhalb ihrer jeweiligen *millets* (der religiös-nationalen Gruppierungen) gebildet. Bekannt ist der Einfluß des Patriarchats – der *Fanarioten* – von Istanbul im Osmanischen Reich.

Das herkömmliche islamische Recht schließt die Frauen weitgehend vom politischen Geschehen aus. Des weiteren ist die Gewaltenteilung dem islamischen Staatsrecht unbekannt. Das Fehlen all dieser wesentlichen Züge der parlamentarischen Demokratie erlaubt es uns nicht, das islamische Herrschaftssystem als demokratisch oder gar als „liberal und pluralistisch ausgerichtet" zu qualifizieren. In der Praxis der existierenden muslimischen Staaten sind inzwischen manche dieser Hindernisse entfallen. Namentlich ist das Problem der „*Schutzbefohlenen*" kaum mehr aktuell. Aber ein Dauerbrenner macht nach wie vor Sorgen: die *Frauenfrage*. Die islamische Gesellschaft hat durch ihre Eingebundenheit in die Patriarchalität ein gestörtes Verhältnis zur Frau. Bereits *Ibn Rušd* (Averroes, gest. 1198), hat darin eine bedauerliche Schwäche der islamischen Welt gesehen. Diese Schwäche erweist sich immer augenscheinlicher als fortschritthemmend. Die sogenannte *Islamische Bewegung*, ein Sammelbegriff für die diversen fundamentalistischen Gruppen des Islam von heute, lehnt den politischen und kulturellen Pluralismus ab. Ihrer Auffassung nach habe nur eine Partei in der islamischen Gesellschaft Existenzberechtigung. Dennoch beruft man sich selbst in diesen Kreisen gerne auf die demokratische Gesinnung. Es wird sogar behauptet, das islamische gesellschaftspolitische System trage allen wesentlichen Prinzipien der modernen Demokratie, nämlich der Rechtsstaatlichkeit, dem Repräsentativsystem, den Grundrechten und dem Minderheitenschutz, Rechnung. Lediglich die Gewaltenteilung sei ihm fremd.

Direkte Demokratie mit islamischem Anstrich

Wie bei radikalen Demokraten, so gibt es auch bei radikalen „*Islamisten*" – so nennen sich die Fundamentalisten der *Islamischen Bewegung* –, Trends nach direkter Volksherrschaft. Ein praktisches Beispiel dieser Trends bietet das Libyen des Revolutionsführers *Mu'ammar al-Qaḏḏâfî*. Während die Französische Revolution die absolutistischen Herrschaftssysteme in Europa beendet und die Ära der Republiken eingeleitet hat, so habe nach der Meinung *al-Qaḏḏâfî*'s die libysche Volksrevolution das Zeitalter der Massen eröffnet. Sie habe die Demokratie vollendet. Man würde erwarten, daß diese Umschwenkung auf den Volkswillen die *Šarî'a*, also das Korpus der religiösen Lebensregeln, aus dem politischen Leben ausschalten müßte. Dem ist aber nicht so. Die *šarî'a* gilt in Libyen als die Erstquelle *(maṣdar)* des Rechts. Es ist das besondere Offenbarungs- und Glaubensverständnis des libyschen Staatsoberhauptes, das diese Flexibilität und Weltoffenheit zuläßt. *Al-Qaḏḏâfî* lehnt einen großen Teil der Überlieferung als unecht, ja zuweilen dem Qur'an widersprechend, ab. Den religiösen Aufruf zur Beratung mit Sachkundigen deutet er als Aufruf zur Einbeziehung der Massen in das politische Geschehen. Diese radikale, jedoch eher theoretische denn praktische Vermassung der Macht, versteht er als die einzig mögliche Transponierung des Qur'an-Verses 42:38 in die Tat. Das ist jener Vers, auf dem sich hauptsächlich das islamische Konsultationsprinzip gründet.

Fundamentalismus contra Traditionalismus

Die von islamischen Rigoristen geforderte Zurückführung des Glaubens auf seine Ursprünge profiliert sich bei ihrer Anwendung als ein Reduktionsprozeß. Vieles vom theologischen Erbe wird im Zuge dieses Prozesses als nicht legitim abgeschrieben oder in Frage gestellt. Das schafft Freiraum für neue Einsichten. Korrekturen und Anpassungen können leichter gehandhabt werden. Andererseits beschwört die Rückkehr zu den ältesten Glaubens- und Verhaltensmodellen das Aufkommen von Archaismen und Zeitwidrigkeiten herauf. Diese behindern das Rechtsdenken und verleihen der gesellschaftlichen Etikette einen antiquierten Charakter. Die etablierten Interpretationsschulen, allesamt Konstruktionen der Nachwelt, vermögen im Umgang mit Problemen des modernen Lebens wesentlich mehr zu helfen als die unreflektierte Rückkehr zu den Quellen. Hier ein Beispiel, das sich gerade auf die Thematik dieses Buches bezieht: Die hanafitische Rechtsschule, zu der sich bekanntlich die erdrückende Mehrheit der in der Bundesrepublik lebenden Muslime bekennt, hält den strafrechtlichen und gesellschaftspolitischen Teil der *šarî'a* in den erschwerten Verhältnissen der Diaspora-Situation für aufgebbar. Sie entläßt die Gläubigen in einer solchen Lebenslage gewissermaßen in die Freiheit. In diesem Standpunkt der hanefitischen Rechtsschule bekundet sich praktisch die Haltung des Islam zum Grundgesetz. Diese Haltung ist bejahend und loyal. Gegen eine Staatsordnung, die allen in ihrem Geltungsbereich lebenden Menschen Rechtschutz und soziale Sicherheit gewährt, kann es keine religiösen Bedenken geben.

Die moralische Kraft des Grundgesetzes verpflichtet auch die Muslime

Erfreulicherweise sehen die in der Bundesrepublik lebenden Muslime immer klarer, daß das Grundgesetz ein hervorragender Pfeiler der Humanität und der zwischenmenschlichen Solidarität ist. So bekennen sich neuerdings selbst Gemeinden, die als fundamentalistisch gelten, eindeutig zum Grundgesetz. „Da die grundsätzlichen ethischen Ideale des Grundgesetzes mit den Grundwerten des Islam übereinstimmen, ist in vielen Bereichen Kooperation möglich und wünschenswert. Da, wo Wertvorstellungen der bundesrepublikanischen Gesellschaftsordnung von denen des Islam abweichen, können die Muslime nicht darauf pochen, ihre Ideale als allgemeingültig durchzusetzen, aber sie sind auch nicht gezwungen, ihre Ideale aufzugeben. Islam und moderner Rechtsstaat können also sehr wohl miteinander kooperieren"[2].

Im bundesdeutschen Kontext ist die bereits präzisierte Haltung des mehrheitlichen Islam von besonderem Wert. Sie findet auch in der Politik der obersten türkischen Religionsbehörde, der *Diyanet Işleri Başkanlığı*, ihren Niederschlag. „So ist es in der Tat müßig", wie die Turkologin und Islamwissenschaftlerin *Petra Kappert* meint, „bei der Frage nach der Akzeptanz bzw. nach der Verfassungskonformität von unter den türkischen Muslimen mehrheitlich vorherrschenden ethisch-religiösen und rechtlichen Vorstellungen immer wieder auf die extreme, mittelalterliche Praxis des islamischen Strafvollzugs zu verweisen, wie er nur in wenigen Ländern des Orients gehandhabt wird"[3].

Der nicht aufgebbare Lehrkern des Islam ist primär religiösen und sozial-ethischen Charakters. Erst sekundär greift der Islam in das rechtliche und staatspolitische Geschehen ein. Hier ist ein weites Feld säkularen Regelungen vorbehalten geblieben.

Die islamische Welt ist nicht demokratisch

Die Ideale der abendländischen Demokratie – Gerechtigkeit, Freiheit, Rechtssicherheit, sozialer Schutz, zwischenmenschliche Solidarität und vor allem Humanität – zählen auch im Islam zu den erstrebenswerten Zielen der gesellschaftlichen Entwicklung. Die lebende Demokratie fußt aber auf drei wichtigen gesellschaftlichen Faktoren: a) auf der demokratischen Gesellschaftsstruktur, b) auf dem demokratischen Bewußtsein und c) auf der demokratischen Praxis. Alle diese Faktoren vermißt man heute weitgehend in der islamischen Welt. Reste der feudalen Ordnung, Servilität der Untertanen, absolutistische Regierungsformen, Militärdiktaturen, Stammesbewußtsein, Übervorteilung der Armen durch Reiche u.a.m. sind allzu offensichtlich, als daß man dort von einer wirklichen Demokratie sprechen könnte. Es fehlt auch an tragfähigen Organisationsstrukturen, die die politische Bildung zwischen Bevölkerung und Elite vermitteln könnten. Die Unzufriedenheit mit den sozialen Zuständen macht sich im Erstarken iso-

---

2 *Muhammad Yıldırım Kalisch*, Die juristische Situation der Muslime in Deutschland. In: Al Fadschr/Die Morgendämmerung (Hamburg) 1987, Nov./Dez. (Nr. 31), S. 49.

3 *Petra Kappert*, Grundsätzliche Überlegungen zur Einführung islamischen Religionsunterrichts für türkische Schüler. In: Begegnung mit Türken – Begegnung mit dem Islam. Hamburg 1984, S. 109.

lationistischer Bewegungen und des politischen und religiösen Extremismus bemerkbar.

Noch ein langer Weg muß zurückgelegt werden, bevor die Demokratie in der Dritten Welt zur gesellschaftlichen Wirklichkeit geworden ist. Auf diesem Wege können und sollen auch die Theologen wichtige Aufgaben erfüllen. Es gilt vor allem, das allgemeine Kulturniveau der glaubenden Massen zu heben und sich für die drohende Krise des konventionellen Islam zu rüsten. Diese Krise ist unvermeidlich. Das konventionelle Christentum hat bereits sein Ende erlebt. Das Christentum der Jetztzeit ist in Wirklichkeit zum Großteil ein Filtrat der Aufklärung[4]. Den Filtrierungsprozeß der Bibel hat eigentlich schon der Qur'an begonnen, doch nicht auf eine die Juden und die Christen befriedigende Art und Weise. Aber vieles ist der Bibel und dem Qur'an immer noch gemeinsam. Die Muslime können von der christlichen theologischen Erfahrung lernen. Das Aggiornamento wird im Islam allenfalls viel behutsamer und differenzierter erfolgen. Der Qur'an als – wie eingangs angeführt – „die Bibel, an der nicht zu zweifeln ist", erhebt den Anspruch, unanfechtbar zu bleiben.

In meinem 1986 in der Zeitschrift „Universitas" erschienenen Aufsatz „Religion und Politik im Islam" habe ich versucht nachzuweisen, daß der Islam nicht essentiell mit der Politik verbunden ist. Er versteht sich als rechte Leitung und Gnade für die Herzen, denen er Heilung und Ruhe bringt (*šifâ'un li tatma'inna'l-qulûb*). Alle Staatstheorien im Islam sind, ebenso wie die Politik, Produkte der Kulturentwicklung. Kein glaubender Mensch würde sich damit zufriedengeben, in seiner Religion lediglich ein Kulturprodukt zu wissen. Demnach wird er auch die Staatstheorien seiner Vorfahren im Glauben nicht als verpflichtendes religiöses Erbe ansehen. Dies ist ein Gebiet, wo sich der menschliche Anteil an der Weltgestaltung bekundet. Der Muslim darf diesen Anteil nicht vergessen. Ist er doch nach dem qur'anischen Klartext Stellvertreter Gottes auf Erden.

Echte demokratische Gesinnung ist jenen gesellschaftlichen Strukturen, die sich lediglich auf den Autoritätsglauben stützen, nicht zuträglich. Die echte Demokratie entwickelt einen Gemeinschaftssinn, der die Trennungsmauern unter den Menschen abbaut. Die Religionen aber haben im Laufe der Geschichte, sei es aus Überheblichkeit, sei es aus Gründen des Selbstschutzes, Trennungsmauern um sich errichtet. Mit dem zunehmenden Reifungsprozeß des Menschen wird diese Selbstgenügsamkeit nach und nach aufgegeben. Nur das mangelnde Bildungsniveau der Massen mag

---

4 Siehe: *Van de Pol*, Das Ende des konventionellen Christentums. 3. unveränd. Aufl. Wien, Freiburg, Basel (1968), S. 118ff.

zeitweise diese positive Entwicklung aufhalten. Mit der Erweiterung des Kulturhorizonts eröffnen sich immer größere Chancen für die Demokratie.

Zweifellos hängt auch die Haltung der Muslime zur Demokratie von ihrem jeweiligen Kulturniveau ab. Daß dieses Niveau im bundesdeutschen Lebensumfeld in ständigem Wachsen begriffen ist, darf als eine erfreuliche Tatsache festgestellt werden. Damit wird das grundgesetzkonforme Verhalten der muslimischen Mitbürger weiter gefestigt. Folglich ist eine von ihnen ausgehende Theologisierung der Politik – im Großen gesehen – nicht zu befürchten.

Kann der Islam in einer säkularistischen Welt existieren?

Die Schwierigkeiten, denen sich ein gläubiger Muslim bei seiner Begegnung mit der weitgehend säkularisierten abendländischen demokratischen Gesellschaft gegenübergestellt sieht, liegen hauptsächlich in der Spannung, die zwischen der aufgeklärten Natur dieser Gesellschaft einerseits und dem Offenbarungsverständnis und der historischen Fixiertheit des traditionellen Islam andererseits herrscht. Die islamische Orthodoxie lehrt, daß der Qur'an eine präexistente und somit außerhalb der Zeit und des Raumes stehende göttliche Botschaft sei – wie übrigens auch alle anderen Offenbarungen.

Da die Offenbarung ein geistiges Eigentum Gottes ist, könne sie nicht auf eine Vervollkommnung durch die Menschen angewiesen sein. Am göttlichen Gut dürfe nicht gerüttelt werden. Der Gläubige müsse folglich streng im Sinne der darin enthaltenen Richtlinien sein Leben gestalten, will er sein Heil erlangen.

Das vorherrschende Handlungsprinzip für den frommen Muslim ist die Übereinstimmung mit Gottes Willen, wie sich dieser in der Offenbarung niederschlägt. Der Glaubende meistert folglich sein Leben im Zeichen der Hingabe an einen so erkennbaren Gott. Aber der Islam spricht erst den mündigen und im Vollbesitz seiner geistigen Kräfte befindlichen Menschen, ob Mann oder Frau, an. Nur ein solcher Mensch kann *mukallaf* sein, d. h. eine Verantwortung im religiösen Sinne tragen. Dementsprechend ist der Islam eine Sache der persönlichen Entscheidung und Verantwortlichkeit.

Die islamische Theologie oder vielmehr die Rechtswissenschaft ist scholastisch. Sie hat eine Vorliebe für kasuistische Denkweise. Der Mensch wird vor allem in seiner Geschöpflichkeit gesehen. Durch Auferlegung von einem ausgedehnten Netz von Verpflichtungen und Detailvorschriften werden seine freien Entfaltungsmöglichkeiten eingeschränkt. Die Argumentiermethoden der islamischen Religionslehre gehören immer noch teilweise zum vorwissenschaftlichen Zeitalter.

Glücklicherweise gibt es in der islamischen Tradition auch rationalistische Theologien. Eine der bekanntesten ist jene der *Mu'taziliten* (8.–10. Jh.). Sie lebt heute im islamischen Modernismus fort, der manchmal auch als *Neomu'tazilismus* bezeichnet wird.

Der führende modernistische Theologe *Muḥammad 'Abduh* (gest. 1905) spricht jeder Qur'an-Exegese, die nicht von einem wissenschaftlich vertretbaren Welt- und Menschenbild ausgeht, die theologische Annehmbarkeit ab. Damit öffnet er einer historisch-kritischen Exegese Tür und Tor. Ein Zutritt zum Qur'an als einer in Zeit und Raum stehenden Offenbarung ist in der islamischen Geistesgeschichte in Ansätzen vorhanden. Das bekundet sich in der Wirksamkeit eines besonderen theologischen Forschungszweiges, der den äußeren Veranlassungen einzelner Offenbarungssegmente nachgeht. Das mehrheitlich vertretene Dogma von der Unerschaffenheit des Qur'an widerspricht der Tatsache, daß – entstehungsgeschichtlich gesehen – qur'anische Einzelaussagen sehr wohl veränderbar, relativ oder ambivalent sind. Diese Eigenart kommt erst recht der Scharî'a zu.

Die *Scharî'a* ist das Gesamtkorpus der islamischen Lebensregeln – darunter auch das kontroverse Strafrecht des Islam. Sie ist zu einem beträchtlichen Teil eine Schöpfung der Rechtsgelehrten, die im frühen Mittelalter gelebt und geschrieben haben. Deshalb wirken die Rückgriffe auf dieses Recht, wie das im Zuge der sogenannten „islamischen Renaissance" immer häufiger der Fall ist, befremdend. Unzählige Muslime in aller Welt sind mit der Restauration jenes Strafrechts nicht einverstanden.

Die toleranteste Deutungs- und Lebensform des Islam ist jene der Mystik. Die islamischen Mystiker sind auf ständiger Suche nach Gott. Ihm gilt ihre ganze Liebe. Sie wollen in ihm aufgehen; sie suchen also eine *unio mystica* oder (arabisch) *fanâ'fi'llāh.* Die echten Mystiker sind daher – im Islam wie in anderen Religionen – offenherzig, tolerant und in gewissem Sinne umweltbewußt. Der theoretische Ansatz des islamischen Offenbarungsverständnisses, daß die Offenbarung eine göttliche Botschaft ist, die durch die ganze Geschichte geht, wird von ihnen in der Lebenspraxis bestätigt.

Der Islam als Ausdruck nationaler Identität und zivilisatorischer Notwendigkeiten

In seiner spezifischen Geschichte hat sich der Islam zuweilen weniger strikt im Sinne des Lehrauftrages profiliert. So ist er in gewissen Sparten seines Spektrums vom nationalen Kulturerbe vor allem der Araber, der Türken und der Perser infiltriert worden. Zu Muhammads Zeiten haben das sakrale und überlieferte Wissen die Wissenschaft und Technik ersetzt. Beim Fehlen anderweitiger Erfahrungen bediente man sich dieses Wissens, um mit den jeweiligen Dilemmas, Sorgen und Nöten fertig zu werden. Das ist heute noch so der Fall in manchen weniger zivilisierten muslimischen Gebieten.

Die beständigen Elemente der traditionellen islamischen Identität sind: die Qur'an-Gläubigkeit, die Eingebundenheit in die Weltgemeinschaft der

Gläubigen, das Gefühl der Auszeichnung durch die Zugehörigkeit zu einer Religion, die einen gereinigten Monotheismus lehrt, und der Hang zur Reinlichkeit, der sich in der Gebetspraxis, dem ihr vorausgehenden Vorbereitungsritual, der Selektivernährung und dem vermeintlich sauberen Verhältnis der Geschlechter zueinander bekundet.

Allen in der pluralistischen Gesellschaft des Westens lebenden Anhängern des Islam ist es gemeinsam, daß sie eine ständige Beweislast zu tragen haben und nur einen kurzen Erfahrungsweg in der Umsetzung der islamischen Lebensregeln in die Wirklichkeit der neuen Umwelt besitzen. In dieser Umwelt ist vieles ganz anders als in den Stammländern des Islam. Herausforderungen liegen ebenso sehr in einem andersgearteten Denksystem, als auch in einem anderen Lebensgefühl. So begegnet der Muslim Herausforderungen in seiner Gebetspraxis, im Verhalten der einheimischen Bevölkerung gegenüber dem fremden Neuankömmling und dessen Sitten, im Unterrichtswesen, im Umgang der Öffentlichkeit mit seiner Religion, in dem Unverständnis und Indifferentismus gegenüber seinem religiösen Verhalten, in der Ausschaltung der Sexualität aus dem Bereich der Ethik und in a.m.

Zwiespältigkeit der Herausforderung

Manches ist eine Herausforderung zwar für den Rigoristen, nicht aber für einen Durchschnittsmuslim. So wird dieser sein Geld guten Gewissens Banken anvertrauen, weil er der Meinung ist, daß durch die so gewonnenen Zinsen niemand ausgebeutet wird. Nicht so der Rigorist (der strenge Gläubige), der jegliche Zinswirtschaft dem verbotenen Wucher gleichstellt. Der Rigorist wird nicht selten Speisen, die nicht unter genauer Einhaltung ritueller Vorschriften hergestellt sind, meiden, obwohl es kein derartiges religiöses Gebot gibt. Zu meiden sind lediglich die mit Schweinefleisch oder Schweinefett hergestellten Gerichte und Blutwurst. Die Rigoristen wollen in einigen westeuropäischen Ländern die Anerkennung des islamischen Personenstands-, Familien- und Erbrechts durchsetzen. Für die Durchschnittsgläubigen steht das aber nicht zur Debatte. Ist doch die Anwendung dieses Rechts selbst in Staaten mit muslimischer Bevölkerungsmehrheit, wie in der Türkei, Albanien und der Republik Bosnien und der Herzegowina, aufgegeben worden.

Eine multikulturelle Gesellschaft setzt zwangsweise ihre Einzelelemente kritischen Rückfragen aus. Sie fördert das Streben nach dem Eigenwert jeglichen Tuns. Sie kann mitunter unangenehm werden, weil sie die Selbstgenügsamkeit in Frage stellt und zu Ausbrüchen aus der eigenen Tradition verleiten kann. Die Grundvoraussetzung einer multikulturellen

Gesellschaft ist die gesetzlich gesicherte Meinungsfreiheit. Die Religionsfreiheit ist eine ausdrückliche Forderung des Islam (Qur'an 2:256). Das Eintreten für die Freiheit der weniger heiligen geistigen Inhalte und Äußerungen, etwa der Wissenschaft, der Kunst und der Presse, müßte umso eher verpflichtend sein. Denn nicht die Religion allein hilft, das Leben zu meistern; dazu bedarf es nach der qur'anischen Lehre auch der *Weisheit* (*al-ḥikma*).

Die Antworten, die Muhammads Nachwelt auf Fragen ihres Zeitalters hinterlassen hat, treffen heute nicht immer zu. Ein salbungsvoller Umgang mit religiösen Formeln, die übertriebene Festnagelung der Gläubigen an den qur'anischen Buchstaben, der leere Verbalismus und manches andere, gegen das Lebens- und Rechtsgefühl des aufgeklärten Menschen verstoßende Gehabe, schlagen das Image des Islam an. Deshalb wird eine Konzentrierung auf die Glaubenssubstanz und auf die übergreifenden ethischen Werte immer stärker gefragt.

Der zum Islam übergetretene französische Denker *Roger Garaudy* setzt sich für eine intensive Inanspruchnahme der freien Rechtsfindung (*iǧtihâd*) ein, um dem islamischen Rechtsdenken ein modernes Gesicht zu verleihen. Der Qur'an vermittle – meint er – zwar zeitlose Grundsätze und mache den Gläubigen mit ewigen Werten vertraut; er gehe aber auch auf historische Probleme ein und löse sie in ort- und zeitspezifischer Art – dem Bedarf der Umwelt und der Zeit des Religionsverkünders angemessen. „Es gilt nun jene Richtlinien herauszufiltern, die den Problemen des 20. Jahrhunderts angemessen sind. Gott habe im Qur'an wie in der Bibel vielfach nur in Parabeln und Metaphern oder mittels Symbole gesprochen. Ein Festhalten am Wort des heiligen Textes könne nicht die Flamme, sondern lediglich die Asche der Urgemeinde vermitteln“.

Auf ein in Frankreich brenzlig gewordenes Problem eingehend, nämlich auf die Frage des Kopftuchtragens durch muslimische Schülerinnen, sagt *Garaudy*: „Der Qur'an kennt in seiner letzten Ratio nur einen Unterschied zwischen den Menschen: den Grad ihrer Frömmigkeit. Männer und Frauen seien ontologisch gleich, im übrigen aber komplementär, so daß Gleichberechtigung nie auf Verwandlung von Frauen in Männer abzielen dürfe. Die Frauen haben nicht nur ein Recht auf Gleichbehandlung, sondern auch auf Unterschiedlichkeit. Sie müßten sich so, aber auch nur so, bedecken, daß der Sinn der Bedeckungsvorschrift gewährleistet sei: weibliche Reize nicht provozierend einzusetzen. Das sei aber keine Frage einer spezifischen Kleidungsform, sondern von Zivilisation zu Zivilisation verschieden“[1].

1 *Murad Hofmann*, *Garaudy Roger*, L'Islam vivant. In: Al-Islam, München, 1987, H. 5, S. 30/31.

Eine Renaissance, die keine ist

Seit Jahren redet man von einer Renaissance des Islam. Tatsächlich sind in verschiedenen Teilen der Welt Massen islamischer Menschen in Bewegung geraten. Der Islam ist „in" geworden, doch ob er in seiner edelsten Form eine Wiedergeburt erlebt hat, bleibt eine offene Frage. Manche glaubensbewußte Muslime beklagen den immer häufiger sichtbar werdenden Verlust des eigentlichen religiösen, ethischen und jenseitsbezogenen Gehaltes ihrer Religion. Zeitweise scheint der heutige Islam gänzlich von der Politik überschattet zu sein. Die Renaissance hat in Europa eine Freigabe der positiven menschlichen Schaffenskräfte und Öffnung von neuen Bildungshorizonten bedeutet. Diese Dimensionen scheinen im heutigen Islamvollzug zu fehlen. Dieser erschöpft sich vielmehr in der Nachahmung der Vorfahren im Glauben. Im gottesdienstlichen Bereich ist er vielfach eine Routine; im öffentlichen Leben ein Politikum.

Mit dem Rückblick in ihre Erstzeit und ihre Wiege lassen sich die Probleme einer Religionsgemeinschaft nicht lösen. Die Religiosität muß ihren Selbstwert haben. Aber auch der Gläubige muß sich jeweils neu bewähren. Die Nachahmung begünstigt keine Orientierung nach den Werten. Eine solche ist aber die Pflicht des Menschen, gleich ob Muslim oder Nichtmuslim, will er seinem Auftrag als Stellvertreter Gottes auf Erden gerecht werden.

Der Gläubige ist ausdrücklich aufgerufen, sein Schicksal in die eigene Hand zu nehmen. Im Qur'an, Sure 53:39 steht: „Dem Menschen steht lediglich das zu, was er sich durch seinen eigenen Einsatz erarbeitet hat".

Der Islam bietet eine gewinnende Ethik an

Die schwach geschützten Menschenrechte in einigen von Muslimen bewohnten Gebieten machen den Bedarf nach Abdeckung des vorhandenen ethischen Defizits deutlich. Solange sich die Muslime nicht in wirkungsvoller Weise dem Übel in ihrer Mitte zu widersetzen vermögen, fehlt der Erweis der Gnadenhaftigkeit ihrer Religiosität. Umso schlimmer, wenn die Religion ins Gegenteil verkehrt wird. Dabei hat der Islam alle Voraussetzungen dazu, um auch in unserer aufgeklärten Zeit als eine durchaus attraktive und wirkungsvolle ethische und religiöse Kraft der Menschheit zu dienen. Der deutsche Islamwissenschaftler *Max Horten* meint, daß die enorm hohe Wertschätzung der Gerechtigkeit im Islam einen ausreichenden Beweis dafür liefert, daß der Muslim Würde und Wert der menschlichen Person kennt und achtet. Heißt es doch in einem bekannten

Sprichwort (in einem *Hadîṯ*)[2]: „Die Gerechtigkeit ist die Hälfte der Religion".

Die muslimische Nächstenliebe ist nach der Meinung dieses Forschers ein Gradmesser für Menschenachtung im Islam, weil sie „über den Kreis hinausgreift" und auf die Herzensbeziehungen schließen läßt. „Die Religion des Islam zeigt sich hier in ihrem tieferen voluntarisch-sittlichen Erleben und in ihren Auswirkungen in den Handlungen des sozialen Lebens, zugleich aber auch in ihrer Hochwertigkeit als menschenverbrüdernde Macht." ‚Keiner ist in wahrem Sinne ein Gläubiger bis er für seinen Bruder (Mitmenschen) das wünscht (und zu tun bestrebt ist), was er für sich selbst wünscht'. Das Übel von Haß und Feindschaft zwischen den Menschen wird an seiner Wurzel gefaßt. Wir sind nicht nur zu äußeren Handlungen der Nächstenliebe verpflichtet wie zur Armensteuer, sondern müssen unsere Gesinnung dementsprechend reinigen und heiligen: das selbstlose Wohlwollen gegen den Nächsten gibt dem äußeren Werke erst seinen Wert und ohne dies ist das Wesen des wahren Islam undenkbar. In Folge dessen wird die selbstlose Nächstenliebe schlechthin als das Wesen des Islam bezeichnet. Den Propheten (*Sha'rânî*, Lawâ'iḥ Kairo, 1308, S. 71,8) fragte man: ‚Welcher Islam ist der beste?' Der Prophet: ‚Spende jedem (Bedürftigen), sowohl den du kennst als auch den du nicht kennst, Speise und Gruß'. Die Nächstenliebe in materiellen Gütern und in der Gesinnung des Wohlwollens ist ebenso wichtig und ebenso allgemein auszuüben wie die Pflicht des Grüßens, und dieser Heroismus ist identisch mit der edelsten Form des Islam selbst[3].

Heraushaltung aus den Befreiungsprozessen bringt nichts ein

Heute begegnen einander Islam und Christentum bedauerlicherweise nicht selten gegensätzlich. Die bestehende Disharmonie ist in erster Linie auf die Verschiedenheit der zivilisatorischen Entwicklung zurückzuführen: Das abendländische Christentum hat verstanden, die großartigen Errungenschaften der Aufklärung, die übrigens in seinem Kulturbereich entstanden sind, sich zunutze zu machen; der islamische Orient ist von der Aufklärung kaum angehaucht worden. Das vormoderne theologische Den-

---

2 *Hadîṯ* (auszusprechen: Hadith) ist ein Spruch des Religionsverkünders Muhammad oder ein Bericht über seine Taten und seine Lebenshaltung.

3 *M. Horten*, Entwicklungsfähigkeit des Islam auf ethischem Gebiet. In: 'Aǧabnâmeh. Volume of Oriental Studies presented to Edward G. Browne on his 60th birthday. Cambridge 1922 (Neudruck: Amsterdam 1973). S. 213/214.

ken und die vielfachen Verstrickungen in mittelalterliche Denk- und Lebensstrukturen sind es, die auch das Leben der Muslime im Westen erschweren. Der Widerhall der unliebsamen Ereignisse im Orient, die nicht selten in Verbindung mit dem Islam geschehen, belastet zusätzlich ihre Lage.

Der Qur'an gestattet, gemeinsam mit Menschen anderen Glaubens zu tafeln. Das war für die Zeit dieser Dispensierung keineswegs selbstverständlich. Erwartet wird aber auch in dieser Lage, daß der Gläubige Alkohol- und Schweinefleischkonsum meidet.

Die säkulare Gesellschaft als Herausforderung und Chance

Vergeistigtes Glaubenverständnis bietet neue Möglichkeiten

Das integristische Religionsverständnis hat im Islam, ähnlich wie in anderen Religionen, dazu geführt, daß vielfach eher die Form als der Geist und eher der Buchstabe als der Inhalt im Mittelpunkt des Lebens stehen. Der Ruf der Reformer nach der Rückkehr zu den Quellen, den sich inzwischen auch die sog. Fundamentalisten zu eigen gemacht haben, bewirkt darüber hinaus, daß eine Rückwärtsgewandtheit die religiöse Vorstellungswelt beherrscht. Dennoch ist das Dilemma der islamischen Welt heute wie gestern: sich entweder der fortschrittlichen Welt zu öffnen oder in den morbiden Formen der Vergangenheit zu verharren.

Der Qur'an ist im Islam das einzige authentische Dokument der Offenbarung

Die Tradition oder die *Sunna* bleibt in ihrer theologischen Bedeutung weit hinter ihm zurück. Das erste ist Gottes-, das zweite ist Menschenwort. In vielen ihrer Aussagen ist jedoch die Sunna, wie sie von Muhammad formuliert ist, sehr wichtig, weil sie dem religiösen Leben erst seine Fülle verleiht. So geht zum Beispiel die Verrichtungsart des rituellen Gebets nicht auf den Qur'an, sondern auf die Sunna zurück. Die islamische „mündliche Tradition" – das *Ḥadīṯ* – ist aber nicht etwa, wie zu erwarten wäre, die Gesamtheit der authentischen Aussprüche des Religionsverkünders, sondern eher „der Reflex der religiösen, sozialen und politischen Verhältnisse der Überlieferer"[1]. Die Interpretationen der Rechtsschulen wiederum sind nicht lineare Fortentwicklung der Lehre und der Gesetzgebung der Erstgemeinde, sondern vielfach Einschübe lokaler Traditionen unter islamischem Vorzeichen. Ein rationales und vergeistigtes Verständnis des Qur'an bietet ausgedehnte Möglichkeiten einer theologischen Annäherung an die Fragen der Moderne. Eine neue Hermeneutik ist notwendig. Auf dieser Ebene ergibt sich auch die Möglichkeit, die zu beklagende Erstarrung des religiösen Lebens zu bezwingen und zum ursprünglichen, dynamischen Lehrgeist zurückzufinden.

---

1 A. Neuwirth in der Besprechung des Werkes „The Collection of the Qur'an" von John Burton. In: Orientalische Literaturzeitung 76/1981, 4. Sp. 373/4.

Eine der Schlüsselfragen des Zeugnisses für Gott im säkularen Europa ist für die Muslime das Verhältnis von Wissen und Glauben. Sie war im Islam immer gegenwärtig, weil in ihm die Tendenz vorherrscht, alles menschliche Tun und Denken mit den Erfordernissen der göttlichen Weisheit in Einklang zu bringen. Deshalb war auch das Hauptanliegen der erst entstehenden islamischen Theologie – des *'ilm al-kalâm* (genauer: der spekulativen Theologie) – im 8. und 9. Jh., die damals herrschenden wissenschaftlichen Erkenntnisse und philosophischen Erfahrungen in den Qur'an hineinzuinterpretieren oder zumindest einen äußerlichen Einklang mit ihm herzustellen. In dieser Richtung lief also die theologische Arbeit im 8. und 9. Jh. Die Außenstehenden konnten in Anbetracht dieser Sachlage leicht den Eindruck bekommen, das Bemühen der *Mutakallimûn* – dieser spekulativen Theologen – erschöpfe sich in der Verteidigung des Qur'an.

Die christlichen Theologen pflegten sich demgegenüber der Hl. Schrift lediglich zur Belehrung der Gläubigen zu bedienen. Einiges davon ist auf beiden Seiten bis heute erhalten geblieben. Durch die Trennung des seelischen und geistigen von dem materiellen Bereich fällt es dem Christentum leicht, diese alte Praxis auch heute in der Kirche fortzusetzen.

Der Ruf „Zurück zu den Quellen!", der die islamische Welt unserer Zeit bewegt, kann in einem säkularen Europa nur als Aufforderung zur kritischen Sichtung des religiös-kulturellen Erbes und zur Beseitigung des fortschritthemmenden historischen Ballastes, der sich im Laufe der Jahrhunderte in ihm abgelagert hat, verstanden werden. Der Rückgriff auf die Quellen, wenn er in sachlicher und autonomer Weise vorgenommen wird, kann kaum fundamentalistische Ausformungen entstehen lassen. Zu erwarten ist vielmehr ein geläutertes Qur'an-Verständnis und eine kritischere Einstellung zur Tradition und dem, was darunter verstanden wird.

Der Islam bedeutet nicht eine Unterwerfung unter das Diktat der Geschichte, sondern vielmehr eine ständige Aufgabe. Diese besteht darin, das Leben entsprechend den jeweiligen Erfordernissen im Zeichen der Hingabe an Gott zu meistern.

Die religiösen Prioritäten sind in der Offenbarung, nicht aber im menschlichen Verhalten begründet. Konkret heißt das, daß es niemandem zusteht, die *Sunna* (Tradition) über den Qur'an zu stellen. Übrigens zeigt sich in Muhammads Beispiel – in seiner *Sunna* – eher der Wille, die Gesellschaft zu verändern als sie zum Gegenstand der Nachahmung zu promovieren.

Es steht absolut im Einklang mit dem islamischen Selbstverständnis, eine stärkere Betonung der universalistischen Dimension des Islam anzustreben. Sieht doch der Islam im Judentum und Christentum seine älteren Erscheinungsformen. Ein so strukturiertes Religionsverständnis müßte dazu führen, daß die zeit- und situationsbedingten Aussagen, Empfehlungen und Anordnungen der Erstquellen relativiert und modernen Fragestellungen zugänglich gemacht werden.

Heimisch und familiär

Das Schlagwort, der Islam sei Religion und Staat in einem, bedroht den Fortbestand der Frömmigkeit und verdeckt die Eschatologie. Das geflügelte Wort *dîn wa dawla* ist weder im Qur'an noch in der glaubwürdigen Tradition bezeugt. Es ist vielmehr eine Parole der Selbstfindung eines Teiles der Dritten Welt. Der Islam der alteingesessenen muslimischen Gemeinschaften in Europa artikuliert sich seit mehr als einem Jahrhundert lediglich in der Glaubenslehre, der Pflichtenlehre (dem Ritus) und der Sittenlehre. So verstanden und gelehrt, kann er unmöglich etwa als eine fremde, „aggressive" Religion hingestellt werden. Übrigens hat die moderne Islamforschung, vertreten namentlich durch den großen deutschen Orientalisten *Carl Heinrich Becker*, nachgewiesen, daß der Islam, der an Europas Toren klopft, mit diesem gemeinsame kulturelle Wurzeln teilt.

Wie immer man das säkulare Europa von heute auch versteht, die Tatsache ist es, daß die europäische Kultur entscheidend vom Christentum geprägt ist. „Wir, die Europäer, sind alle hier in die Kirche eingebunden", meint *Maxime Rodinson.* Die Frage nach dem islamischen Zeugnis für Gott in einem solchen Europa muß daher in irgend einen Zusammenhang mit dem Christentum gebracht werden.

Es drängt sich hier die Frage auf, ob – theologisch gesehen – die Zugehörigkeit eines Muslims zu einer anderen als der orientalisch-islamischen Welt überhaupt möglich ist. Kann bei einer solchen Zugehörigkeit die religiöse Identität des Muslims gewahrt bleiben?

Die islamische Identität wurzelt im Bekenntnis zu Gott als Herrscher des Daseins und zu seiner Offenbarung als Richtschnur des religiösen und ethischen Verhaltens. Das ist die *Schahâda* – das Zeugnis des Muslim für Gott – gestern wie heute. Die göttliche Offenbarung geht nach der islamischen Lehre einheitlich durch die ganze Geschichte. Da sie in ihrer wiederhergestellten authentischen Form zuletzt von Muhammad vermittelt worden ist, hat Muhammad im islamischen Glaubenszeugnis einen besonderen Platz: Er wird im zweiten Teil der Bekenntnisformel ausdrücklich erwähnt, obwohl alle Verkünder der Offenbarung als gleichberechtigte Apostel gelten. Zur islamischen Identität gehört auch die Solidarität mit allen übrigen Glaubensgenossen oder Brüdern. „Wer an den Sorgen der Muslime nicht teilnimmt, der gehört nicht zu ihnen", hat Muhammad gelehrt.

Diese Brüderlichkeit ist dialektisch begründbar: Die gemeinsame geistige Mutter ist die Offenbarung. Sie begründet die Familie der Glaubenden, zu der im weiteren Sinne alle gottgläubigen Menschen gehören.

Ansätze einer Theologie für die säkulare Umwelt

Da Muhammad den moralischen Aufbau der Gesellschaft als sein höchstes Anliegen betrachtet hat, kann die Einschaltung des Gläubigen in die allgemeinen menschlichen Bemühungen, die dem Fortschritt gelten, seiner religiösen Identität keinen Abbruch tun. Ganz im Gegenteil: Als „Stellvertreter Gottes auf Erden", wie der Qur'an den Menschen bezeichnet, ist der Gläubige angehalten, „seinen Anteil an der Welt nicht zu vergessen" (so nach dem Qur'an!). Somit stützt sich die religiöse Identität des Muslims auf dieselben im menschlichen Hoch und Tief bewährten Werte wie die eines jeden anderen religiösen Menschen.

Das Leben in einer weitgehend säkularisierten Umwelt erlaubt, vorausgesetzt, daß ein Maß an Toleranz vorhanden ist, die Weiterpflege der religiösen Substanz. Der langjährige Kulturreferent des Oberseniorats der islamischen Glaubensgemeinschaft in Jugoslawien, Beauftragter für die Ausstellung von religiös verbindlichen Dezisionen, *Husein Djozo* (gest. 1982), hat eine islamische Theologie für das säkulare Zeitalter entwickelt. Ihre Grundzüge hat er in seinem Buch „Der Islam in der Zeit" dargelegt[2]. Es soll hier versucht werden, sie mit einigen Stichworten kurz zu skizzieren:

„Die Massen der Islam-Gläubigen sind immer wieder aufgefordert worden, so zu leben, wie ihre Vorfahren vor tausend Jahren gelebt haben. Diese Massen haben versucht, der lautstarken Aufforderung nachzukommen. Die Folge war eine der größten Katastrophen in der Geschichte."

„Die europäische Lebensweise verlangt gebieterisch von den Muslimen, sich in ihre Kultur einzugliedern. Die Frage, wie der gläubige Muslim sich zum Leben in der modernen Gesellschaft zu verhalten habe, ist von entscheidender Bedeutung"[3].

„Die Ausarbeitung und Anwendung des islamischen Gedankens durch Muhammad sind durch Notwendigkeiten, Probleme und Bedingungen des gegebenen historischen Augenblicks determiniert worden. Muhammads großer Erfolg lag darin, daß er den Lauf der Geschichte und ihre Gesetze

---

2 Islam u vremenu. Sarajevo 1976, 216 S.

3 *H. Djozo*, a.a.O., S. 28/29.

erkannt und ihnen entsprechend gehandelt hat. Dies zwingt uns beinahe, seiner Praxis lediglich den Charakter eines *iğtihâd* zuzuschreiben"[4].

„Wenn wir von der Tradition als Religionsquelle sprechen, so ist für uns die Art, wie Muhammad den islamischen Gedanken zu entwickeln und anzuwenden pflegte, nicht aber dessen Ausarbeitung und Anwendung selbst, wesentlich. Entscheidend sind also die Grundabsichten, der Geist, der Sinn und das letzte Ziel, die sich in Muhammads Lebenspraxis bekunden"[5].

„Ein und dasselbe Problem kann zu einer anderen Zeit ein völlig neues Gewicht haben. Demnach muß jedes Problem entsprechend der jeweiligen Situation angegangen werden"[6].

„Die Religion, die ihre Gläubigen zum Kampf für das Gute, das Schöne und das Nützliche nicht verpflichtet und das Herz und die Seele des Menschen nicht veredelt, ist falsch, inhaltlos, leer und heuchlerisch"[7].

„Die Wiederbelebung des echten und dynamischen religiösen Gedankens verspricht eine Umkehr. Diese ergibt sich aus dem Grundsatz, daß nur eine für die Gesellschaft nützliche Tätigkeit Grund zur Hoffnung auf Gottes Zufriedenheit liefert. Nach dem Ausmaß seiner Beteiligung am Kampf gegen die Ungerechtigkeit, die Unwissenheit, die Rückständigkeit, die Tyrannei und die Benachteiligung wird der Gläubige im Jenseits beurteilt werden"[8].

„Der echte Gottesdienst ist an keine bestimmten Ritualformen gebunden. Es bedarf nicht einmal einer verbalen Umkleidung. Um die Gottverbundenheit der Gläubigen gesichert zu wissen, legt der Qur'an an vielen Stellen die Gebetsverrichtung nahe. Doch nirgends im Offenbarungsbuch wird die rituelle Form dieses Gebets fixiert. Auch von Gebetszeiten und von Gebetsgattungen ist dort keine Rede. Was die Kultuslehre (*al-fiqh*) als Gottesdienst bezeichnet, ist lediglich ein pädagogisches Hilfsmittel, von dem erwartet wird, daß es die Gläubigen in die richtige Bahn lenkt und für die humanen Aktivitäten mobilisiert"[9]. Soweit die Zitate aus Djozos Werk.

---

4 *Iğtihâd* ist die individuelle Bemühung um die bestmögliche Lösung eines Rechts- oder Kultproblems. Dieses Bemühen steht hervorragenden Religionsgelehrten zu. Die so gewonnenen Einsichten oder Entscheidungen sind im Wirkungskreis des betreffenden Gelehrten und in seiner Zeitsituation verbindlich.

5 Djozo, a.a.O., S. 31.

6 Ibidem, S. 50.

7 Ibidem, S. 39.

8 Ibidem, S. 137/8.

9 Ibidem, 141/143.

So paradox es klingen mag: im säkularen Europa liegt heute ein wichtiger und unübersehbarer Teil des „Hauses des Islam".

Genauso wie in den anderen Religionen, so sucht man auch im Islam Gott, um schließlich dem Menschen zu begegnen. Der Ruf nach der geistigen Erhebung und nach der Vermenschlichung des Lebens geht mit der religiösen Erziehung Hand in Hand. Hieraus ergibt sich, daß diese Erziehung ohne Humanismus nicht denkbar ist. Dieser ist geradezu die Achse der religiösen Morallehre. Der besondere Wert des religiösen Humanismus liegt in seiner Verbindlichkeit, weil er in der Bindung des Menschen an das Unbedingte begründet ist.

Die Tradition als Lebenshilfe und Belastung

Der Rückgriff auf die Vergangenheit ist von Haus aus ein Wesenszug des Islam. Verstand doch Muhammed seine Botschaft als die wiederhergestellte authentische göttliche Offenbarung. So sehr sich darin eine konservative Grundausrichtung des Islam bekundet, so unleugbar ist die Tatsache, daß er sich im Gesamtablauf der geschichtlichen Geschehnisse – zumindest in den ersten Jahrhunderten seiner Wirksamkeit – als eine verjüngende Kraft auswirkte. Die Menschheit verdankt ihm viele wertvolle Impulse und ein überaus reiches Kulturerbe.

Ein blinder Fortschritt, der sich an keinen festen Wertvorstellungen orientiert, droht zu einer Dekultivierung und zum Verlust der Persönlichkeit zu führen. Die Auswirkungen einer solchen Hingabe an den Zeitgeist sind z. B. bei den Juden bemerkbar. Deshalb warnte schon *Martin Buber*: „Wenn ihr werdet wie andere Völker, verdient ihr nicht mehr zu sein!"

Berücksichtigt man den unbestreitbar vorhandenen Willen des Islam nach Weltverbesserung, so erkennt man, daß es ein Irrtum ist, dem Islam den Fatalismus zuzuschreiben.

Diesem begegnet man eher in dem von der modernen Psychologie mitgeprägten Weltbild, dem ein fataler Reduktionismus aller menschlichen Dimensionen auf die Umwelteinflüsse zugrunde liegt. Dieser Reduktionismus fragt nicht nach dem Sinn des Lebens und spornt den Menschen nicht an, den Willen zum Sinn zu entfalten. Er redet ihm vielmehr ein, er sei ein Opfer der Verhältnisse. „Dies ist Wasser auf die Mühle der Massenneurose", meint ein namhafter Gelehrter. „Denn zur Symptomatologie der Massenneurose gehört der Fatalismus"[1].

Die Rezepte der Altvorderen als Gesamtheit genommen sind heute nur bruchstückweise anwendbar. Sie eröffnen in einzelnen Fällen Einblicke in vergessene Möglichkeiten und bieten gelegentlich auch Alternativlösungen für konkrete menschliche Situationen. So können z. B. auf ihren Grundlagen der Konsumzwang und die technologischen Sachzwänge ausgeschaltet werden.

Die gegenwärtig laufenden restaurativen Eingriffe, die die islamische Welt erschüttern, sind für manchen tiefer denkenden Muslim enttäuschende Rückfälle in ein von Sorglosigkeit der vererbten Schablonen geprägtes Leben. Diese Eingriffe rufen Widerspruch und Umdenken hervor.

Die Struktur des Islam ist – ähnlich wie jene des Judentums – *halachisch*, d. h. in die Tradition eingebettet und von der Gesetzesbelehrung

---

1 Glaube und Wissen. Hrsg. von Hans Huber u. Oskar Schatz. Wien – Freiburg – Basel (1980).

durch die Schriftgelehrten beherrscht. Aber während die Juden gelernt haben, in der theologischen Sprache des Westens zu sprechen und ihre Probleme der Kritik und Selbstkritik zu unterziehen[2], sehen die traditionsgebundenen Muslime in den Lehrmeinungen der alten Autoritäten immer noch den höchsten Ausdruck der Weisheit, den sie schlechthin der göttlichen Offenbarung zuschreiben. Das Weltbild der Millionen von Menschen in der Dritten Welt beruht z. T. auf offenkundig überholten Lehrmeinungen. *Detlev Khalid* illustriert dies an zwei Beispielen aus der täglichen Lebenspraxis: „Im Verlauf einer in London durchgeführten Therapie ist es notwendig, die Jugendlichen wiederholt und längere Zeit flach auf dem Boden liegen zu lassen. Hiergegen verwehren sich einige Mütter der zahlreichen muslimischen Patienten, überwiegend Pakistaner. Laut Scharī'a (vielfach *Scheriat*, Tradition und Lehrmeinungen, welche das Leben der Muslime regeln sollen) dürfen Jugendliche nicht auf dem Bauch liegen, da auf diese Weise ein sexueller Reiz erzeugt wird und zur Onanie verleiten kann. Der Gläubige legt sich deshalb beim Schlafengehen auf der Seite hin und spricht vor dem Einschlafen ein Schutzgebet.

Ein türkischer Vater in der Bundesrepublik verdrischt über Jahre hinweg immer wieder seinen Sohn, weil dieser alles mit der linken – also unreinen – Hand anfaßt. Mit der medizinischen Problematik des Linkshändertums vertraut gemacht, muß der orthodoxe Vater erst einen Konflikt mit seinem Scharī'a-Denken ausfechten, bevor er sich von einer ‚modernistischen' Interpretation überzeugen lässt"[3].

Als ein drittes Beispiel der überholungsbedürftigen Tradition sei eine von Muhammad erlassene Empfehlung zur persönlichen Hygiene erwähnt. Er empfahl nämlich den Männern seiner Zeit, bei Inanspruchnahme der kleinen Toilette sich zu hocken, um jegliche Verunreinigung der Kleidung und des Körpers zu vermeiden. Die modernen Pissoirs machen diese Empfehlung überflüssig. Würde sie auch dort befolgt werden, so ergäben sich unsinnige Situationen. Dessen ungeachtet kann man gelegentlich in modernen Hotels des Orients eine Szene beobachten, die die Lebendigkeit dieser Tradition vergegenwärtigt. (Der Formalismus führt ja zur Entgeistlichung!)

Selbst jene Tradition, die wegen ihrer Verankerung im Qur'an für die gläubigen Muslime als heilig und unaufgebbar gilt, muß in Anbetracht der modernen Entwicklung in allen Humanbereichen hie und da als hinfällig

---

2 Blue, Lionel, The New Paradigm of Europe. In: European Judaism, London 1974/5, Winter, S. 4.

3 Khalid, Detlev, Reislamisierung und Entwicklungspolitik. München, Köln, London: Weltforum Verlag, 1982. S. 164.

betrachtet werden. Hier bieten sich Ansätze für eine historisch-kritische Qur'an-Exegese an. In meinem Buch „Ruf vom Minarett“[4] habe ich dafür ein konkretes Beispiel angeführt:

„Es gibt heute keinen Staat in der Welt, der sich zur Sklaverei bekannte. Selbst die konservativsten Länder haben die Deklaration der Vereinten Nationen über die Menschenrechte unterschrieben. Die muslimischen Staaten sind keine Ausnahme. Und dennoch ist es Tatsache, daß *Fiqh-Gelehrte* (Kenner des Scheriatrechtes) sich immer noch mit der Sklaverei als einer lebendigen Institution befassen. Während also das Leben und die öffentliche Meinung der ganzen fortschrittlichen Menschheit – die Muslime miteingeschlossen – den Konsensus herausgebildet haben, daß die Sklaverei für alle Zeiten überwunden ist, mißt man ihr in gewissen Kreisen der scholastischen Gelehrsamkeit vitale Bedeutung bei, weil sie als antike Institution vom Qur'an behandelt wird. An diesem Beispiel zeigt sich klar, daß einzelne qur'anische Aussagen lediglich einen historisch-dokumentarischen Wert haben. Denn es steht außer Zweifel, daß die Abschaffung der Sklaverei dem Sinne der qur'anischen Humanität entspricht“.

Trotz der offenkundigen Diskrepanz zwischen gewissen Traditionsinhalten und dem modernen, in Wissenschaft begründeten Leben, beharren heute muslimische Massen der Dritten Welt auf dem Beibehalten der Tradition in ihrer Gesamtheit. Die wahhabitischen Rigoristen vertreten sogar die These, daß Muhammads Beispiel und Worte (die *sunna*) nichts weniger seien als die „herabgesandte Offenbarung, die Gott genauso gehütet hat wie den Qur'an“[5]. Dieser theologische Standpunkt droht, die Spiritualität, also die Substanz des autonomen Glaubens, zum Ersticken zu bringen. In diesem Glaubensverständnis sucht man kaum nach einer Sinnhaftigkeit, die einen über sich selbst hinauszutragen vermag. In abtötender Monotonie werden vielmehr die alten Pfade weitergegangen. Man kapselt sich in der eigenen Welt ab. Die verfügbare menschliche Energie wird in internen Geplänkeln und Kriegen statt in beglückender Kreativität und erhebendem Gedankenflug aufgebraucht.

In diesem geistigen Klima wird Muhammad, der am Anfang der islamischen Tradition steht, allzugerne zu einem Politiker und Lebenskünstler hochkatapultiert. Der Islam wird als ein fester Lebensweg verstanden. In Wirklichkeit hat aber der Verkünder dieser Religion seine Mission als Rufer und Ermahner einer moralisch vermorschten Gesellschaft aufgenommen. Wenn er sich später auch mit politischen Angelegenheiten auseinan-

---

4 Wien 1979. S. 89.

5 Zitat aus einem Artikel des führenden wahhabitischen Theologen Scheich ʿAbdalʿazîz ibn Bâz. Vgl. „Ruf vom Minarett“, S. 110.

derzusetzen hatte, so entsprach das den Notwendigkeiten der geschichtlichen Situation, in die er hineingewachsen war. Was seine Gewandtheit in der Lebenskunde anbelangt, so hatte sie – wie er selbst zuzugeben pflegte – ihre menschlichen Grenzen[6].

Den Höhepunkt und den Schlußakt der spirituellen Seite im Leben Muhammads bildete bekanntlich sein visionärer Flug in die himmlischen Sphären, der im Qur'an unter dem Namen *Mi'rāǧ* Erwähnung gefunden hat. Dieses Beispiel der persönlichen Frömmigkeit des Religionsverkünders zeigt an, in welcher Richtung sich die Religiosität eines Muslims bewegen soll. Die angezeigte Richtung ist eindeutig vertikal.

Demgegenüber bewegt sich die Tradition auf einer horizontalen Linie. Auf dieser werden die übernommenen Erfahrungswerte fraglos weitergetragen. Während der Glaube etwas Subjektives ist, erschöpft sich die Tradition eher im Objektiven. Sie besteht ja aus einem durch die geschichtliche Vermittlung angeschwemmten Erbe. Als ein Schulungsrahmen oder als Religionsbehelf ist die Tradition zweifellos nützlich, sie kann aber den Glauben niemals ersetzen.

Eine Religiosität, die im himmlischen Aufstieg – dem *Mi'rāǧ* – ihren Gipfelpunkt weiß, ist zwangsweise nur auf Gott ausgerichtet.

Sie ist dynamisch, erhebend, weltoffen. Nicht so aber die Religiosität, die allein von der Tradition getragen wird. Eine solche in Sitte und Gewohnheit begründete Gläubigkeit hat keinen Eigenwert in sich. Sie ist vorprogrammiert, mechanisch, ja gelegentlich steril. Echter Glaube lehnt sich gegen mechanischen, von einer Schablone vorbestimmten „Glaubensvollzug" auf. Er besteht vielmehr auf der Spiritualität und der persönlichen Gottessuche.

Große Teile der islamischen Welt machen heute eine Entwicklung durch, in der die Tradition zum Nachteil der Spiritualität überbetont wird. Die Form und die Etikette gelten mehr als das Herz. Das Wesentliche des Islam droht durch den Formalismus erdrückt zu werden.

Regionale Zwänge, menschliche Unzulänglichkeiten, defizitärer Bildungsstand, antiquierte Denkweisen, veraltetes Weltbild, nationale Rivalitäten und anderes mehr – all das wird in sträflicher Weise mit der Etikette des Islam versehen und vor der Weltöffentlichkeit gerechtfertigt. Die falsch verstandene Tradition und ein unkritisch übernommenes kasuistisches Erbe der Rechtswissenschaft müssen dafür herhalten, um den Anschein der Legitimität herzustellen. Es wäre verfehlt, in diesen Praktiken eine Widerspiegelung der authentischen islamischen Tradition zu sehen.

---

6 Vgl. ebenda, S. 28.

Eine gesunde Tradition bietet sicherlich brauchbare Modelle für die Gestaltung des gesellschaftlichen und des politischen Lebens. Die starre und statische Rechtsfixierung aber, die im Verständnis der islamischen Tradition nicht selten zum Ausdruck kommt, tut das nicht. Sie wirkt vielmehr befremdend. Außenstehende sind folglich versucht, in Fehlurteile und falsche Diagnose zu verfallen. So geschehen in Österreich, als ein angesehener Geschichtsanalytiker und Philosoph vor einem Flirt mit dem Islam warnte.

Er hatte eben den Eindruck gewonnen, daß diese – wie er meint – „armierte, imperialistische Weltreligion", die streng fundamentalistisch sei, eine Berührung, also eine Auseinandersetzung mit sich nicht zulasse. Wer mit ihm flirtet, solle sich folglich in acht nehmen. Offenkundig sind diese Gedanken auf Grund der Beobachtung des Verhaltens von gewissen muslimischen Aktivistengruppen, Vereinigungen und Staaten entstanden. Der besorgte Analytiker weiß nicht zu differenzieren. Ihm ist, wie es scheint, vom Unbehagen unter den Muslimen und vom Umfang der vorhandenen Dialogbereitschaft in allen Offenbarungsreligionen wenig bekannt. Auch scheint er die innere Beschaffenheit des Islam und seine Kulturgeschichte nicht ausreichend zu kennen.

Die Tradition im allgemeinen ist es, die die Religion in Gegensatz zur kritischen Forschung und Hinterfragung bringt. Die Tradition ist die Anerkennung und Weiterpflege alter Erfahrungswerte. Durch sie wird der Mensch zwar seiner selbst als geschichtliches Subjekt bewußt, doch legt sie sich naturgemäß der Entfaltung seiner eigenen Schaffenskräfte hemmend in den Weg. Starres Festhalten an der Tradition führt zu einem „Wursteln" in alten und überholten Lebensformen.

Die Philosophie kennt eine Denkrichtung, die die überlieferten Erkenntnisse und Werte als unverzichtbare Elemente der gesamtmenschlichen Weisheit erhalten haben möchte. Diese Denkrichtung heißt Traditionalismus. Sie scheint vielfach durch die Erfahrungen der breiten Volksschichten bestätigt. So lautet z. B. ein in Südosteuropa geläufiges Sprichwort: „Besser das Dorf gehe zugrunde als man gäbe eine altbewährte Volkssitte auf."

Unter dem Begriff des Islam werden veraltete Denkmodelle und Strukturen, die gar nicht zum Wesenskern der Lehre gehören, sondern lediglich Reste eines alten orientalischen Kulturgutes sind, verstanden. Der Islam der Volksmassen hat häufig ein folkloristisches Gesicht.

Die neuzeitlichen Erweckungsprediger des Islam haben es sich angelegen sein lassen, jeglichen Einfluß des Westens aus der islamischen Welt zu beseitigen. Dabei sind sie sich der Tatsache nicht bewußt, daß in den ersten Jahrhunderten der islamischen Geschichte das Christentum – wohl der Hauptträger der westlichen Denkweise – an der Gestaltung der islamischen Identität mitgewirkt hat. Unauslöschliche Spuren in gewissen Typen der islamischen Frömmigkeit hat das syrische Mönchschristentum hinterlassen, besonders in der Haltung zur Frau. Die Einflüsse des Judentums sind hinreichend bekannt. Die Theologie erfaßt sie unter dem Gesamtnamen *Isrā'iliyyāt*.

Im Sinne des vorindustriellen Denkens wird seitens vieler Muslime den von der Religion im Mittelalter mitgeformten gesellschaftlichen Strukturen eine überzeitliche Bedeutung beigemessen. Die Kultus- und Rechtslehre (*fiqh*) behandelt z. B., wie schon angeführt, Probleme der Sklavenhalter-Gesellschaft, als ob diese heute bestünde. Auch gewisse aus dieser Gesellschaft herausgewachsene Strafarten werden nicht nur theoretisch behandelt; man versucht, sie wieder zu beleben. Im Weltbild dieser Muslime überdeckt sich das Politische mit dem Religiösen. Hier entstehen für die Identität eines Muslims, der im Westen lebt, krisenhafte Situationen.

Genauso, wie es ein Spannungsverhältnis zwischen Wissenschaft und Tradition im weitesten Sinne gibt, lastet eine Spannung über dem Verhältnis von Glaube und Tradition. Im Islam hat aber bereits in der ersten Hälfte des 8. Jhs. eine theologische Schule – die *Mu'taziliten* (Sezessionisten) – gewirkt, die die ganze Tradition, ja selbst den Qur'an als die verbale göttliche Inspiration, für hintertragbar hielt. Ihre Argumentation stützte sich auf die Ratio, auf die Vernunft. Diese theologische Denkrichtung wurde jedoch Ende des 10. Jhs. von traditionalistischen und reaktionären Kräften mit Gewalt von der Geschichtsbühne verdrängt.

In der islamischen Philosophie, die bis zum Ende des 13. Jhs. und sporadisch auch darüber hinaus blühte, hielt sich der Gedanke aufrecht, daß die Offenbarung zwangsläufig im Einklang mit der Wissenschaft steht. Besonders lebhaft wurde diese Überzeugung von *Ibn Ruschd* (Averroes, gest. 1198) vertreten. Der Verlauf der islamischen Kulturgeschichte zeigt einleuchtend, daß Religion und Wissenschaft auch tatsächlich konform gehen können, vorausgesetzt, daß die Religion als reiner Glaube verstanden wird.

Die Hauptquelle der islamischen Lehre, der Qur'an, veranlaßt sogar die Gläubigen nachzudenken und nachzuforschen. Die Entwicklung der islamischen Wissenschaften im Mittelalter ist zu einem großen Teil religiös motiviert. Ein französischer Gelehrter, *Maurice Bucaille*[7], hat ziemlich überzeugend nachweisen können, daß sich die kosmologischen, naturwis-

---

7 La Bible, le Coran et la science. Paris 1976. Dieses Buch hat in der Öffentlichkeit eine geteilte Aufnahme gefunden. Manche seiner Aussagen sind eher kontrovers als wissenschaftlich approbiert.

senschaftlichen, anthropologischen und geschichtlichen Aussagen und Andeutungen des Qur'an recht klaglos mit den neuzeitlichen wissenschaftlichen Erkenntnissen vereinbaren ließen. Nicht so die Aussagen der Tradition – der *Ḥadîṯe*. Die Masse dieser Aussagen ist übrigens apokryphen Charakters. *Ma'rûf ad-Dawâlibī,* der Präsident des Muslimischen Weltkongresses, und der soeben erwähnte *Maurice Buicaille,* haben dies in bezug auf die sogenannte Prophetenmedizin sehr deutlich gezeigt. Für die prinzipielle Einstellung des Muslims zur Tradition muß ein Selbstbekenntnis Muhammads als Orientierungsgrundlage dienen. Er sagt: „Habe ich euch etwas empfohlen, was die Religion betrifft, so handelt danach. Gilt mein Rat aber den Dingen dieser Welt, so seid ihr an keine Weisung gebunden. Denn in den Dingen dieser Welt seid ihr besser beschlagen als ich."

„Die Aneignung der modernen Technologien bildet für uns kein besonderes Problem", meinte bei einem internationalen Seminar in Wargla, Algerien, 1977, ein muslimischer Teilnehmer. „Das größte Hindernis auf dem Weg zum Fortschritt ist bei uns unsere Denkart; wenn diese nicht geändert wird, bleibt jede Renaissance auf der Oberfläche haften."

Es fehlt in orientalischen Ländern an analytischen soziologischen Studien. Die Darstellungen der bedrückenden Probleme gehen selten in die Tiefe, die deskriptive Methode überwiegt. Zu einer zornigen Kritik ließ sich bei dem erwähnten Seminar der damalige algerische Minister für Volkserziehung und Religionsangelegenheiten hinreißen: „Die ewigen Wiederholungen von sattsam Bekanntem, umrahmt von langen Gebeten, sind eine Schande für die islamische Wissenschaft. Bei wissenschaftlichen Tagungen hat die Predigt keinen Platz."

Auch in der Welt des Islam erheben sich Stimmen, die sagen, daß die Tradition in unserer Zeit nicht vertretbar sei, „es sei denn, daß sie mit aller Gründlichkeit in die Kategorien des modernen Bewußtseins übersetzt wird". Genau das Gegenteil verlangt aber die in der gegenwärtigen „Reislamisierung" federführende Orthodoxie.

Solange die islamische Welt an statischen, endgültigen Denk- und Lebensmodellen festhält, sei kein echter Fortschritt möglich. Nur eine gesellschaftliche Veränderung im Sinne des Qur'ans mag, meinen die Kritiker, eine echte Renaissance bewirken. Wie das im einzelnen geschehen soll, darüber kann man, meinte der damalige Generalsekretär des Muslimischen Weltkongresses, *Inamullah Khan*, manches auch den „heutzutage modern gewordenen Kritiken des Islam entnehmen, die von unseren Gegnern in aller Welt erhoben werden".

Konkreter äußert sich zu der Form der kommenden Renaissance der muslimischen Völker der in Deutschland wirkende syrische Wissenschaftler *Bassam Tibi*. Sie müsse seiner Meinung nach neben der Übernahme der westlichen Wissenschaft und Technologie noch die Entwicklung einer islamisch-säkularen Kulturvariante umfassen. Dies, argumentiert *Tibi*, ist keine geistige Unterwerfung noch ein Verrat an der eigenen Identität[8]. Übernahmen und Befruchtungen durch andere Kulturen sind im Islam ja nichts Neues. Eine kulturelle Rückbesinnung auf die Modelle eines längst verflossenen Zeitalters, die darüber hinaus noch regional (etwa durch die Wüste) bedingt sind, kann keine wirkliche Lösung der Identitätskrise bedeuten.

---

8 Vgl. dazu die Kritik von Wolfgang Slim Freund im Artikel „Auf den Spuren von Allahs Fünfter Kolonne" in „Frankfurter Hefte" 1982/3.

Renaissance oder Rückfall?

Der Mongolensturm im 13. Jh. und die Vertreibung der Mauren aus Spanien im 15. Jh. haben den Niedergang des Islam eingeleitet. Der Tiefpunkt ist während der Kolonialzeit erreicht worden. Inzwischen haben viele muslimische Länder ihre Freiheit wiedererlangt. Der Islam ist im Kommen. Er hat während der langen Jahre der nationalen Scham als Tröster und Aufrichter gewirkt. Kein Wunder daher, wenn man ihn auch heute vielfach als Wegweiser der Politik und als Gesellschaftslehre in Anspruch nimmt. Im Iran ist der Islam inzwischen zur vorherrschenden Triebkraft einer sozialen Revolution geworden. Die Widersprüche der dortigen politischen Lage haben ihn aber auch in einen unbarmherzigen Klassen- und Nationalkampf hineingezerrt. Auch in den Nachbarländern haben politische und soziale Wirren ihn mit Härten konfrontiert. Ein hartes Islamgesicht hat sich in das Bewußtsein der Außenwelt eingeprägt. Man wirft einer Religion, die von ihren Bekennern als Mitleid, Güte und Altruismus verstanden wird, mangelnde Menschlichkeit vor. Bisher kaum beachtete Praktiken einer mittelalterlichen Strafbarkeit, wie sie in einigen kulturell zurückgebliebenen Ländern seit längerem geübt werden, treten zutage. Nicht ohne Absicht werden diese Praktiken in den Massenmedien breitgetreten. Die Konservativen und Fundamentalisten, die den Islam als eine Gebrauchsanweisung für alle Lebenssituationen verstehen, verleihen diesem Bild weitere Züge, die dem modernen Menschen unverständlich sind. Trotz der scheinbaren Renaissance steckt der Islam in einer Identitätskrise. Die rigoristischen Ansichten der *Wahhabis,* der strengsten Gruppe des sunnitischen Islam, die in Saudi-Arabien herrscht, werden fälschlich als der Islam schlechthin dargestellt. Dem Wahhabitentum ist dank dem unverhofften Erdölreichtum Saudi-Arabiens gelungen, sich vielfach als der zuständige Sprecher des Gesamtislam in Szene zu setzen. Die in Mekka wirkende *Islamische Weltliga* hat den Ehrgeiz, das Kalifat zu ersetzen. Durch den Machtaufstieg des iranischen Revolutionsführers *Khomeini*, der eine schiitische Spielart des rigoristischen Islam vertritt, hat sich der restaurative Charakter der sogenannten islamischen Renaissance noch mehr versteift.

In Wirklichkeit sind die Wahhabis nur ein kleiner Zweig des sunnitischen Islam – hervorgegangen aus der strengkonservativen, puritanischen Rechtsschule der *Hanbaliten.* Die weit überwiegende Mehrheit der Gläubigen bekennt sich zu den übrigen drei Rechtsschulen oder Interpretationen des Islam. In neuerer Zeit ist ein Trend zur Lossagung von all diesen Schulen überhaupt feststellbar. Vor allem die Intellektuellen wollen nicht mehr an den Meinungen der Altvordern sklavisch festhalten. Sie fordern direkten Zugang zum Qur'an als der Hauptquelle der Glaubenslehre. Dies erhöht die Chancen einer wirklichen Wiedergeburt und einer Anpassung an die moderne Zeit[1].

Der Islam hat viele Gesichter. Dieser Tatsache sind sich aber nur wenige Zeitgenossen bewußt. Die denkenden Gläubigen leiden an diesem Unverständnis. Selbst den Traditionsgetreuen, die unbekümmert den Weg der Väter weitergehen, geschieht durch die gewohnte Pauschalierung Unrecht.

Der Islam uniformiert nicht das Selbstverständnis seiner Völker. Selbst der sogenannte *islamische Lebensweg* hat mehrere Varianten. Vor allem aber ist die religiöse Spiritualität vielschichtig. Die *Sūfis* haben sich zum Beispiel diesbezüglich von den Orthodoxen immer wesentlich unterschieden. Sei es aus Gründen der allislamischen Solidarität und des ökumenischen Denkens, sei es aus wirtschaftlicher Abhängigkeit von reichen fundamentalistischen Staaten: diese Differenzen werden verdeckt.

Die europäischen Muslime – viele von ihnen als Gastarbeiter in Österreich und der Bundesrepublik Deutschland lebend – gehören überhaupt der verhältnismäßig liberalen Rechtsschule der *Hanafiten* an. Mit ihnen war das Schicksal nicht so gnädig wie mit den Arabern und den Iranern. Weder sie noch die in der Heimat Verbliebenen partizipieren am Erdölreichtum! Ihre Ansichten kommen daher in der Weltpropaganda des Islam weniger zum Tragen. Es ist wenig bekannt, daß es seinerzeit zwischen diesem liberalen Islam und den Trägern der „harten Welle“ ernste Auseinandersetzungen gegeben hat. Erst recht hat sich die hanafitische Rechtsschule gegen die politische Bevormundung des Islam immer gestemmt.

Für den anderen, toleranten Islam bedeutet manches, was heute im Orient geschieht, eine bittere Enttäuschung. Seine Bekenner verstehen unter ihm die Religion der Herzensgüte und der Menschlichkeit.

Dieser Islam versteift sich nicht auf das Gesetz; er fordert die sog. *diyāna, taqwa* und *tanazzuh,* d. h. die Frömmigkeit, Demut und Herzensgüte. Diese Muslime kommen auch seit Jahrhunderten ohne das medinensische Stadtrecht aus, das vielfach mit dem religiösen Kanon (der *Scharī'a*) verwechselt wird. Sie kennen die strengen biblischen Bestrafungen von Gesetzesbrechern nur vom Hörensagen. Dennoch befällt sie deswegen nicht etwa das Gefühl, sie wären weniger gute Muslime als die Puritani-

---

1 Es gibt neuerdings auch politische Führer, die diese Forderung unterstützen. Erwähnt sei *Mu'ammar al-Qaddâfî*, der seine Ansichten über dieses wichtige Anliegen des Islam der Zukunft bei verschiedenen Anlässen bekundet hat, Vgl. *Mu'ammar al-Qaddâfî*, Bayānât wa ḫuṭab wa aḥādîṯ (Erklärungen, Reden, Gespräche), Ṭarābulus [um 1979]. 1095 S. (As-Siǧillal-qawmî. 1977/78.)

sten von Mittelarabien oder die Iraner. Ganz im Gegenteil: sie glauben, daß ihr Islam authentischer ist als jener im Orient. Die gesellschaftliche Wirklichkeit, in der sie leben, erlaubt nur eine wirklich echte Gläubigkeit. Sie ist daher einem geistlosen Vollzug der Sitte und der Vorschrift zweifellos überlegen.

Die Zeloten rufen Ärgernis hervor

Der aus Basra stammende muʿtazilitische Theologe und Polyhistor *al-Ğāḥiẓ* (gest. 869) hat mit Nachdruck die These vertreten, daß das medinensische Stadtrecht für den Glaubensinhalt nicht ausschlaggebend ist. Die Strenge dieses Rechtes hat ihn vielmehr abgestoßen. So schreibt er darüber:

„Die Medinenser, die einen wegen eines leichten Geruchs nach Wein auspeitschen, verhängen die gleiche Strafe wegen des Tragens eines leeren Schlauches, indem sie vorgeben, daß er möglicherweise ein Behälter für Wein sei. So könnte jemand, der ihre Methode mißbilligt, fragen: ‚Warum peitschen sie dann nicht all die aus, die sonst nichts bei sich tragen als nur das Instrument des Ehebruchs?'"

Dann schließt er seine Betrachtungen mit einer weniger beißenden Kritik ab:

„Zudem haben ja die Medinenser nicht ihre Menschennatur abgelegt, um Engeltugenden anzunehmen. Wenn all das, was sie sagen, wahr und recht ist, dann hätten sie alle auspeitschen sollen, die das Haus *Ma'bads*, *al-Gharīḏs* und anderer Musiker und Sänger besuchen. Wird ja dort angeblich *nabîḏ* (der Dattelmost), den die Medinenser als Wein betrachten, getrunken. Auch erlaubte und zulässige Lieder sind dort an der Tagesordnung. Es wird gesungen zu Spiel der Laute, Gitarre, Flöte, des Cymbals und anderer Musikinstrumente, die weder verboten noch unerlaubt sind"[2].

Wie man aus dieser Mitteilung *al-Ğāḥiẓ* ersieht, ist die Musik nach dem Islam keineswegs verboten, wie manche Mullahs behaupten. Nach diesen lebenden Verfechtern der mittelalterlichen Askese müßten die Muslime auf jede Bereicherung des Lebens und auf einen gewaltigen Teil unseres gemeinsamen menschlichen Kulturerbes verzichten.

---

2 *Charles Pellat*, Arabische Geisteswelt. Ausgewählte und übersetzte Texte von *al-Ğaḥiẓ*. Übertragen von Walter W. Müller. Zürich, Stuttgart 1967, S. 89.

Abŭ Ḥanîfa (gest. 767), Namenspatron der hanafitischen Rechtsschule, die übrigens die Grundlage zur gesetzlichen Anerkennung des Islam in Österreich gebildet hat, war ein gemäßigter, toleranter und lebensfroher Mensch. Bezeichnend für seine einsichtige Wesensart ist folgender Vorfall:[3]

„Er hatte in Kufa einen Nachbarn, der ein flotter Zecher war und sich jeden Abend auf der Veranda seines Hauses sitzend berauschte, wobei er regelmäßig mit lauter Stimme folgendes, damals sehr verbreitete Lied zu singen pflegte:

Sie haben mich schmählich verraten;
Und welch' ein Mann ist's, den sie verrieten!
Ein Held am Tag der Schlacht
Und um treu die Grenze zu behüten!
Voll hohen Muts und Heldensinns,
Am Tummelplatz der Todesschrecken,
Wo der Feinde Lanzenspitzen
Mir schon die Brust belecken.

Eines Abends blieb alles still im Nachbarhaus, denn der lustige Sänger war von der Scharwache wegen Trunkenheit verhaftet und festgesetzt worden. Da machte sich *Abŭ Ḥanîfa* auf und begab sich zum Statthalter mit der Bitte, seinen Nachbarn freizulassen. Dies geschah auch sogleich. Als der Zecher in Freiheit gesetzt worden war, sagte ihm *Abŭ Ḥanîfa:* ‚Warst nicht Du es, der jede Nacht sang:

Sie haben mich schmählich verraten;
Und welcher Mann ist es, den sie verrieten!

Habe ich Dich wirklich verraten?' – ‚Gott behüte!' entgegnete er. – ‚Nun denn', sprach *Abû Ḥanîfa*, ‚so tue mir den Gefallen und singe wieder, wie früher. Denn ich habe mich daran gewöhnt und sehe nichts Bedenkliches darin."

„Dieser Erzählung entspricht vollkommen der humane, tolerante und menschenfreundliche Geist, der seine gesetzlichen Bestimmungen belebt. Eine genaue Kenntnis seiner Geistesrichtung, seines stets gerechten und

3 Siehe: *Alfred von Kremer*: Kulturgeschichte des Orients unter den Chalifen. Bd. 1, S. 491.

unparteiischen, namentlich in bezug auf die Andersgläubigen sehr toleranten Geistes, zeigt uns in ihm einen Mann, der den engherzigen, rohen Gewohnheiten seiner Zeit und seines Volkes um Jahrhunderte vorausgeeilt war"[4].

Die Buchstabenreiter

Im Gegensatz zu den *Mu'taziliten* und der hanafitischen Rechtsschule bedienen sich die hanbalitischen Interpreten des Islam einer buchstabengetreuen Auslegung des Qur'an. Sie finden an der Tatsache, daß durch den Qur'an selbst Teile der Offenbarung für ambivalent oder symbolhaft erklärt worden sind, keinen Anstoß. Muhammad ('a.s.)[5] hat ein buchstabengetreues Qur'an-Verständnis, wie das Phänomen der *mutašābihāt* („der Zweideutigkeiten") beweist, gar nicht erwartet. Der Qur'an kann ebenso wie das Evangelium verschieden angegangen und angewendet werden.

Die heiligen Schriften haben für die Sünde oder Gesetzesübertretung in der Regel eine harte Sprache. Sie sprechen aber auch von Gott als Spender der Gnade und Barmherzigkeit. So wird auch gleich nach der bekannten Qur'an-Stelle über die Bestrafung des Diebstahls durch Handabschneiden von Verzeihung und Gnade gesprochen. Der 2. Kalif, *Omar*, hat daher die drakonische Bestrafung des Handabschneidens in einer bestimmten gesellschaftlichen Situation gar nicht ausgeübt. Er mußte ja wissen, was richtig ist. Sein Beispiel ist signifikant. Das Verständnis des Gesetzes ist im Orient ein völlig anderes als im Abendland. Das Gesetz ist dort ein Instrument des Staates. Es ist in keiner Weise ein Bestandteil der Frömmigkeit oder der Moralität.

Das Offenbarungsverständnis

In der gegenwärtigen Identitätskrise des Islam kommt der Frage nach dem Verständnis des Qur'an eine Schlüsselbedeutung zu. Bekanntlich steht die Orthodoxie auf dem Standpunkt, daß der Qur'an als ein integrierender Teil der göttlichen Weisheit nicht erschaffen sei. Dieser Standpunkt löste erst im 10. Jh. unter Gewaltanwendung durch die Machthaber den bis dahin gültigen mu'tazilitischen Standpunkt von der Erschaffenheit des Qur'an ab. Nach dem z. Z. gültigen Dogma offenbart sich im Qur'an Gott selbst.

---

4 *Alfred von Kremer*, a.a.O., 494

5 Die Abkürzung 'a.s. steht für: *'Aleyhi's-selām* (Gottes Friede sei über ihn!)

Somit spielt dieses Buch im Islam eine Rolle, die jener Christi im Christentum gleichkommt. Muhammad sei danach nur ein Sprachrohr Gottes gewesen, der sich „ohne jede Einschränkung und unverzerrt durch historische Bedingungen mitteilen konnte. Mehr noch: dies gilt in gewisser Weise auch für die vier klassischen Interpretationen, durch die der Qur'an als ewige Gesetzgebung ausgelegt worden ist".

Der esoterisch und mystisch orientierte Islam hat auf einer strengen Bestrafung der Gesetzesbrecher nie bestanden. Es kommt also auf den Zugang zu den Glaubensquellen an. „Können die Wissenden und die Unwissenden gleich sein?", fragt in suggestiver Weise der Qur'an. Die Verständigen werden gemäß der Vernunft, der Sachkenntnis und dem herrschenden Lebensgefühl handeln. Grausamkeiten in den heiligen Schriften findet man in rauhen Mengen, wenn man die Offenbarungstexte gedankenlos liest. Selbst Jesus, ein Inbegriff der Liebe und des Verzeihens, hat gelegentlich grausam klingende Worte gesprochen. Als Beispiel sei hier *Matthäus* 5, 29/30, zitiert: „Wenn dich dein rechtes Auge zur Sünde reizt, so reiß es aus und wirf es von dir. Es ist besser für dich, daß eines deiner Glieder verloren geht, als daß dein ganzer Leib in die Hölle geworfen wird. Und wenn dich deine rechte Hand zur Sünde reizt, so hau sie ab und wirf sie von dir, denn es ist besser für dich, daß eines deiner Glieder verloren geht, als daß dein ganzer Leib in die Hölle fährt".

Diese Sprache setzt freilich ein bestimmtes Symbolbewußtsein voraus, dennoch muß sie dereinst auch einen Wirklichkeitsbezug gehabt haben. Das alte Testament hat für folgende Delikte die Steinigung vorgesehen: für die Gotteslästerung, den Götzendienst, die Sabbatschändung, die Wahrsagerei, die Übertretung eines Tabugebots, den Ehebruch und den Ungehorsam gegenüber den Eltern. Die Verstümmelung ist nach derselben hl. Schrift vorgeschrieben als Strafe für Körperverletzung (*Talionsgebot*), für eine schamlose Handlung und als Rache am gefangenen Feind (später abgeschafft).

Die Juden haben durch die Theorie von der sogenannten mündlichen Thora, die Schwierigkeiten, die sich aus diesen Stellungnahmen ergeben, überwunden. Die konservativen und fundamentalistisch gesinnten Muslime profilieren sich durch die quasi-Reislamisierung als ihre letzten Verteidiger. Der Islam bekennt sich zu biblischen Glaubensinhalten. Er ist zwar, geschichtlich gesehen, eine neue Religion, greift aber im wesentlichen auf die alten Vorlagen zurück, die den Offenbarungsreligionen zugrunde liegen. Er steht daher auch in Bezug auf die Ethik diesen nahe. Wenn sich heute, in den Zeiten eines fundamentalisch erlebten Islam, der moderne Mensch über die durch den Fundamentalismus aus der Truhe der Vergessenheit zurückgeholten Denkmodelle mokiert, so trifft das nicht den Islam allein. Im Klartext gesagt: auch viele Muslime sind über die Einbeziehung des Islam in das politische Leben und in die gerichtliche Strafbarkeit nicht glücklich. Der Anstoß zu der Neuentdeckung des Islam als Machtinstrument und Peitsche kommt von Kreisen, die in ihrem Religionsverständnis im allgemeinen zurückgeblieben sind. Ihre Denkkategorien entsprechen dem biblischen Zeitalter oder haften an einem Punkt ihrer nationalen Geschichte. Sie klammern sich an das Wort der hl. Schriften und gestatten nur die Heranziehung der mündlichen, an sich in vielem sehr fragwürdigen Traditionen zum Zwecke der Qur'an-Exegese. Kein Wunder, daß ihnen dabei ein wirklich tiefes Religionsverständnis abgeht. Freilich werden diese Kreise dabei vielfach auch von machtpolitischen Motiven geleitet. Daher ist ihnen eine theologisch bereits überwundene mittelalterliche Strafbarkeit so willkommen.

Islam im Vergleich mit dem Christentum

Vergleicht man das christliche Weltbild mit dem islamischen, so fällt es auf, daß im Christentum die Bedeutung der seelischen oder geistigen Komponente des Menschen viel stärker betont ist als im Islam. Daher dort auch die strengere Unterscheidung der weltlichen von der geistlichen Sphäre.

Die Trennungslinie zwischen Leib und Seele ist im Islam weniger radikal. Man sieht sie als eine sich ergänzende Einheit an. Deshalb werden vom Islam nicht nur die geistigen Bedürfnisse des Menschen behandelt. Die vollkommene Religiosität setzt das Vorhandensein von physischen wie seelischen Voraussetzungen für ein gesundes Leben voraus.

Jedes Siechtum hat bipolare Ursachen: physische und geistige. Das Verhältnis der Seele zum Leib wird durch eine Anekdote gut illustriert: Ein Blinder verabredet mit einem Lahmen einen Garteneinbruch. Der Erste bringt den Zweiten zum Tatort, wobei dieser als Wegweiser und Pflücker der gestohlenen Früchte fungiert. „Wer ist der Schuldige in diesem Rechtsfall?“, entsteht die Frage. „Beide!“ Das ist die richtige Antwort, weil zur Ausführung der Tat beide Glieder der diebischen Funktionseinheit erforderlich waren. So ist es auch mit der Lebensfunktion des Menschen: sie fußt in Leib und Seele.

Dieser Bestandteil des muslimischen Weltbildes ist richtunggebend für das Verständnis des Gebetes oder vielmehr des Gottesdienstes. Der jüdische und der islamische Gottesdienst (arab.: *'ibāda*, hebr.: *'awūda*) bewegen sich nicht allein im Rahmen der Spiritualität. Auch scheinbar ganz profane Tätigkeiten können als Gottesdienst verstanden und beseelt werden; ja sie decken sich manchmal geradezu mit religiösen Pflichten. Man kann beispielsweise auf der Straße einem muslimischen Freund begegnen und auf die Frage, wohin er gehe, etwa die Antwort bekommen: „Ich gehe eine religiöse Pflicht zu erfüllen". Fragen Sie den Mann weiter, was das für eine Pflicht sein mag, kann die dezidierte Antwort lauten: „Ich gehe ins Bad". Denn zu bestimmten Zeiten und aus gewissen Anlässen zu baden, ist eine religiöse Pflicht der Juden und Muslime.

Ein Wort zum islamischen Recht

Die islamische Rechtslehre unterscheidet zwei Arten von Rechtsansprüchen: jene, die dem göttlichen Recht entspringen und jene, die im menschlichen Recht begründet sind. Bei der Befriedigung der menschlichen Rechtsansprüche wird die persönliche Einstellung des Anspruchberechtigten weitgehend berücksichtigt, wodurch Strafen gemildert oder verziehen werden können. Bei der Bereinigung der Verbindlichkeiten Gott gegenüber gilt hingegen der Grundsatz, daß Gott verzeihend ist und keine Bestrafung des Sünders verlangt. Steht es aber einmal fest, daß ein göttliches Recht verletzt worden ist, so wird die gesetzlich vorgesehene Strafe durchgeführt. Eine Berufungsmöglichkeit besteht nicht.

Ausflüchte anderer Art, wie die Verweigerung oder Widerrufung des Geständnisses, sind aber zulässig. Dies schlägt freilich die moralische Qualität derartiger „Zeugenaussagen" arg an und beeinträchtigt ungünstig auch die allgemeine Einstellung zu den Begriffen Ehrlichkeit und Wahrheitsliebe.

Zu dieser entstellten Denk- und Verhaltensweise trägt die Strenge der *Fuqahā'*, der Rechtsgelehrten, bei. Diese haben aus dem Qur'an und der Tradition manche strenge Strafbestimmung abgeleitet, die der eigentlichen Offenbarung gar nicht zu entnehmen ist. So wird auf den Glaubensabfall die Todesstrafe gesetzt, obwohl im Qur'an keine derartige Bestimmung vorhanden ist.

Die grausame Hinrichtungsart für die Wegelagerei wird einem Qur'an-Vers (5: 33/34) mit historischem Bezug entnommen.

Der von Muhammad (ʿa.s.) gegründete Staat war eine Art Nomokratie (Herrschaft des Gesetzes) mit demokratischen Ansätzen. Die Theokratie ist keine adäquate Bezeichnung, denn das Mitentscheidungsrecht der Bürger war durch das Prinzip der *Schūra* (einer Art parlamentarischer, doch unverbindlicher Beratung) zumindestens teilweise abgesichert.

In der Kolonialzeit verschaffte sich, durch die Umstände bedingt, ein ethischer Gedanke von extremer Passivität Geltung. Man suchte die Läuterung und Seligkeit in weiterer Hingabe der eigenen Persönlichkeit an ein abstraktes Nichts. Eine Art Nirwana-Philosophie beherrschte die Gemüter der Gläubigen. Die Mystik war ihr Nährboden. Erst Ende des 19. Jhs. erhoben sich die ersten Stimmen, die eine Ethik der Aktivität verlangten. Durch die Verbundenheit dieser Ethik mit politischen Realitäten einerseits und die Notwendigkeit, diesen mutig entgegenzutreten, andererseits wurde ein neues Image des Islam geschaffen, das manchen außenstehenden Betrachter überrascht. Die Wiederbelebung dieser aktiven Ethik, an der die religiösen Führer wie *Ǧamāladdin al-Afġānî* und *Muḥammed 'Abduh* und die Dichter *Muḥammad Iqbāl* und *Ziya Gökalp* intensiv gewirkt haben, geht mit jenem Prozeß Hand in Hand, den die westlichen Massenmedien fälschlicherweise „Re-Islamierung" nennen. Wie sehr in diesem Prozeß die vererbten Neigungen und Denkweisen mitbestimmend sind, zeigt besonders illustrativ das iranische Beispiel, wo die Religion und die Regierung – wie zur Sassanidenzeit – als Zwillingsschwestern empfunden werden. Die gegenwärtig laufenden restaurativen Eingriffe, die die islamische Welt erschüttern und von denkenden Gläubigen als enttäuschender Rückfall in die Sorglosigkeit eines von Schablonen geprägten Lebens empfunden werden, werden unweigerlich Schiffbruch erleiden. Sie rufen zum Umdenken und zur Neubesinnung auf. Als Fazit wird meines Erachtens ein Islam in die Zukunft eintreten, der sich an der schmalen Basis des „geweihten Wissens", nämlich an den qur'anischen Grundprinzipien, orientiert, oder unter Zuhilfenahme mystischer Erfahrungen allgemeine Glaubensinhalte bezieht. Ein solcher Islam wird freilich in zunehmendem Maße ökumenisch offen sein. Denn Gott wird als ein zu jeder Zeit präsenter Gott, der den Menschen als seinen Stellvertreter auf Erden mit Anteilnahme begleitet, empfunden. Der aufgeklärte Gläubige wird sich für berechtigt halten, die Tore der freien Interpretation der Glaubensquellen, die vor acht Jahrhunderten ins Schloß gefallen sind, wieder zu eröffnen und sich damit auch einen Weg in eine sinnvollere Zukunft zu erschließen.

Was begründet die Identität eines Muslims in der westlichen Welt?

Unter der Identität eines Menschen verstehen wir seine persönliche Eigenart und ihre Fortdauer. Sie kann körperlicher, seelischer, kultureller oder religiöser Natur sein. Die seelische Eigenart wird auch Mentalität genannt. Die kulturelle und religiöse Identität setzen ein Bewußtsein persönlicher Kontinuität voraus.

Die Identität ist kein unverlierbarer Besitz. Vielfach werden „Identität" und „Selbst" miteinander vermischt. Doch das „Selbst" kann schwerlich aufgegeben werden, die religiöse oder kulturelle Identität aber schon. Die Identität bedeutet im soziologischen Sinn ein Verhalten des Individiuums, „in dem sich Handlungsmuster der Sozialisationsumwelt und übernommene Rollen durchsetzen". Die Identität ist jedoch niemals fertig; sie unterliegt den Einflüssen sozialer Prozesse. Allerdings pflegt der Mensch, sich neue Regeln, Normen und Interpretationen „nur durch Verbindung mit selbst Erlebtem, Gehörtem oder Empfundenem" anzueignen. Die Lebensumstände bewirken zwar häufig eine Neustilisierung der Person, doch ist diese in der Regel stets bemüht, ihre Identität zu wahren. Die kontinuierliche Identität ist eine willkommene Orientierungshilfe, wenn es gilt, „in Interaktionen einen gemeinsamen Handlungsentwurf vorzunehmen". Die Individuen sind dann erkennbar, planbar und beeinflußbar.

Ohne Respekt vor den Identitätsbestrebungen der Menschen, namentlich aber der Schüler, werden Lernprozesse abgewehrt. Diese Erkenntnis finden wir z. B. in dem Fall der sog. „*Koran-Schulen*" in Deutschland bestätigt. Eine von außen wenig verstandene oder gar angefeindete Identität neigt zur Bildung von geistigen Gettos.

Zwischen Totalität und Wahrung der Substanz

Der traditionelle Islam ist in seinem Anspruch auf den Menschen total. Er bestimmt sein ganzes Leben. Wo die Muslime kompakt leben, dort entstehen in der Regel geschlossene Gesellschaften. Es gehört zur islamischen Tradition, immer Anschluß an die Gruppe zu suchen. Eine vereinsamte, isolierte islamische Identität gilt als verlorener Posten. Daher die durch Muhammads Beispiel sakralisierte Sitte, in einer solchen Situation auf das *Territorium des Islam* herüberzuwechseln. Diese Anschlußsuche an eine Gruppe, die sich allen Regeln der islamischen Lebensführung unterzieht, heißt *Hidschra.*

Der totalitären Natur des traditionellen Islam widerstrebt jeglicher Abstrich vom Gesamtspektrum jener Elemente, die die islamische Identität ausmachen. Daher die vermeintliche Verpflichtung oder sakrale Sitte (*sunnet*), der Gefahr vor dem Identitätsverlust auszuweichen, d. h. die *Hidschra* oder die Auswanderung auf sich zu nehmen. Dieser Standpunkt ist jedoch umstritten. Er läßt sich weder theologisch noch historisch rechtfertigen.

Aus Muhammads Beispiel wissen wir, daß in gewissen Situationen nur eine minimale Verschiebung im Lebensverhalten des Menschen die islamische Identität begründen kann. Muhammad (ʿa. s.) begnügte sich nämlich mit dem alleinigen Bekenntnis zu einem Gott, um arabische Stämme als neugewordene Muslime anzuerkennen. Es war zeitweise nicht einmal erforderlich, ihn (Muhammad) als Gottesgesandten zu akzeptieren. In der Tat: der Islam im universalen Sinn ist nur das Bekenntnis zu jener zentralen Botschaft, die durch die ganze biblische und nachbiblische Geschichte geht. Sie lautet: *Es gibt keinen anderen Herrn als Gott.* („Höre, Israel, es gibt keinen anderen Herrn als Gott, unseren Herrn").

Von diesem Angelpunkt aus wird freilich dann die weitere Identität der Anhänger der Offenbarung aufgebaut. Sie kommt auf den Höhepunkten der zivilisatorischen Wirksamkeit der Religion zur vollen Entfaltung.

Gerade in den Gebieten, in denen der Islam eine kulturelle Hochblüte erlebt hat, sind im Laufe der Geschichte – beim Auftreten von widrigen politischen Umständen – Reduktionsprozesse am Werk gewesen, die die religiöse Identität in enge Grenzen zu weisen pflegten. Für die Muslime in Spanien, die nach der *Reconquista* im Lande verblieben waren, wurde durch *Fatwās* (rechtliche Dezisionen) namhafter Religionsgelehrter eine Reihe von Erleichterungen geschaffen, die lediglich die unaufgebbare Substanz des Islam bewahren sollten. Von der ursprünglichen Identität ging also unter dem Druck der neuen Verhältnisse manches verloren. Eine im wesentlichen geheime Islampraxis – die sog. *taqiyya* – ersetzte die früheren, lebhaften und zur Schau getragenen islamischen Aktivitäten. Ein Grundsatz der Rechtswissenschaft *(fiqh)* ermöglichte, daß dieser erzwungene Umbruch mit dem Gewissen in Einklang gebracht werden konnte. Dieser Grundsatz lautet: „Die Notlagen machen das religiös Bedenkliche erlaubt". Um den dispensierenden Mechanismus des Gesetzes in Anspruch zu nehmen, bedarf es gewichtiger Gründe. Die geheime Islampraxis *(taqiyya)* kommt nur in Betracht, wenn die Gläubigen wegen ihres Bekenntnisses in ihrer physischen Existenz bedroht sind. Daß dieser Weg der religiösen Artikulierung von den Gelehrten überhaupt empfohlen werden konnte, beweist, daß die *Hidschra* (der Exodus) nicht die gebotene Methode ist, in aller Zukunft nur so der Gefahr zu entgehen.

Die westlichen Freiheiten kommen dem Islam zugute

Ein Muslim, der in der westlichen Welt von heute lebt, setzt sich wegen seines Bekenntnisses keinerlei Gefahren aus. Ganz im Gegenteil: er hat hier in gewissen Tätigkeitsbereichen viel bessere Möglichkeiten als in den Stammländern des Islam. Er kann sich z. B. der Rede- und Pressefreiheit ausgiebig bedienen. Niemand hindert ihn an der Ausübung des Kultes. Er könnte ein Netz von wirksamen Sozialanstalten oder Organisationen von der Art einer muslimischen *Caritas* im Westen aufbauen, ohne daß die Obrigkeit sich daran stoßen würde. An so etwas ist demgegenüber weder in Albanien noch in der Türkei noch in manchen anderen muslimischen Ländern zu denken.

Was legt sich einer kontinuierlichen Fortdauer der islamischen Eigenart heute im Westen hindernd in den Weg? Es sind zweierlei Faktoren, die die in der Regel mitgebrachte und nicht in diesen Gebieten begründete islamische Identität anschlagen: die inneren und äußeren Faktoren.

Eine latente innere Bedrohung bildet das unbefriedigende, den Bedingungen der neuen Umwelt nicht angemessene Glaubensverständnis. Unter dem Begriff des Islam werden veraltete Denkmodelle und Strukturen, die gar nicht zum Wesenskern der Lehre gehören, sondern lediglich Reste eines alten orientalischen Kulturerbes sind, verstanden. Der Islam der Volksmassen hat häufig ein folkloristisches Gesicht.

Der historische Fixismus erschwert das Muslimsein

Kenner der Gastarbeiterszene in Westeuropa sprechen von Identitätsverlust, dem Zehntausende muslimische junger Menschen zum Opfer gefallen sind. In einer Sprache, die den Erwartungshintergrund des Sprechers verrät, heißt das, „sie seien über den Islam hinausgewachsen“. Bis auf ein paar Schreie des Entsetzens in der einschlägigen muslimischen Presse, hat diese Entwicklung bisher keine gebührliche Reaktion ausgelöst.

Keinerlei ernste Maßnahmen wurden getroffen, um diesem Abbröckelungsprozeß Einhalt zu bieten. Es fehlen m. E. auch tiefer schürfende Analysen, die die Ursachen des beginnenden religiösen Identitätsverlustes aufzeigen sollten. Gewöhnlich meint man, daß der fehlende Religionsunterricht in den Schulen jetzt seine Auswirkungen zu zeigen beginne. Der bestehende, von privaten Vereinen organisierte islamische Religionsunterricht ist kaum in der Lage, bei der muslimischen Jugend eine solide Identitätsbildung zu vermitteln. Ganz im Gegenteil: infolge der mangelnden pädagogisch-methodologischen Befähigung des Lehrpersonals und seines in der Regel schmalen Bildungshorizonts geht hier – in den Korankursen – ein schleichender Entfremdungsprozeß vor sich. Wenn dennoch die Kinder, die dort unterrichtet werden, scheinbar in ihrer Identität gefestigt worden, so ist das eher eine Folge des Einflusses des Familienverbandes oder der türkischen Umgebung. Die Brüche zeigen sich erst, wenn die Kinder „flügge" geworden sind. Die Pubertätszeit ist daher bei manchen dieser Jugendlichen in doppeltem Sinne krisenhaft: als Identitätskrise eines reifenden Menschen, aber auch als ein Konflikt der Kulturen bzw. ein Konflikt zwischen den angeworbenen und den abgeschauten Verhaltensweisen.

Neues Glaubensverständnis – Voraussetzung der Unverlierbarkeit der Substanz

Selbst wenn es in absehbarer Zeit zu einem geregelten islamischen Religionsunterricht kommen sollte, wird der Schwund der Identitätssubstanz nicht aufzuhalten sein. Eine befriedigende Lösung – ein Stopp des Entfremdungsprozesses – verspricht meiner tiefen Überzeugung nach nur ein von sekundären Einflüssen befreites Islamverständnis, begleitet von einer Verschiebung der Akzente der religiösen Lehre. Nicht ein neuer Islam soll gelehrt, sondern lediglich seine Präsentation soll an die neuen Verhältnisse adaptiert werden.

Die Muslime müssen sich darüber im Klaren werden, daß sie nicht Menschen sind, mit denen die Natur eine Ausnahme macht. Auch sie unterliegen den Gesetzen der gesellschaftlichen Entwicklung. Die Neuerungen, die gut sind, können dem Islam nicht unwillkommen sein. Nichts, was gut und für die Gesellschaft vorteilhaft ist, ist *bid'a* (eine die religiöse Substanz bedrohende Novation). Der Muslim im Westen muß sich von der Vorstellung loslösen, daß alles, was in der islamischen Vergangenheit war, gut ist und daß alles, was heute geschieht von Schlechtigkeit befallen ist. Was *P. Gordian Marschall* in seinem Referat „Religiöse und soziale Wertvorstellungen im Umbruch und das Wachsen neuer Werte"[1] vom historischen Gang der Immoralität im allgemeinen gesagt hat, gilt auch für die islamische Geschichte.

Die Erfahrungen der islamischen Welt in den letzten drei Jahrhunderten haben diese Welt auf sich selbst geworfen. Die sogenannte Reislamisierung ist ein Prozeß, der im Aufschwung des Zionismus nach dem Holocaust sein Pendant hat. Aber ebenso wie im Judentum eine mißliche historische

1 Gehalten im Hedwig-Dransfeld-Haus in Bendorf am Rhein am 24.3.1982.

Lage zunächst eine Selbstbesinnung, dann aber gesteigerte Anstrengungen sich der Welt zu eröffnen, hervorgebracht hat – so wird auch die Reislamisierung sich in absehbarer Zeit vor Welt und Geschichte verantworten müssen. Rückfragen an ihre tragenden Wertvorstellungen, aber auch Zweifel an ihrem jetzigen Verständnis und ihrer Anwendung häufen sich bereits. Die religiöse Identität eines Muslims in der westlichen Welt kann auf die Dauer nur in jenen Wertvorstellungen begründet sein, die sich bei historischen Prozessen, im menschlichen Hoch und Tief, bewährt haben.

Die Muslime sind Neuankömmlinge in der westlichen Welt. Nichts von den hier angetroffenen gesellschaftlichen Strukturen geht ihnen an die Hand. Die mangelnde Vorbereitung auf das Leben in einer pluralistischen Gesellschaft und ein ganzes Netz von Vorurteilen und Denkklischees, die das soziale Verhalten ihrer neuen Umgebung beherrschen, erhöhen ihre Identitätskrise. Sie stehen vor der Notwendigkeit, Abstriche zu machen, um wenigstens den Wesenskern ihrer religiösen Identität zu bewahren.

Identität eines Muslims oder einer Muslima

Theoretisch gesprochen ist die Frage, was die Identität eines Muslims begründet, leicht beantwortbar. Dazu bedarf es nur eines Bekenntnisses zu Gott als Herrscher des Daseins und zu Muhammad als seinem Boten. Die islamische Identität beinhaltet ferner das Gefühl der Solidarität mit den übrigen Gläubigen. „Wer an den Sorgen der Muslime nicht teilnimmt, gehört nicht zu ihnen". Dies ist nach Muhammads Worten der Rahmeninhalt dieser Solidarität.

Das praktische Angehen an die Probleme der Identität stößt hingegen auf beträchtliche Schwierigkeiten. Bei den Muslimen, die infolge eines längeren Aufenthaltes im Westen und dank ihrer konsolidierten Wirtschaftslage nahe daran sind, sich integrieren zu lassen oder bereits integriert sind, geht es darum, die unaufgebbare qur'anische Glaubenssubstanz zu bewahren, ansonsten aber einen Weg zu gehen, der sie nicht zu Außenseitern der Gesellschaft macht.

Bei der Mehrheit der Muslime, namentlich der Gastarbeiter, beginnt die Identitätsproblematik erst mit dem Heranwachsen der zweiten Generation. Sie nimmt gelegentlich einen dramatischen Verlauf. In selteneren Fällen finden sich die Jugendlichen in einer ähnlichen Situation wie die wirtschaftlich Konsolidierten; meist aber ersetzt der religiöse Indifferentismus oder der Agnostizismus die Tradition.

Die Masse der Gastarbeiter, die überwiegend aus Menschen von geringem Bildungsgrad besteht und in der Wirtschaft in der Regel bei den niedrigsten Arbeiten eingesetzt wird, sieht sich – in eine gettoartige Isolisierung zurückgedrängt – von einer ganz anderen Problematik umgeben. Diese Problematik hat auf einer breiteren, die Dritte Welt umfassenden Ebene, der iranische Revolutionär *Ali Schariati* anschaulich skizziert:

„Wäre ich ein Deutscher, würde ich Brecht sehr bewundern. Da ich Iraner bin, begreife ich nicht, welchen Nutzen er für mich haben sollte. Er hat andere Sorgen und Leiden. Herr Brecht hat für seine Leiden ein Rezept gefunden. Meine Leiden sind andere: ihm versagen die Nerven, und mir knurrt der Magen. Sein Rezept kann meine Leiden nicht heilen, ich kann damit nichts anfangen. Ich sorge mich um den Brennstoff für den Winter, um meine Arbeit, um die Ausbildung meiner Kinder. Das sind meine Existenzängste. Seine Existenzangst besteht darin zu fragen, warum er existiere. Er ist schon so weit. Er hat ein Stadium erreicht, in dem er sich über andere Dinge keine Gedanken macht, außer über seine eigene Existenz“.

Die jüdische Erfahrung lehrt, daß es leicht möglich ist, eine Bahn zwischen zwei Mittelpunkten, etwa dem Deutschtum und dem Judentum, zu laufen. Die seit Jahrhunderten in Südost-Europa ansässigen Muslime, die heute in ihren nationalen Staaten leben, haben schon längst eine tragfähige Symbiose zwischen der islamischen Lehre und der europäischen Kultur gefunden. Die Dritte Welt ist aber noch nicht so weit. Dort wird anscheinend ein abstoßendes Verhalten gegenüber den Errungenschaften der westlichen Kultur als eine Voraussetzung zur Selbstfindung und zur Pflege der Identität angesehen. Der bereits zitierte islamische Denker aus dem Iran meint dazu:

„Die kolonialistische Soziologie Europas hat es richtig verstanden: Um dem Orient die Identität zu nehmen, ihn ohne Mühe auszuplündern, irrezuführen und zu regieren, mußte man ihn von seiner Geschichte trennen. Sobald er die Identität verliert, läuft er mit Stolz und Opferbereitschaft dem Westen nach. Er ist besessen davon, ein Konsument westlicher Waren zu werden – nicht etwa auf Drängen und unter Druck des Europäers; in diesem Stadium ist das nicht mehr notwendig. Wer keine eigene Identität hat, legt sich die eines anderen zu. Nimmt man dem Orient seine Identität, so identifiziert er sich mit dem Westen. Wie kann man jemanden dazu bringen, sich mit einem anderen zu identifizieren? Eines der äußeren Zeichen, das mich einem anderen gleichmacht, ist meine Konsumgewohnheit: ich ahme ihn nach, indem ich seine Konsumgewohnheiten übernehme“.

Mag diese Sozialkritik auf die iranischen Verhältnisse auch zutreffen; es wäre verfehlt, ihr eine religiöse Bedeutung beizumessen. Der Islam lehrt nichts von Konsumgewohnheiten als von einem identitätsbildenden Faktor, es sei denn, daß er in allgemeiner Weise das Maßhalten empfiehlt und gewisse Speisevorschriften erläßt. Für ihn sind sehr wohl soziale Abnormitäten wie Verschwendung und Verschleiß von Relevanz, aber nur deshalb, weil sie einen Verstoß gegen seine ethischen Normen bilden. Die wohl der materialistischen Dialektik entnommene Beweisführung des jungen iranischen Gelehrten, der mit seinen Schriften die Revolution von 1978 angebahnt hat, gehört nicht zur Sache. Es wäre abartig, wollte man etwa in ihrer Folge von den Muslimen im Westen verlangen, daß sie auf den Straßen der europäischen Städte in ägyptischen Galabis herumlaufen oder ihren Brotkonsum auf das indo-iranische Fladenbrot umstellen.

Von regionalen Zwängen umklammert

Nicht im Islam, sondern in regionalen Zwängen ist manches begründet, was heute unter der Etikette des Islam vom Orient an den Tag gefördert wird.

Der authentische Islam bringt eigentlich viele Voraussetzungen mit, um sich in der säkularen Welt zurechtzufinden: das Fehlen von Sakramenten, der Priesterschaft und der Taufe, das Verständnis der Ehe als ein zivilrechtlicher Akt, eine recht natürliche Beziehung zur Sexualität, die Aberkennung des Rechtes auf Exkommunizierung aus der Gemeinschaft, eine positive Einstellung zum freien Forschen und zum Wissenserwerb, die prinzipielle Erlaubnis von Mischehen mit Frauen anderer Glaubensbekenntnisse u.a.m.

Die folkloristischen Einschübe in die religiöse Tradition und die gewohnheitsmäßige orientalische Einbeziehung des Islam in die politische Szene schaffen für die Identität des Muslims im Westen größte Schwierigkeiten. Das Hauptanliegen des Islam ist das Ethos: Die Mitte ist Gott, der Ausstrahlungsradius ist das Ethos. Dazwischen liegen die religiösen Pflichten als Schule und Behelf für ein im Zeichen der Hingabe an Gott zu bewältigendes Leben. In diesem Rahmen spiegelt sich die authentische islamische Identität wieder und dort ist sie begründet. Die Mentalitäten, Gewohnheiten und Neigungen der muslimischen Völker sind von Fall zu Fall verschieden. An ihnen bekundet sich höchstens die nationale, nicht aber die religiöse Identität.

Gemeinsame Lehrinhalte

Der islamische und der christliche Kulturkreis standen sich einst sehr nah. In einem wie dem anderen war das jüdische Element gegenwärtig. Die gegenseitige Entfremdung stellte sich – auf geistiger Ebene – hauptsächlich aus zwei Gründen ein:

1) wegen einer zunehmenden Asiatisierung der religiösen Gedankenwelt der muslimischen Volksmassen, und
2) wegen der veränderten Denkstrukturen, die im Zuge der Renaissance und des Humanismus sowie der Reformation und der Aufklärung sich im Westen eingebürgert haben. Der Außenstehende ist daher heute kaum in der Lage, das alte authentische Kulturerbe des Christentums und des liberalen Judentums von jenem, das im Laufe der letzten Jahrhunderte nachträglich angeeignet worden ist, zu unterscheiden.

Ein aufgeklärter Muslim erkennt in den modern vorgetragenen jüdischen und christlichen Lehrinhalten - soweit diese die Moraltheologie betreffen – sich selbst wieder.

Gelingt es dem Islam im weltweiten Rahmen, sich von der Alltagspolitik abzukoppeln und auf der Grundlage seines authentischen Kulturerbes sich im Stil einer Aufklärung zu erneuern, so wird ein gewaltiger Schritt vorwärts – zur interkonfessionellen Annäherung – vollzogen sein. Die Verständigungsschwierigkeiten liegen zur Zeit vornehmlich in der Verschiedenheit der Bildungsideale und Bildungsinhalte sowie in den verschiedenen Stufen der allgemeinen zivilisatorischen Entwicklung der breiteren Schichten der Bevölkerung aller drei Offenbarungsreligionen.

Islam und Christentum

Wesen des Islam

Im Islam werden beide Aspekte des Lebens berücksichtigt: der geistige wie der körperliche.

Auf Muhammads (ʿa. s.) Beispiel und Lehrsprüche geht z. B. eine ganze Schule der Populärmedizin zurück. Sie heißt fachmännisch: „Die Medizin des Gottesboten". Es ist dies ein Indiz dafür, wie sehr der Islam die leiblichen Anliegen der Menschen in sein Lehrsystem mit einbezieht. Dieses System ist ein Rezept, wie man das Leben konfliktfrei meistern kann.

Im Jänner 1981 erschien im *Kurier* (Wien) ein Interview mit Primarius Dr. Mathias Dorcsi, einem bekannten Vertreter der ganzheitlichen Medizin in Österreich. Im Verlaufe des Interviews äußerte Dr. Dorcsi den Gedanken, daß die Krankheit manchmal auch ein Schicksal sei. Darauf fragte der Journalist: „Krankheit als Schicksal? Das könnte als Resignation aufgefaßt werden. Daher die Frage: – Was verstehen sie unter Schicksal?"

Dorcsi: „Das kann man vielschichtig verstehen. Schicksal ist das, was ich *geschickt* bekomme – und das ich jetzt ertragen muß oder an dem ich zugrunde gehe."

Kurier: „Versucht die ganzheitliche Medizin den Menschen mit seinem Schicksal zu versöhnen?"

Dorcsi: „Wir erklären Gesundheit so: Der Mensch ist gesund, wenn er in sich, mit sich, mit der Umwelt, mit dem Schöpfer in Harmonie ist. In sich heißt: Daß er ganzheitlich intakt ist. Mit sich heißt: Daß er weiß, was er will. Mit der Umwelt ist das Soziale, mit dem Schöpfer, daß er den Sinn des Lebens erfaßt hat, gemeint. Demnach ist Krankheit die Folge einer äußeren oder inneren Störung dieses Gleichgewichts".

Beim Lesen dieser Zeilen fiel mir die frappante Ähnlichkeit der geäußerten Gedanken mit der Lehre des Islam. Ja, ein direkter Bezug auf seine Grundanliegen schien vorzuliegen. Darauf schlug ich in meinem Buch „Ruf vom Minarett" nach und fand auf den Seiten 6/7 folgende Formulierungen: „Sich zum Islam zu bekennen heißt, das Leben im Zeichen der völligen Hingabe an Gott zu meistern. In der Praxis kommt der Islam einer Selbstverwirklichung des Menschen gleich, die sich im Frieden mit Gott, mit sich selbst und mit den übrigen Menschen vollzieht." „Der gelebte Glaube heißt die Loyalität zu Gott als Schöpfer und Erhalter, die Solidarität mit Mensch und Tier und die Brüderlichkeit mit den übrigen Gläubigen".

Zum Gedanken über das Schicksal, das es zu ertragen gilt oder an dem man zugrundegehen wird, in demselben Buch, S. 8 und 31: „Die Christen beten im Vaterunser: ‚Dein Wille *geschehe* im Himmel wie auf Erden!‘ Die Muslime antworten darauf: ‚Dein Wille *geschieht* im Himmel wie auf Erden‘“. „Als man einen mittelalterlichen Gelehrten fragte, warum er so gut schlafen könne, antwortete er: ‚Es geht so, daß ich mich hergebe. Wie in mütterliche Arme gebe ich mich her. All mein Widerstand fällt im Nu ab, und ich gebe mich her‘. Eben dieses Rezept wird vom Islam in einem größerem Zusammenhang als der Weg des ‚Heils‘ geboten. Das Wesen des Islam ist die Hingabe an Gott. Der Gläubige gestaltet sein Leben nach dem Gedanken, daß er in ein großes Ganzes hineingestellt ist. Gott ist überall zugegen. Der Mensch kann sich Ihm jederzeit ganz hingeben, ohne dabei seine Persönlichkeit, seine Freiheit, zu verlieren. Die Hingabe in den Willen, der in der Schöpfung schaltet und waltet, ist kein Fatalismus. Sie ist eine konkrete Bezeugung des Glaubensbekenntnisses: ‚Es gibt keinen Gott außer Allah‘“.

Der Islam versteht sich als das Ergebnis einer einheitlichen göttlichen Offenbarung, die durch die ganze Geschichte geht. Als Verkünder dieser Offenbarung traten unzählige – teils bekannte, teils unbekannte – Propheten oder genauer Gottesgesandte auf. Sie waren nicht alle, wie oft irrtümlich angenommen wird, Mitglieder des israelitischen Volkes. Religionsgeschichtlich ist das Judentum die Stammreligion des Christentums und des Islam. Der Islam hat mit diesen beiden Vorgängerreligionen gemeinsame Grundinhalte des Glaubens. Sie – das Judentum und das Christentum – sind im Verständnis der Muslime lediglich zwei ältere Redaktionen des Islam.

Nachbiblisch, jedoch nicht nachahmend

Die von Haus aus universalistisch ausgerichtete Botschaft Muhammads (‘a. s.) räumt seinem Verkünder lediglich die Rolle eines *primus inter pares* unter den Gottgesandten ein. Durch Muhammad hat Gott – so glauben die Muslime – allerdings die Offenbarung zu Ende geführt. Der Islam ist also die letzte Fassung der Offenbarungsreligion.

Je nachdem, von welcher Seite man den Islam betrachtet, gewinnt man den Eindruck, als sei er ein Ableger des Judentums oder des Christentums. Diesbezüglich hat es in der Wissenschaft verschiedene Thesen gegeben, die von der Missionsliteratur immer wieder benutzt wurden. Seit den fundamentalen Studien des deutschen Orientalisten *Johannes Fück* weiß man aber, daß Muhammad (‘a. s.) im großen und ganzen eine originelle Lehre verkündet hat. Er war von den alten Vorlagen nicht mehr und nicht weniger abhängig als die Religionsverkünder vor ihm. Gewisse Lehrinhalte sind allen Offenbarungsreligionen gemeinsam. Sie machen eben jene Bestandteile der Offenbarung aus, in denen sich die gemeinsame Betroffenheit der Menschheit bekundet.

Biblische Propheten – Mustermuslime

In Abraham (*Ibrāhīm 'a. s.*) sah Muhammad den Prototyp eines idealen Muslims. Abraham ist in der islamischen Sicht ein Musterprophet. Der Qur'an verleiht ihm den Ehrentitel „Gottes Freund". Moses gilt als „Gottes Gesprächspartner". Jesus ist *al-Masīḥ,* d. h. der Gesalbte und „Wort Gottes". Ihm ist auch der göttliche Geist eingegeben. Sie alle werden als vorbildliche Muslime empfunden. Der tiefe Respekt, den Muhammad ('a. s.) dem biblischen Erbe zollte und die starke Durchdringung der islamischen Tradition mit jüdischen und christlichen Elementen führten manchen Forscher zu dem Schluß, daß der „Schwärmer von Mekka", wie der Muhammad der Erstzeit empfunden wurde, keine neue Religion gründen wollte. „Muhammad never intended to establish Islam as a new religion", meint *Abraham Katsh,* ein jüdischer Theologe. „He considered himself the rightful custodian of the Book sent by Allah to ‚confirm' the Scriptures". Diese Feststellung stimmt mit dem Selbstverständnis des Islam überein. Ein Muslim könnte sie folglich mitunterschreiben. Allerdings ist diese Übereinstimmung im konkreten Fall nur scheinbarer Natur. Denn der jüdische Gelehrte will mit seiner These Muhammad jegliche Originalität absprechen. Damit wird sein Auftrag als Gottgesandter in Frage gestellt.

Trotz seines biblischen Hintergrundes artikulierte sich der Islam in Lehre und Wirkung bald als eine selbständige geistige Größe. Durch seinen Anspruch auf die legitime Nachfolge der biblischen Religionsverkünder bildet er eine ständige Herausforderung an die übrigen Verwalter dieses geistigen Erbes. Schon dadurch haftet ihm eine revolutionierende Note an.

„Wer wußte im Jahre 600", fragt sich in Anbetracht der Urwüchsigkeit mancher Gedanken und Geschehnisse *Zwi Werblowsky,* „daß innerhalb der nächsten hundert Jahre der Islam entstehen und die Welt verändern würde". Das Werk Muhammads bedeutete seiner Meinung nach eine ungeheure Novation und war ein Wunder wie die hebräische Bibel.

Dimensionen der Religiosität

Die Strafbestimmungen des islamischen Gesetzes gehören nicht zum Bereich der Frömmigkeit. Sie haben einen ganz anderen Stellenwert als die moralischen Anweisungen. Die Befolgung der letzteren ist unerläßlich, will man ein vollkommener Gläubiger werden. Der Strafvollzug hingegen ist lediglich die Antwort auf die bittere Notwendigkeit einer menschlichen Situation. Diese hat immer ihre Besonderheiten.

In seiner „Ethik der Religionen", einem umfangreichen Handbuch, bemerkt *Carl Heinz Ratschow* ganz richtig, daß das Gesetz in orientalischen Kulturen lediglich eine dienende und untergeordnete Rolle spielt. Meistens wird es ignoriert. „Wo es nicht ignoriert wird, ist es oft ein irritierender und fremder Faktor im Prozeß der Anpassung an die Bedürfnisse der neuen Gesellschaft und die mit ihnen zusammenhängenden Wertvorstellungen. Es wird nicht so hoch eingeschätzt wie *ius* in allen seinen Bedeutungen bei den Römern, *droit* bei den Franzosen und *law* in den angelsächsischen Ländern. Das Gesetz ist ein Instrument des Staates. Der Staat kann natürlich Tun und Lassen befehlen, wie Hammurabi befahl, wie Nehemia und sogar die Makkabäer, die Einhaltung der Thora befahlen"[1].

So ist es auch heute in Saudi Arabien, Iran und Pakistan. In seiner Behandlung des erwünschten Verhaltens des Gläubigen einem ertappten Dieb gegenüber erwähnt *Muḥammad al-Ġazālī* (gest. 1111), einer der angesehensten islamischen Theologen, mit keinem Wort das Handabschneiden[2].

Überall, wo im Qur'an harte Gesetze formuliert werden, ist auch von Gnade oder Verzeihung die Rede. Der Gnade gilt übrigens die Einleitungsformel jeder Sure des Qur'an (die *Basmala*). Die islamische Theologie mißt der Menschlichkeit einen ebenso hohen Wert bei wie die christliche Lehre. Die auf Muhammad (ʿa. s.) zurückgehende Tradition ist voller Zeugnisse von Humanität und Menschenliebe. *Al-Ġazālī* geht soweit, daß er – um die Verpflichtung des Gläubigen zur Menschlichkeit zu unterstreichen – sogar die Bibel zitiert. Im 35. Buch seines *Iḥyāʾ 'ulūm ad-dīn* finden wir die auf Muhammad zurückgehende Tradition: „Wer einen, der ihm Böses zugefügt hat, verwünscht, der gleicht sich dem Täter an"[3].

Gemeinsame Lehrinhalte

„Wäre Muhammad in Mekka getötet worden – was um Haaresbreite geschehen wäre", schreibt ein christlicher Theologe, „so würden sich Islam und Christentum heute in vielem wesentlich ähnlicher sein".

1 C. H. Ratschow: Ethik der Religionen. 1980. S. 502.

2 Vgl. Al-Gazzāli's Buch vom Gottvertrauen. Das 35. Buch des Iḥyāʾʿulūm addīn. Übers. v. Hans Wehr. Halle/Saale. 1940. S. 86–91.

3 Ebenda, S. 89.

Nun, dem Islam war es gegönnt, in Medina erfolgreich ein Staatswesen zu gründen. Dem Christentum blieb ein ähnlicher Erfolg zu Christi Zeiten versagt. Dadurch sah sich aber Muhammad vor die Notwendigkeit gestellt, Regeln zur Gestaltung einer konkreten Gesellschaft zu erarbeiten. Seine Aufgabe begrenzte sich also nicht auf die Vermittlung der Botschaft allein. Sie war auch keine idealistische, auf eine abstrakte Weltverbesserung hinzielende Schwärmerei, sondern die wirklichkeitsbezogene Hinausführung einer gesetzlosen Gesellschaft aus dem Chaos in die Ordnung. Muhammad sah seine Aufgabe aber keineswegs darin, die Lehre Christi aufzuheben. Ganz im Gegenteil: er wollte sie wiederherstellen und erfüllen. Jesus ist daher ein anerkannter und nachvollziehbarer Lehrer des Islam. An seine Mission als Verkünder göttlicher Offenbarung zu glauben, gehört zum unveräußerlichen Lehrkern des Islam. Der 4. Glaubensartikel lautet ja: „Ich glaube an die biblischen Gottesboten". In die Glaubenspraxis umgesetzt heißt das, daß Jesus, *'Īsā ('a. s.)*, als Muslim und hervorragender Lehrer des Islam empfunden wird. Wem sein Leitbild zusagt, von dem kann es ruhig nachgelebt werden. Es ist undenkbar, daß ein Islambekenner sich über Jesus, seine Mutter und seine Jünger abfällig äußern könnte. Hier liegt ein wichtiger Verhaltensunterschied zwischen den Anhängern des Islam und jenen des Christentums: die Ersten fühlen sich neben ihrem eigentlichen Lehrmeister, nämlich Muhammad, noch Christus verbunden. Bei den Letzten fehlt diese über das Eigene hinausgehende Sicht. Mit anderen Worten: der Christ fühlt sich Muhammad gegenüber zu keinerlei Respekt verpflichtet. In der relativen Universalität des Islam sehen die Muslime eine höhere religiöse Entwicklungsstufe; ein Rückzug auf die Positionen der jüdischen oder christlichen Ausschließbarkeit bedeutete folglich für sie auch einen kulturellen Rückfall. Jesus ist im muslimischen Glaubensbewußtsein vor allem als ethisches Leitbild gegenwärtig. Bei gewissen Dilemmata ist eine Entscheidung zwischen ihm und Muhammad denkbar und möglich. Hier ein Beispiel aus dem bereits zitierten Werk von *Muḥammad al-Ġazālī.* Nach einem Exkurs über den Vorzug der Ehe fragt sich der islamische Theologe, warum – wenn die Ehe so empfehlenswert ist – Jesus der Gebenedeite unverheiratet geblieben ist. Er beantwortet die Frage dahingehend, daß es am besten sei, beide Beispiele – nämlich jenes von Muhammad und jenes von Jesus – je nach Veranlagung des Menschen zu befolgen. „Unser Gottesgesandter vereinigte", führt er aus, „den Vorzug der Hingabe an Gott mit dem der Ehe. Die Dinge dieser Welt hinderten ihn nicht, innerlich in der Gegenwart Gottes zu stehen. Wer hinaus auf den Ozean fährt, macht sich nicht viel aus den Meeresbuchten ... Was aber Jesus den Gebenedeiten betrifft, so empfing er wohl Charakterstärke, aber weniger Kraft und er übte für sich Entsagung. Vielleicht war er so veranlagt, daß ihn die Beschäftigung mit der Familie zu sehr mitgenommen hätte ... oder er vermochte die Ehe nicht mit der Hingabe an den Dienst Gottes zu vereinigen und wählte daher die Hingabe an den Dienst Gottes allein"[4].

Nach *al-Ġazālī's* Interpretation befiehlt Gott eindringlich die Speisung Bedürftiger und qualifiziert diese Wohltätigkeit als „Darlehensgewährung an sich selbst" (Qur'an 2: 245 und 57: 11). Wer denkt nicht dabei an die Christi Worte: „Was Du dem geringsten meiner Brüder getan hast, das hast Du mir getan".

Offenbarungsverständnis

Entgegen dem christlichen Verständnis der Offenbarung als Akt göttlicher Inspiration, die dem freien Menschen im Rahmen seiner geistigen Fähigkeiten zuteil wird, versteht der Islam unter diesem Erkenntnisvorgang eine passive, vom göttlichen Auftrag zur Weitergabe begleitete, Entgegennahme von höheren geistigen Inhalten. Dem Menschen steht es demnach nicht zu, an den Offenbarungsinhalten oder Texten Änderungen vorzunehmen. Daher zählen für die Muslime nur die authentischen Worte Jesu Christi als Offenbarung. Sie machen das Evangelium aus. Was die Apostel dazu hinzugefügt haben, sind menschliche Zusätze, die die Offenbarung zumindestens in ihrem späteren Verständnis – eher verwässern und in ihrer Authentizität unkenntlich machen. Durch dieses Offenbarungsverständnis erklärt sich die Weigerung des Islam, die heiligen Schriften der Christen so wie sie heute sind zu akzeptieren. Ähnlichen Standpunkt bekundet der Islam auch in bezug auf die mündliche *Thora*, die ja nicht die von Moses empfangene Offenbarung enthält. Da die Offenbarung im Grunde genommen ein geistiges Eigentum Gottes ist, kann sie nicht auf eine Vervollkommnung durch die Menschen angewiesen sein. Am göttlichen Gut darf also nicht gerüttelt werden.

Eine besonders heftige Ablehnung ruft ein anderer Angelpunkt der christlichen Lehre, nämlich die Dreifaltigkeit, hervor. An dieser Ablehnung beteiligen sich ebenso sehr die Juden wie die Muslime. „Wer die christliche Liturgie verfolgt, kann manchmal schwerlich unterscheiden, wem eigentlich das Gebet gilt: Gott oder Jesus oder beiden. Es ist nicht immer einfach herauszufinden, ob die beiden identisch oder von einander verschieden sind". So schreibt ein jüdischer Gelehrter. Dieser Eindruck ist auch vielen Muslimen vertraut. Daher neigen sie zu der Ansicht, daß die

4 M. al-Ghazzālī, Das Buch über die Ehe. Übers. von Hans Bauer, Halle/Saale 1917.

Teilnahme an solchen Gebeten unzulässig sei. Denn Gott Gesellen zuzuschreiben, gilt im Islam als eine der schwersten Sünden. Absichtlich begangen, führt eine solche Sünde zum Glaubensabfall.

Einigende Elemente: gemeinsame Verantwortung – die Liebe

„Welche religiösen Verbindungsstrukturen und Beziehungsmöglichkeiten ergeben sich an der Basis zwischen dem Glauben der Christen und den Verhaltensvorschriften der Muslime durch den Qur'an?". Diese Frage stellt sich häufig von selbst bei christlich-islamischen Begegnungen.

Die Welt verbindet infolge fühlbarer Politisierung des Islam dessen Bild mit Härte und Unbarmherzigkeit. Darüber sind viele Muslime traurig.

Muhammad (ʿa. s.) ist nicht gekommen, um die Lehre Jesu Christi aufzuheben. Er ist allerdings ein realistischer Mensch gewesen. Daher nimmt das Gebot der Gerechtigkeit in seiner Lehre scheinbar einen wichtigeren Platz als das Gebot der Liebe ein. Denn die Gerechtigkeit ist gesellschaftlich meßbar, handgreiflich, weit von Abstraktionen. Wo sie als Grundvoraussetzung fehlt, dort kann keine überzeugende Liebe gedeihen. Aber auch der Islam kann nicht auf die Liebe als Erfordernis des religiösen Verhaltens verzichten. Sie ist sogar Um und Auf der mystischen Frömmigkeit. Befragt, wer der gerechteste Mensch sei, sprach Muhammad: „Jener, der für die Mitmenschen soviel an Liebe aufbringt, wieviel er für sich selbst sich ersehnt". Unter diese Anweisung ließe sich auch die Feindesliebe unterbringen. Die Gläubigen sind vom Qur'an angehalten, sich wie Brüder zueinander zu verhalten. Der gewünschte gegenseitige Beistand erstreckt sich aber selbstverständlich nur auf die guten Taten und das Meiden von Überschreitungen. Ein gegenseitiger Beistand in Sünde und Feindschaft wird als verwerflich abgelehnt.

Der Feindesliebe spricht im Islam die Mystik ganz offen das Wort. Aus unzähligen Empfehlungen dieser Art sei jene des *'Abdarraḥmān Dschāmī* aus dem 15. Jahrhundert angeführt:

> Erwidere das Böse mit guter Tat,
> Denn die Bosheit rächt sich, wenn auch auf Raten.
> Der Segen der guten Taten, die du dem Feinde schenkst,
> Ist der beste Samen für die gute *Saat*.

Im Unterschied zum Christentum bezieht der Islam, wie bereits ausgeführt, die weltlichen Belange stärker in seinen Betrachtungskreis ein. Er erläßt auch konkrete Anweisungen „für den Fall des Falles". Nun ist es im

Leben so, daß man auch mit den besten Absichten manchmal nicht weit kommen kann. Man denke an das berühmte Wort Schillers:

Selbst der Frömmste kann nicht im Frieden leben,
Wenn es dem bösen Nachbarn nicht gefällt.

Für solche und ähnliche Situationen hat der Qur'an Regeln von folgender Art aufgestellt: „Und bekämpfet die Feinde, bis die Verfolgung aufgehört hat und der Glaube an Gott frei ist. Wenn sie jedoch ablassen, dann wisset, daß keine Feindschaft erlaubt ist, außer wider die Ungerechten“ (2: 193).

Die Vorstellung, daß die Gnade Gottes denjenigen am nächsten steht, die uns als Sünder und Feinde als ablehnungswürdig erscheinen, lebt nicht weniger intensiv im frommen Islam wie im Christentum. So wird vom Imam *Muḥammad aš-Šaraḫsī*, einem Lehrer der hanafitischen Rechtsschule, berichtet, er habe auf dem Sterbebett den Wunsch geäußert, im „Friedhof der Ausgestoßenen“ bestattet zu werden. Auf diesem Friedhof waren Diebe, Trinker, Hasardspieler, Räuber und Prostituierte begraben. Befragt nach dem Grund seines Wunsches, antwortete der Imam: „Weil sie der Gnade Gottes näher stehen, als jene, deren Rechnungen keinen Fleck aufweisen.“

Fragen wir uns nun, wieso sich dann der Islam heute so hart zeigt, so muß die Antwort lauten: „Weil im Qur'an wie in der Bibel jeder findet, was er sucht und weil die Dritte Welt dazu neigt, die Religion als Ideologie zu verstehen“. Dem Islam als Religion eine Härte zuzuschreiben, ist nicht zulässig. Mir scheint es, daß in bezug auf das Islam-Verständnis, wie auch sonst im religiösen Selbstverständnis, jene Wahrheit gilt, die der Nobelpreisträger *Werner Heisenberg* mit folgenden Worten umschrieben hat: „Der Mensch begegnet immer nur sich selbst in der Wirklichkeit; zwischen seiner Frage und ihrer Antwort besteht eine unaufhebbare Relation“.

Keiner Religion – so auch dem Islam – bleibt es erspart, durch die Lebensumstände und die Mentalität ihrer Bekenner in ihren Ausdrucksformen beeinflußt zu werden. Die idealistischen Forderungen der Religion haben am ehesten dort eine Chance verwirklicht zu werden, wo die gesellschaftlichen und kulturellen Voraussetzungen dazu bestehen. Auf diesem Gebiet steht die islamische Welt noch vor vielen nicht leicht erfüllbaren Aufgaben.

DAS SCHARĪʿA-VERSTÄNDNIS IN PLURALISTISCHER GESELLSCHAFT

Im Rahmen eines Seminars zum Thema „Christen und Muslime in der Bundesrepublik Deutschland", das Ende Oktober 1980 in Willebadessen bei Dortmund stattfand, waren alarmierende Voraussagen über das Schicksal des Islam in Westeuropa zu vernehmen. Der Leiter der „Arbeiterwohlfahrt", die sich um die soziale Betreuung der etwa 1,2 Millionen türkischer Gastarbeiter in Deutschland kümmert, *Eberhard de Haan*, rechnet damit, daß alle diese Muslime in der zweiten Generation ihre religiöse und kulturelle Identität verlieren und in der deutschen Umgebung aufgehen werden. Schon heute seien, seinen Erfahrungen nach, die intellektuell höher stehenden Teile dieser Zuwanderer über den „Islam hinausgewachsen". Das könne er für all seine zahlreichen türkischen Mitarbeiter, die ihm als Betreuer der Gastarbeiter zur Verfügung stehen, bestätigen. Die auf ernste Sozialanalysen gestützten Feststellungen des führenden deutschen Sozialarbeiters müssen nachdenklich machen. Was ist die Ursache für diese Perpektiven?

Abgesehen von den sporadischen Zeiterscheinungen, die den Islam im weltweiten Rahmen in ein schiefes Licht bringen, ist es vor allem das klassische Verständnis der *Scharī'a* (des religiösen Gesetzes), das zu einem dauernden Verlust der islamischen Substanz in pluralistischen Gesellschaften führt. Der Islam wird meist als ein Lebensweg, der sich mit einer archaisch verstandenen *Scharī'a* deckt, definiert. In die Praxis umgesetzt, bedeutet dies ein in einem umfangreichen Netz von Vorschriften, Geboten, Verboten, Empfehlungen und Verhaltensweisen verstricktes Leben – eine Lebensschablone, die den sozialen Verhältnissen Arabiens vom 7. Jahrhundert entspricht. Ein so verstandener Islam bringt die Menschen, die in pluralistischen Gesellschaften unserer Zeit leben, bei Schritt und Tritt in Konflikt mit ihren sonstigen Lebenserfahrungen und führt zu Identitätskrisen. Die muslimischen Kinder, die an den sogenannten Qur'ān-Kursen teilnehmen und zum patriarchalischen Lebensstil ihrer Ursprungsländer angehalten werden, werden geradezu zu einer Art Schizophrenie erzogen.

Die *Scharī'a* ist das Zentralproblem, das das Muslimsein heute schwer macht, obwohl Gott mit der Religion eine Lebenhilfe, nicht aber eine Erschwernis beabsichtigt.

Was versteht man unter der *Scharī'a*? Die *salafiyya* (Rückbesinnung)-Bewegung hat zwar die gängigen Inhalte des „islamischen Rechts", was die *Scharī'a* sein sollte, durch die Forderung *Zurück zu den Quellen!* in

Frage gestellt[1], dennoch haben der Qur'an und die authentische Sunna – die beiden eigentlichen Quellen der *Scharī'a* – im Leben der Gläubigen nach wie vor keine unmittelbare Bedeutung: sie werden nämlich von den *maḏhab*-Lehren überlagert. Die Meinungen der alten *fiqh*-Gelehrten prägen das Gesicht der Theologie. Es sind Meinungen, die in der Regel einem veralteten Weltbild entsprechen und das moderne Lebensgefühl der Menschen in keiner Weise befriedigen. Sie wirken vielmehr befremdend.

Die klassische *Scharī'a* hat sich in der ersten Entwicklungsphase des Kalifats herausgebildet. Damals wurde ihr in weitem Umfang das Gewohnheitsrecht der Araber und der von ihnen unterworfenen Völker einverleibt. Dieser Erbteil der *Scharī'a* ist so groß, daß man vom orientalischen Gewohnheitsrecht als von der fünften Quelle des *fiqh* sprechen könnte.

Seit über tausend Jahren bekunden die Muslime dem qur'anischen Recht – der Ur-*Scharī'a* – gegenüber ein Fehlverhalten[2]. Die Nachwelt verschaffte sich durch die beiden Rechtfindungsmethoden *qiyās* und *iǧmā'* den Einfluß auf die Endgestaltung der *Scharī'a*. Zwar ging man mit Ernst und Verantwortung ans Werk, und viel Ehrgeiz, Energie und Intelligenz wurden investiert, dennoch ist das so geschaffene Rechtssystem, das man ungerechtfertigter Weise *Scharī'a* nennt, mit allen erdenklichen menschlichen Schwächen und Widersprüchen behaftet. Es ist z. T. zeitlich überholt und geographisch eingeengt. Es ist ferner von Intelligenz, Methodik, Temperament und Weltbild seiner Schöpfer geprägt.

Die freidenkerische theologische Schule der *Mu'tazila* hat bekanntlich die *Scharī'a* als eine göttliche Bestätigung der vorausgegangenen Denkurteile empfunden. Die Orthodoxie sieht hingegen in ihr eine sakrale Ordnung, hinter der ein göttliches Geheimnis steckt. Sie gestattet nicht die Fragen „Warum?", „Wozu?" und „Wie lange?".

Der Qur'an scheint jedoch eher dem mu'tazilitischen Standpunkt an die Hand zu gehen. Wie sonst könnte die Tatsache erklärt werden, daß er seine Forderungen und Empfehlungen in der Regel auch begründet. Offenkundig müssen die *Scharī'a*-Bestimmungen sinnvoll sein. Die Suche nach dem Sinn ist ein Element der qur'anischen Dialektik. Deshalb dürfen wohl auch jene *Scharī'a*-Bestimmungen des Qur'an, die einen historischen Bezug haben oder eine ganz bestimmte sozialpolitische Struktur ins Auge fassen, dem ambivalenten oder überholten Teil der *Scharī'a* zugeordnet werden. Hier zwei Beispiele: Ein Qur'an-Vers stellt fest, daß Männer vor Frauen einen Vorrang haben. Als Begründung wird angeführt, daß die Erstge-

---

1 Vgl. *Said Ramadan,* Das islamische Recht, Wiesbaden 1980. S. 32.

2 Daselbst, S. 57

nannten für Frau und Kind aufkommen, also größere Lasten zu tragen haben. Dies ist zweifellos eine indikative Aussage, die die damalige soziale Struktur wiederspiegelt[3]. In einer Gesellschaft, in der auch die Frau werktätig ist, entfällt die Prämisse, die jenes qur'anische Urteil gerechtfertigt hat. Demnach ist der betreffende Qur'an-Vers von doppelwertiger Bedeutung; ein normativer Charakter muß ihm nicht zugeschrieben werden. Ein zweites Beispiel: Der Qur'an empfiehlt den weiblichen Mitgliedern der Erstgemeinde, beim Auftreten in der Öffentlichkeit einen Überwurf auf dem Kopf zu benützen, um vor etwaigen Anpöbelungen geschützt zu werden. Auch in Europa war eine Zeitlang der Hut auf dem Kopf das Zeichen einer vornehmen Dame. Die Verhältnisse haben sich aber inzwischen von Grund auf geändert. Heute ist in der modernen Gesellschaft des Westens eine das Kopftuch tragende Frau eher der Gefahr ausgesetzt, belästigt oder gar diskriminiert zu werden. Hier gilt also in vollem Umfang das sonst im islamischen Recht geltende Prinzip: „Mit der Änderung der Zeit ändern sich auch die rechtlichen Bestimmungen".

Will sich der Islam in der modernen Gesellschaft für alle Zukunft einen festen Platz bewahren, so genügt es nicht allein, die Forderung der *salafiyya* nach der Rückkehr zu den Quellen zu verwirklichen. Diese Quellen müssen auch kritisch benützt werden. Ein historisch-kritisches Qur'an-Verständnis stellt sich als unumgängliches Erfordernis ein. Auf den Gedankenreichtum der klassischen *Scharī'a* kann wohl nicht gänzlich verzichtet werden. Trotz der erstrebenswerten Überwindung der *maḏhab*-Mentalität ist den *fiqh*-Leistungen der Altvorderen mancher wertvoller Aspekt abzugewinnen.

Im besonderen scheint z. B. der humane Geist *Abū Ḥanīfas* und seiner Rechtsschule geeignet zu sein, an der Profilierung eines Islam der Zukunft mitzuwirken. Nur das wirklich große und Humane im islamischen Rechtserbe darf den Kern der *Scharī'a* bilden. Diese Wesenheit ist es, die vor allem den muslimischen Minderheiten und den kommenden Geschlechtern einer hochzivilisierten islamischen Welt das Überleben in Treue zur eigenen religiösen Identität ermöglichen kann.

---

3 Ähnliche indikative Aussagen gibt es auch in der Sunna, ohne daß man in ihnen jemals ein Modell der idealen Muslimgesellschaft gesehen hätte. So empfiehlt Muhammad ('a. s.) die gute Behandlung der Frauen, weil sie „wie Kriegsgefangene (oder Sklavinnen) in euren Häusern sind" (d. h. in denen der Männer), die „nichts für sich selbst besitzen". Vgl. *Iris Müller*, Zur Stellung der Frau im Islam, Köln 1980. S. 21. (CIBEDO-Dokumentation. 6/7.) Es ist allgemein bekannt, daß entgegen dieser Anspielung auf die „Besitzlosigkeit" der Frauen, diese nach der *Scharī'a* ihre Eigentumsrechte ohne jegliche Einschränkung ausüben dürfen.

Bei einer vor einigen Jahren in Kanada abgehaltenen Konferenz muslimischer Gelehrter wurde mehrheitlich die Meinung vertreten, daß das Genie des Islam in seiner Fähigkeit liege, die *Scharī'a* den veränderten Bedingungen anzupassen und „es auch mit der jetzigen Situation aufzunehmen“. Die bei dieser Konferenz hervorgehobene Notwendigkeit, den Qur'an und die authentischen Ḥadīṯe „im Lichte sowohl ihres offenkundigen Sinnes als auch ihrer symbolischen Bedeutung neu zu interpretieren“ ist in pluralistischen Gesellschaften unserer Zeit unaufschiebbar geworden.

Religion und Politik im Islam

„Die Politik ist“, meint *Karel Kosik*, „weder Wissenschaft noch Kunst. Sie ist ein Spiel um die Macht und ein Spiel mit der Macht. Dieses Spiel ist keine Unterhaltung, sondern eine todernste Angelegenheit. Deshalb kommen in ihm der Tod, der Fanatismus und die Berechnung häufiger vor als etwa der Humor oder das Lachen“[1].

Verflechtung von Religion und Politik – Situationsbild in Geschichte und Gegenwart

Jede Religion ist mehr oder weniger mit der Politik verbunden. Das Axiom des Evangeliums: „Gib Gott, was Gottes ist; gib dem Kaiser, was des Kaisers ist!“ konnte kaum jemals verwirklicht werden. Keine Religion richtet ihr Interesse ausschließlich auf das Himmelreich. An Kaisern, die sich des göttlichen Anspruchs anmaßen, hat es nie gefehlt.

Die Leitung der katholischen Kirche, der Vatikan, hat bekanntlich eine durch und durch politische Organisationsstruktur. Der römischen Kurie sagt man nach, sie sei unablässig bemüht, auf die politische Entwicklung in aller Welt Einfluß zu nehmen. Sie bediene sich dabei – heißt es weiter – subtiler Arbeitsmethoden, die meist hinter den Kulissen zum Einsatz kommen.

Die viel zu enge Verflechtung zwischen Religion und Politik hat häufig Ärgernis hervorgerufen. Die Frommen sehen darin eine Ausschaltung der universalen Dimension der Religion, weil die Politik in der Regel im rein Irdischen, Lokalen und Regionalen, selten aber im Globalen begründet ist. Durch die Einbeziehung in die Politik wird die Religion profaniert und zur Partei im Streit um banale Dinge dieser Welt gemacht.

Ärgernis ruft im Islam zum Beispiel die seit Jahrzehnten gebräuchliche Parole *Al-'urûba wa'l-islâm* (Das Arabertum und der Islam!) hervor, weil sie das Prinzip der Übernationalität und der Universalität des Glaubens verletzt.

Nach dem islamischen Selbstverständnis ist die geoffenbarte Religion eine Stiftung Gottes. Muhammad ist nicht der alleinige Verkünder des Islam. Das sind vielmehr alle biblischen und viele nichtbiblische Propheten, die den einen Gott verkündet haben. Demnach ist der authentische Islam

---

1 Zitiert nach: *Esad Čimić*, Politik kao sudbina. Prilog fenomenologiji političkog stvaralaštva (Politik als Schicksal. Ein Beitrag zur Phänomenologie des politischen Schaffens). Belgrad 1981, S. 3.

weder „muhammedanisch" – im Sinne einer exklusiven Bezogenheit auf Muhammad – noch arabisch. Er ist universal. Seine Kernbotschaft zieht sich durch die ganze Menschheitsgeschichte hindurch.

Dem von Muhammad gelehrten und geschichtswirksam gewordenen Islam ist es beschieden, bei vielen Nationen die Rolle eines identitätsbildenden Faktors zu spielen – so etwa bei den Türken und den Pakistanern. Bei diesen Prozessen des Werdens von Nationen waren Religion und Politik ganz gewiß miteinander sehr eng verbunden. Religion und Staat erschienen vielfach wie ein einheitlicher Block. Dennoch wäre es falsch anzunehmen, daß der Islam vom theologischen Ansatz her so, und nur so, beschaffen ist.

Wird der Islam zweipolig – als Religion und Staat – verstanden, so entsteht für die beiden Bestandteile, nämlich für die Religion und den Staat, eine Art Chancengleichheit: einmal kann der eine, ein anderes Mal der andere Bestandteil Übergewicht haben. Von dieser Perspektive aus gesehen, müßte das Schicksal des Islam in der Türkischen Republik und die Entwicklung des dortigen sogenannten „Staats-Islam" für jedermann begreiflich sein.

„Die Politik als Schicksal!" Das trifft auf den Islam zu. Sehr früh – schon mit der Auswanderung Muhammads aus Mekka nach Medina im Jahre 622 – ist der Islam in die politische Geschichte eingetreten. Zwar sind die vielen sozialen und rechtlichen Bestimmungen, die während der medinensischen Wirksamkeit des Religionsverkünders in den Qur'an Eingang gefunden haben, hauptsächlich in das Familien- und Gemeindeleben, nicht aber in den Staat, eingebunden, dennoch sind dadurch die Grundlagen des politischen Denkens im Islam gelegt worden. Die damals vom Qur'an statuierten Leitgedanken sind in augenscheinlicher Weise auf die konkrete arabische Situation zugeschnitten. Die politischen Aussagen des Qur'an haben also eine Zeit- und Raumdimension. Dadurch fehlt ihnen als Ausgangslage jegliche Präexistenz, die von den orthodoxen Schriftgelehrten dem Qur'an zugeschrieben wird. Die Religion im gelebten Alltag ist das, was ihre Bekenner aus ihr machen.

Es hat Zeiten gegeben, zu denen der Islam sich bewußt aus dem politischen Geschehen herausgehalten hat. Das war der größere Teil im Leben der Erstgemeinde. Für die apolitische Haltung der Nachwelt scheint mir vor allem das geistige Umfeld um *Ḥasan al-Baṣrî* (gest. 728) charakteristisch zu sein. Dieser große Lehrer und Prediger, eine tiefsinnige Natur, suchte vor den Zänkereien über religionspolitische und dogmatische Fragen in den Frieden der beschaulichen Andacht zu entfliehen[2]. Ihm folgten viele ernstdenkende Gläubige zu allen späteren Zeiten.

---

2 Siehe: *Carl Brockelmann*, Geschichte der islamischen Völker und Staaten. (Nachdruck). Hildesheim 1977, S. 135–136.

Eine politisch motivierte Religion ist voller Widersprüche. Der politisierte Islam hat die Spaltung in *Schî'a* und *Sunna* bewirkt. Auf sein Konto sind auch fast alle späteren Sekten- und Gruppenbildungen mit theologischer Scheinglasur zurückzuführen. Der politisierte Islam bietet heute, wie kaum jemals, das Bild einer heillosen Zerrissenheit.

Seine Begleiterscheinungen sind Partikularismus, Fraktionsbildungen, Reibereien individueller und kollektiver Art, Orientierungsverlust, Anfälligkeit für Manipulation der Religion zu politischen und eigennützigen Zwecken, Rechthaberei, Fanatismus, Sittenverfall.

Die Politisierung der Religion führt zu einer gefährlichen Selbstgerechtigkeit. Die einmal gefaßten Ansichten und Urteile werden mit fanatischer Verbissenheit vertreten. Die Monopolisierung des Glaubens greift um sich. Die Toleranz und die Achtung vor der Meinung des anderen wird klein geschrieben. Dies führt zum exzessiven Verhalten und zu einem vergifteten Gesellschaftsklima.

Man ist leicht dabei, den Gesprächspartner, der andere Ansichten vertritt, des *kufr* – des Unglaubens – zu bezichtigen. Erschütternde Beispiele dieser Radikalisierung gibt es mehr als genug. Angeführt sei die Verteufelung der Ahmadiyya-Gemeinschaft, die bis zu den siebziger Jahren zumindest in ihrer Lahore-Gruppe als Teil der *Ahl as-sunna wa'l ǧamâ'a*[3] galt. Vertreter der *Islamischen Weltliga* (in Mekka) finden keine Bedenken dabei, eine türkische Gläubigkeitsbewegung – die *Süleymancılar* – für Ungläubige zu erklären. In Istanbul werden von einem islamischen Verlag in alle Welt Bücher und Broschüren versandt, in denen führende Religionsgelehrte, wie *Muḥammad 'Abduh, Rašîd Riḍâ', Maḥmūd Šalṭût* und *'Abbâs 'Aqqâd* als Ungläubige abgestempelt werden. Die ägyptische Fanatikergruppe *Harakat at-tahǧîr wa't-takfîr*[4] verdammt die ganze muslimische Gesellschaft der Gegenwart als Ungläubige u.a.m.

Die Problematik der „Reislamisierung"

Man mag bei einer flüchtigen Betrachtung der weltpolitischen Szene den Eindruck gewinnen, der Islam befinde sich in einer Phase der Erneuerung,

---

3 *Ahl as-sunna wa'l-ǧamâ'a* ist die Bezeichnung für die Anhänger der *Sunna* – der Tradition –, die die Mehrheitsgemeinschaft des Islam bilden. Vgl. *Hüseyin Hilmi Işık*, Islam und der Weg der Sunniten. Istanbul 1983, S. 37–46.

4 Dieser Name tauchte zum ersten Mal in der Öffentlichkeit auf, als die Gruppe 1977 den ehemaligen ägyptischen Kultusminister *Muḥammad Ḥusayn aḏ-Ḏahabî*, einen dialogoffenen Gelehrten, ermordete. Siehe *Werner Ende* und *Udo Steinbach* (Hrsg.), Der Islam in der Gegenwart. München (1984), S. 480.

der Konsolidierung und der Renaissance; in Wirklichkeit steckt er in einer Identitätskrise.

Bei näherem Hinsehen entpuppt sich nämlich die sogenannte Renaissance des Islam als eine gegen die Überfremdung und den vermeintlichen westlichen Kulturimperialismus gerichtete geistige und politische Strömung der Dritten Welt. Diese Strömung versteht sich gleichzeitig auch als Antwort auf die fundamentalistischen und messianischen Ursprünge des Zionismus, eines politischen Phänomens, das namentlich für die Araber von erstrangiger Bedeutung ist.

Die extremen Erscheinungen dieser Renaissance, die als islamische Revolution Gestalt annehmen, sind vielfach Ausbrüche sozialer Unzufriedenheit, die von der Macht des Qur'an und – im Iran – von der Ausstrahlungskraft der Geistlichkeit und einer dort seit jeher beheimateten Ekstase der Massen ideologisch und emotionell gestützt werden. Gäbe es dabei auch ein ideologisch postuliertes „proletarisches Bewußtsein", so könnte man von proletarischen Revolutionen unter dem Vorzeichen des Islam sprechen.

Eine wirkliche Renaissance des Islam im Sinne der moralischen Erneuerung, der Erschließung von neuen Freiräumen für die persönliche Schaffenskraft der Gläubigen und einer Vermenschlichung des Lebens ist kaum vorhanden.

Im Zentrum der politischen Geschehnisse, die heute als islamisch ausgegeben werden, steht die *Schî'a*. Das ist jener Zweig der islamischen Weltgemeinschaft, der sich kurz nach dem Tode des Religionsverkünders Muhammad durch seine abweichende Auffassung über das Legalitätsprinzip von der erdrückenden Mehrheit der sunnitischen, das heißt traditionsgebundenen, Muslime abgesondert hat. Die Schiiten vertreten den Standpunkt, daß der rechtmäßige Anspruch auf die Führung der Gemeinschaft – auf das *Imâmat* – den direkten Nachkommen Muhammads zustehe. Von diesem politischen Konflikt mit der Mehrheit ausgehend, haben sie später auch eine von den Mehrheitsauffassungen im einzelnen abweichende Theologie entwickelt. Dennoch gilt die größte *Schî'a*-Gruppe – das sind die Zwölfer-Schiiten, die sich zu den zwölf ersten profilierten Nachkommen des Religionsverkünders bekennen – als rechtgläubig.

Das Schiitentum hat immer viel sozialen Sprengstoff mit enthalten, weil es selten an der Macht partizipierte und somit an den Rand gedrängt war. Seine gegenwärtige Stoßkraft verdankt es dem in seiner Theologie sorgfältig gepflegten Kult des Märtyrertums und der guten Organisiertheit seiner Geistlichkeit. Diese übt auf die meist ungebildeten und verarmten Volksmassen einen starken Einfluß aus. Zur Zeit ist überall in den muslimischen Ländern eine starke schiitische Propaganda mit politischen Akzenten spürbar. Das Ausmaß dieser Propaganda erinnert an das seinerzeitige Vorgehen der schiitischen Fatimiden von Ägypten (vom Anfang des 10. bis Ende des 12. Jahrhunderts), deren Agitation sich über das ganze Mittelmeergebiet erstreckt hat. Wohl aber „niemals war der geistliche Wächterauftrag der schiitischen Geistlichkeit dermaßen verstaatlicht wie heute in der Islamischen Republik Iran"[5].

Erneuerer und ihre Gegner

Im allgemeinen sind es aber nicht orthodoxe Gelehrte, die die Opposition tragen. Das sind eher Modernisten und sufisch inspirierte Persönlichkeiten. Beachtung verdienen vor allem: *Muhammad Arkoun,* ein Algerier, *'Alî 'Abdarrâziq, Ḫâlid Muḥammad Ḫâlid* und *Muḥammad Aḥmad Ḫalafallâh,* Ägypter, *Ġulâm Aḥmad Parweez, Fazlur Rahman* und *Djâwid Iqbâl,* Pakistaner, *Sayyid S. Desnavi* und *Jafar I. Laliwala,* Inder, und *Husein Djozo,* ein Bosnier. Die zweite Gruppe der Modernisten präsentiert unter anderem *Maḥmud Muḥammad Ṭâhâ,* der sudanesische Denker und Sozialkritiker, den *Numeiri* 1985 wegen „Ketzerei" aufhängen ließ. *Ṭâhâ*, war nicht der einzige der modernen islamischen Denker, die man der Häresie verdächtigte. Auch manchen anderen ist es ähnlich ergangen, ohne daß sie deshalb erhängt worden wären. Es sind eben diese Modernisten, die die Talfahrt des politisierten Islam am tiefsten erleben und intellektuell am ehrlichsten bekunden. Die von ihnen gewagte Neuinterpretation der Erstquellen bildet einen Versuch, den Weg aus der historischen Verkrustung freizulegen. Geschichtlich gesehen sind vor allem der ägyptische und der indische Modernismus bedeutsam. Ihre Qur'an-Exegese beruht auf dem Rationalismus, der – besonders im indischen Fall – gelegentlich radikale Formen annimmt und daher theologisch fragwürdig wird. Im allgemeinen ist der ägyptische Modernismus quellenkonform. Er hat inzwischen auch im politischen Islam – etwa jenem der „Muslimbrüder" – streckenweise Fuß gefaßt. Sein Begründer ist der ehemalige Mufti von ganz Ägypten und der einstige Mitarbeiter des bekannten panislamistischen Propagators *Ǧamâladdîn al-Afġânî* (gest.1897), *Muḥammad 'Abduh* (gest. 1905).

Den theologisch bemerkenswertesten Widerstand gegen die auch in vielen anderen Bereichen feststellbare Pervertierung der islamischen Werte, ja der islamischen Lehre, leisten zur Zeit ägyptische Denker.

Bekanntlich kommt der Fundamentalismus innerhalb des sunnitischen Islam am stärksten in Ägypten zum Ausdruck. Die *Muslimbrüder* im Su-

---

5 Vgl. *Hüseyin Hilmi Işık,* a.a.O., S. 37f.

dan, die in der Endphase der Numeiri-Regierung besonders viel von sich reden machten, sind lediglich sein Ableger. In Ägypten wird um die Einführung der Scharî'a im fundamentalistischen Verständnis gerangelt. Zeitweise sieht sich die Regierung wegen der massiv vorgetragenen Forderungen nach der Einführung einer solchen Scharî'a in großer Bedrängnis. Sie muß zu Polizeimaßnahmen greifen, um der Lage Herr zu werden. Inzwischen hat sich eine Reihe von hervorragenden muslimischen Gelehrten zu Wort gemeldet, um gewisse wesentliche Dinge um die Scharî'a klarzustellen. Ein regelrechter Aufklärungsfeldzug ist eröffnet worden. An ihm haben sich führende Zeitungen und Zeitschriften wie *Al-Ahrâm, Aḫbâr al-yawm, Rose el Youssef* und *October Weekly* beteiligt. Hier ein kurzer Einblick in die dabei geäußerten Ansichten:

Der Präsident der Kairoer Akademie der Wissenschaften, *Ibrâhîm Maḏkûr,* faßt seine Gedanken unter der These zusammen: „Was wollen jene, die die Religion zum exklusiven Handlungsprinzip machen? Eine reaktionäre Vorstellungswelt legt sich dem Fortschritt in den Weg. Ihr geht jegliche religiöse Akzeptanz ab".

Muḥammad Aḥmad Ḫalafallâh, ehemaliger Leiter für das gesamte islamische Hochschulwesen im Lande und Pionier einer historisch-kritischen Qur'an-Exegese (er relativierte als erster den Aussageinhalt der Prophetenerzählungen im Qur'an), vertritt ganz dezidiert die Meinung, daß nach der islamischen Lehre die politische Ordnung säkular sein müsse. Ihre Gestaltung sei der sachlichen Vernunft der Menschen überlassen, weit entfernt davon, daß sie von einem qur'anischen oder Sunna-Klartext (*naṣṣ*) theoretisch fixiert worden wäre.

Ibrâhîm Sa'da, der führende Kolumnist der Zeitung Aḫbâr al-yawm, geht in dem Aufsatz „Ein gemächlicher Dialog mit einem Extremisten" mit den Fanatikern ins Gericht. Der Untertitel seines Aufsatzes ist bezeichnend: „Die Krise des Islam und die Politik. Die Heuchler im Namen des Islam".

Prof. Ṣâliḥ Qansuwa analysiert den qur'anischen Vers „Das Urteil gehört Gott" *(Ini'-Ḥukmu lillâh, 6:57),* an den sich die Fundamentalisten klammern, wenn sie beweisen wollen, daß der Islam Religion und Staat in einem sei; der Verfasser kommt zu dem Schluß, daß dieser Vers keine politischen Machtstrukturen, sondern das Endurteil Gottes in der Geschichte und im Weltablauf im Sinne hat.

Politisierung und Folgen

Die Degradierung des Islam zu einem Macht- und Verwaltungsinstrument und die bedenkliche Verdeckung seines rein religiösen, moralischen und eschatologischen Auftrags ruft das Unbehagen glaubensbewußter und problemorientierter Muslime hervor. Die von ihnen beanstandeten Zustände haben den Islam inzwischen weltweit in Mißkredit gebracht. Die Stilisierung des Islam zum Politikum ruft alte antiislamische Ressentiments wach.

Auf solchen Ressentiments beruht zum Beispiel, meiner tiefen Überzeugung nach, zum Teil das beharrliche Vorgehen der bulgarischen Regierung gegen jegliche Regungen des spezifisch islamischen Kulturwillens in ihrem Land. Den dortigen muslimischen Minderheiten – den Pomaken, den Türken und den Roma – hat man zuerst das ganze religiöse Unterrichtssystem zerschlagen und ihre Presse verboten. Jetzt zwingt man sie, auch noch ihre herkömmlichen religiösen Namen aufzugeben und andere (bulgarische und pseudobulgarische) Namen anzunehmen.

Die Situation ist umso deprimierender, als es keine einheitliche Lehrautorität gibt, die diesen Erscheinungen, nämlich der Politisierung des Islam, Einhalt gebieten könnte. Die Gärung kennzeichnet vor allem die Kernlandschaften des Islam. Sein politischer Anspruch ist dort unüberhörbar. Militärische Aktionen kleineren oder größeren Stils und terroristische Handlungen – die „Stimmen der Ohnmächtigen“, wie es im linksradikalen Jargon heißt – werden im Namen des Islam gesetzt. Die sich häufenden Verstöße von verzweifelten und/oder selbstbewußt gewordenen jungen Leuten gegen das Establishment lassen in der Welt den Eindruck entstehen, der Islam bedrohe die Zivilisation und ihre Werte.

Allen Widerwärtigkeiten zum Trotz – dialogbereit

Es sind nicht allein die ägyptischen Islamgelehrten, die den herrschenden Tendenzen Widerstand leisten. Auch anderswo gibt es Persönlichkeiten und Gruppen, die mit der Politisierung des Islam nicht einverstanden sind. Diese kulturelle Gegenströmung verfügt auch über eigene, zu Dialog- und Kritikzwecken gegründete und weitergeführte Zeitschriften oder Zeitungen, wie *Islam and the Modern Age* (New Delhi), *Islam and the Modern World* (Dacca, Bangladesh). *Islam und der Westen* (Wien), *Minbar al-Ḥiwār* (Beirut, Wien) u.a.m.

An Gelehrten, die in dieser Richtung wirken, seien außer den angeführten Ägyptern noch im besonderen der Tunesier *Mohammad Ṭalbî* und die beiden indischen Denker *Jafar I. Laliwala* aus Ahmedabad, *Sayyid S. Desnavi* aus Neu Delhi und *Asghar Ali Engineer* aus Bombay erwähnt. Es empfiehlt sich, diese vier Männer aus Indien und Tunesien vielleicht noch stärker als bisher in den christlich-islamischen Dialog mit einzubeziehen.

Jegliche Zerrissenheit unter den Gläubigen wird bekanntlich von der Religion verurteilt, weil sie dem Gebot der Brüderlichkeit und der zwischenmenschlichen Solidarität widerspricht. Die Politik bewegt sich nicht selten auf rutschigem Boden. Ihre Träger sind stets von der Gefahr bedroht, sich die Hände schmutzig zu machen. Die Funktionsträger der Religionsgemeinschaft dürfen sich aber im Interesse der Religion dieser Gefahr nicht aussetzen.

Bleibende Mitverantwortung im politischen Bereich

Wer die Religion als Lenkerin des sozialethischen Willens versteht, kann andererseits am politischen Geschehen nicht völlig uninteressiert sein. Deshalb sind ihre Verantwortungsträger auch zu politischen Meinungsäußerungen aufgerufen. Ihre Worte bedürfen aber besonderer Abwägung. Sie müssen aus dem ethischen und sozialen Verständnis heraus gesprochen werden. Die Mitsprache der Religion ist in prekären Fällen von moralischer und sozialer Not unerläßlich. Doch auch in solchen Fällen darf sie nicht ohne Sachkenntnis vorgenommen werden. Die Politik muß schon deshalb von der Religion beachtet werden, weil sie letzten Endes eine Lebenshilfe ist. Lebenshilfe ist die Religion auch. Infolge bestehender Zielgemeinsamkeiten treffen sich die beiden oft auf demselben Wege.

In der islamischen Welt wird indessen von der Politik zu viel erwartet. Das hat wohl mit dem Autoritätsglauben etwas zu tun. In den Despotien hängt vieles von dem Befehl der Obrigkeit ab. Vielleicht fehlt es deshalb in der islamischen Welt an der Selbstinitiative der Gemeinden und an einflußreichen Organisationen von der Art der *Caritas,* des *Evangelischen Hilfswerks* oder der *Missio.* Viel zu viele Erwartungen werden an die Staatsmacht gestellt. Ein Grund mehr, sich der Politik hinzugeben! Das Ende ist die Instrumentalisierung des Glaubens zugunsten der Politik. Die Verflechtung von Autoritätsglauben und politischem Denken mittelalterlicher Art hat dazu geführt, daß Personen wichtiger sind als die Institutionen. „Der Islam lebt“, meint der Kolumnist der Frankfurter Allgemeinen Zeitung *Robert Held*, „von einem Panorama von Personen“. Zu seinem Fundamentalismus gehöre die Vorstellung vom aufgeklärten, gerechten Despoten, vom Kalifen, der bei jedem Schritt ans Volk denkt[6].

Diese Neigung stehe der Ausbildung institutioneller Demokratien und ihrer abstrakten Gerechtigkeit im Wege, eröffne aber Führerpersönlichkei-

---

6 Frankfurter Allgemeine Zeitung vom 19.10.1985.

ten Chancen. Es zähle, zu Recht oder Unrecht, das Vertrauen in eine Person oder mindestens der Respekt vor ihren Fähigkeiten.

Tatsächlich hat der politisch ausgerichtete Islam zuweilen die Funktion eines Befürworters der Aufschiebung von sozialen Änderungen und somit auch eines Verteidigers des Status quo. Dies ist aber, wie das iranische Beispiel zeigt, nicht immer der Fall. „Solange immer die Religion die Funktion der Verschiebung gewisser sozialer Änderungen innebehält, also den Status quo befürwortet, mit anderen Worten, solange sie immer eine offene oder versteckte politische Spitze oder Klassencharakter hat, solange muß sie die subjektiven Gesellschaftskräfte interessieren. So strukturiert, kann sie – wie jede andere soziale Erscheinung – ein Hindernis für gesellschaftliche Veränderungen sein.“ Das ist ein Zitat aus einem beachtenswerten Buch des bosnisch-muslimischen Soziologen *Esad Čimić*. Er schreibt ferner folgendes: „Die Regelung der nationalen Verhältnisse muß von jeder religiösen Einmischung ferngehalten werden. Der Religion ist es nicht immanent, politisiert zu werden. Ebensowenig ist es ihr immanent, sich in die nationale, politische und soziale Problematik einzumischen“[7].

Ansätze zur Säkularisierung – die Beispiele al-Ǧuwayni und Niẓâmulmulk

Es ist unbestritten, daß es in der Geschichte islamische Staaten gegeben hat. Unbestritten ist auch, daß im Namen des Islam Landeroberungen und Volksunterdrückungen geschehen sind. Strittig sind aber zwei Thesen, die sich aus diesem Zusammenhang ergeben: Erstens, daß die Machtpolitik angeblich zum innersten Wesen des Islam gehöre, und zweitens, daß ein auf islamischen Grundsätzen aufgebautes Staatswesen theokratisch sein müsse. Unzählige Millionen von Muslimen verstehen ihre Religion lediglich als *diyâna* (Gläubigkeit), *taqwâ* (Frömmigkeit) und *tanazzuh* (Lauterkeit des Herzens). Auch früher wurde sie so von der überwiegenden Mehrheit der Gläubigen verstanden. Zwei große Schriftgelehrte, die sich auch als Staatstheoretiker profiliert haben, konnten mit ihren Werken das staatspolitische Bewußtsein der Muslime nachhaltig beeinflussen. Das sind *ʿAbdallâh al-Mâwardî* (gest. 1058) Verfasser des Werkes *Al-Aḥkâm as-sulṭâniyya* (etwa: Grundsätze des Regierens) und *ʿAbdalmalik al-Ǧuwaynî* (gest. 1085). Zu ihnen gesellt sich der 1092 ermordete Pragmatiker *Niẓâmul-*

---

7 *Esad Čimić*, Crkva daje odgovore tamo gdje je društvo zakazalo (Die Kirche gibt Antworten dort, wo die Gesellschaft versagt hat). In: Intervju/Beograd, 5.7.1985. S. 32.

mulk hinzu, der langjährige Reichskanzler der beiden Seldschukensultane *Alp Arslan* und *Melik Šâh.*

Der erste dieser drei Staatstheoretiker hat von der Staatsführung und der Staatsmacht idealisierte oder idealistische Vorstellungen. Er möchte alles unter die Ägide der Religion stellen. Für ihn ist es wichtig, daß es einen nominellen Herrscher der Gläubigen, einen Kalifen, gibt. Alles andere ist weniger bedeutsam.

'Abdalmalik al-Ğuwaynî ist dagegen eher realistisch. Für ihn ist die zunehmende Verweltlichung der Staatmacht eine unwiderrufliche Tatsache. So deutet er auch die Herrschaft zweckgebunden – und nicht rein religiös. Nach ihm soll der fähigste Kandidat auch die Leitung der Gemeinschaft erhalten. „Das ist legitim", meint er. Die Funktion der Gelehrten, der Schriftgelehrten, der Theologen, kann nur darin bestehen, zum Guten aufzufordern und vom Tadelnswerten abzuhalten. Das ist nämlich ihre Aufgabe, wie sie im Qur'an festgelegt ist. „Die Fernhaltung dieser Theologen von der Macht ist theologisch gerechtfertigt", lehrt er.

Die islamische Staatsmacht wird dank der von *al-Ğuwaynî* vertretenen Theorie entpersönlicht. Sie wird nicht mehr in der Person des Kalifen verkörpert, sondern in der tatsächlichen Konstellation der islamischen Macht, soweit diese vorhanden ist. Auf die Frömmigkeit des Imam, des Leiters der Gemeinschaft, kann nach al-Ğuwaynî verzichtet werden, weil die Frömmigkeit bei der Wahrnehmung der Herrschaft keine erkennbare Funktion erfülle. Die Geschichtsentwicklung kann nach *al-Ğuwaynî* solche Situationen hervorbringen, daß sich die Scharî'a, also das islamische Gesetz, auf wenige Kernpunkte reduzieren muß. Die Gläubigen, die in einer solchen neu entstandenen Situation leben, müßten nach dem Grundsatz verfahren, daß alle Handlungen und Dinge erlaubt seien, deren Verbot nicht eindeutig in den Bestimmungen der Scharî'a zu finden ist.

Al-Ğuwaynî vertritt die Ansicht, daß unabhängig von der Existenz der tatsächlichen Staatsmacht des Islam eine Begrenzung der religiösen Implikationen dieser Staatsmacht auf das Mindestmaß vertretbar sei. Nur dann, wenn dieses Mindestmaß nicht mehr existiert, hört auch ein islamisches Gemeinwesen auf zu bestehen. Die Macht im islamischen Staat resultiere aus dem Erfordernis des Aufforderns zum Guten und des Verbietens des Tadelnswerten, ein Erfordernis, das wir als praktische Verwirklichung der Scharî'a beschreiben können[8].

---

8 Nach *Tilman Nagel*, Gab es in der islamischen Geschichte Ansätze einer Säkularisierung? In: Studien zur Geschichte und Kultur des Vorderen Orients. Leiden 1981, S. 285f.

In ähnlicher Weise weist über das geistliche Recht hinaus in das Gebiet säkularer Rechtsordnung mancher Gedanke in der staatsrechtlichen Schrift *Siyâsetnâme* des *Niẓ âmulmulk*. „Das Reich dauert schließlich noch mit Unglauben, aber nicht mit Ungerechtigkeit", erklärt er darin eine Ḥadīṯ-Formulierung, die an das römische *Justitia regnorum fundamentum est* erinnert[9].

Die Politik im gewöhnlichen Sinne des Wortes ist „ein an tatsächlichen oder theoretischen Alternativen orientiertes Handeln zum Zwecke der ordnenden Gestaltung des Gemeinwesens". Die Religion demgegenüber ist die von der höchsten Weisheit diktierte Rechtleitung und Gnade (*hudâ wa raḥma*), die die Herzen beruhigt und heilt. Sie beantwortet die Frage nach dem Sinn. Ihr kommt Priorität vor jeglichem Handeln zum Zwecke der ordnenden Gestaltung des diesseitigen Lebens zu. Das ist das allgemein anerkannte Religionsverständnis des Islam.

Was heute im Namen des Islam an Politik geboten wird, ist meist ein armseliges menschliches Machwerk und keine „Gnade Gottes", was die Religion sein müßte.

In bezug auf das Diesseits ist das Zentralanliegen der Religion das Ethos, die Sittlichkeit. Sonst hätte Muhammad die Entfaltung der edlen Züge der Menschlichkeit nicht zum Hauptzweck seiner Sendung erklärt. Deshalb geht den Islam zum Beispiel die politische Ethik essentiell sehr wohl an. Da die Politik im einzelnen entweder durch das Ziel oder den Gegenstand des entsprechenden Handelns charakterisiert ist (zum Beispiel Bildungs-, Sozial-, Gesundheitspolitik), kann die Religion vom Ziel oder vom Gegenstand her an der Politik interessiert sein. Gewisse Bereiche der Politik decken sich geradezu mit der Wirksamkeit von Glaubensgemeinschaften und Kirchen. Das Defizit an Bildung und sozialer Gerechtigkeit in einem Teil der islamischen Welt ist eine offene Wunde. Hier ist der Islam berufen, in die Bresche zu springen. So bedürfen heute seine Anhänger am dringendsten einer klugen, von der Glaubensgemeinschaft geförderten und nach Möglichkeit auch getragenen Kultur- und ebensolchen Sozialpolitik: Die im Namen des Islam betriebene Tagespolitik vergrößert hingegen nur das Ausmaß der sich abzeichnenden Tragödie, in die ein Teil der islamischen Welt – nicht zuletzt wegen des mißverstandenen Verhältnisses zwischen Religion und Politik geraten ist.

---

9 Siehe *Karl Friedrich von Schwowingen*, Der bleibende Sinngehalt von Niẓamulmulk's Siyâsetnâme. Gedanken zur historischen Kontinuität. In: Historisches Jahrbuch 91/1971, S. 297.

Gleichberechtigung der Frau

„Ein Grundsatz des Islam ist es", schrieb in einem seiner vielen Aufsätze über die Frauenfrage im Islam *Umar von Ehrenfels*, „die Religion als beglückendes Geschenk zu erleben. Die puritanistische Haltung verwandelt alles Religiöse in eine lebensfeindliche Last. Besonders das Leben der Frauen wird durch willkürliche Einschränkungen und Erschwerungen unerträglich gemacht. Während es etliche Religionen gibt, in denen Mönchstum und Askesen aller Art zur Forderung erhoben worden sind, so ist dies im Islam nicht so. Ausdrücklich heißt es von unserer Religion, daß sie keine schwere Last und keine Quelle der Qual sein soll, sondern vielmehr eine der göttlichen Freuden[1]. Der Mißbrauch des Islam zur Beschwerung – ja fast Verunmöglichung – eines aufrechten und menschenwürdigen Lebens der Frauen ist daher geradezu eine Verdrehung, wenn nicht gar eine böswillige Verspottung der *Dîn-Allâh,* der Religion Gottes. Diese Verdrehung oder Verhöhnung des Islam hat sich erst im Mittelalter, etwa zu Beginn der Abbassidenzeit, auszubreiten begonnen, nicht im frühen, eigentlichen Islam"[2].

Das puritanistische Religionsverständnis, das die oben vorgebrachte Kritik eines angesehenen Sprechers des europäischen Islam ausgelöst hat, müßte eigentlich danach streben, die Religion in ihrer reinen Form zu erfassen und weiterzugeben, was hier nicht der Fall ist. Die willkürlichen Einschränkungen und Erschwerungen, unter denen die Frau im Islam leidet, sind – was auch *Umar von Ehrenfels* hervorhebt – keine Folge einer etwaigen Rückbesinnung auf die eigentliche Lehre, sondern eher ein Abklatsch der Begegnung des Islam mit anderen Kulturen. Die maßgeblichen Interpreten des islamischen Rechts, die durchweg bis Ende des 10. Jahrhunderts gelebt haben, erwarten von der muslimischen Frau eine Haltung, die seinerzeit vom syrischen Mönchschristentum als Ideal entworfen worden ist. Dieses Ideal ist in Askese und Weltentsagung, aber auch in der patriarchalischen Rangordnung der Geschlechter begründet[3].

---

1 Vgl. Qur'an 2:185, wo es heißt, daß Gott mit der Religion den Gläubigen keinerlei Beschwernisse auferlegen, sondern vielmehr eine Lebenshilfe gewähren will.

2 Umar von Ehrenfels, Das Weibliche in der Symbolik des Islam. In: Der gerade Weg (Wien) N. S. 1/1976, Heft 5–7, S. 6.

3 Siehe: U. Rizzitano: Kasim Amin. In: Encyclopaedia of Islam. Vol. 4. Leiden 1978. S. 720/721.

In der islamischen Hermeneutik – dem *fiqh* – ist zwar ein lebendiges Bewußtsein von der Gefährlichkeit fremder Entlehnungen im Glauben zugegen, doch erstreckt sich dieses Bewußtsein nicht auf alle davon bedrohten religiösen Bereiche. Die *'Ulamâ'*, d. h. die Religionsgelehrten, sind sehr sensibilisiert, wenn es etwa darum geht, Judaismen (*isrâ'iliyyât*) oder polytheistische Einschübe zu bekämpfen. Demgegenüber sind sie sich der erstmals von der Islamwissenschaft erkannten Asiatisierung und Afrikanisierung einiger islamischer Institutionen kaum bewußt. Auf die Asiatisierung ist eine Reihe von typischen Verhaltensweisen zurückzuführen. Dazu gehören z. B. das psalmodierende Rezitieren des Qur'an, der Rosenkranz, die langen monotonen Gesänge der Derwische, die Selbstgeißelungen der Schiiten am Todestag Husayns, des Enkelsohnes des Religionsverkünders Muhammad, der Gesichtsschleier der Frau und die grüne Farbe der „Fahne des Propheten". Die Afrikanisierung hat vor allem in der grausamen Sitte der Mädchenbeschneidung einen Niederschlag gefunden.

Einer der ersten islamischen Gelehrten, die sich für die Beseitigung dieses zum Teil islamdiskriminierenden Ballastes an historischen Anschwemmungen eingesetzt haben, ist *Qâsim Amîn (1863–1903),* ein Schüler des berühmten Reformtheologen *Muḥammad 'Abduh* (gest.1905). Sein Kampf galt vor allem der Herauslösung der Frau aus diesem Gewirr postislamischer Ablagerungen, die sich im Habitus der islamischen Gesellschaft eingefunden haben. Sein Buch *Taḥrîr al-mar'a* ist für die Neugewichtung des Stellenwerts der Frau nach der islamischen Lehre bahnbrechend[4].

Die anfänglichen hoffnungsvollen Auswirkungen dieses Buches sind inzwischen infolge ungünstiger politischer und sozialer Verhältnisse in den islamischen Stammländern zum Stillstand gekommen. Eine von Massen unterprivilegierter und mindergebildeter Menschen mitgetragene Strömung, gesteuert von politisch und national interessierten Intellektuellen und Halbintellektuellen, bedroht die mühsam erworbenen bescheidenen Verfassungsrechte der Frau. Das „schwache Geschlecht" wird wieder zusehends in ein Getto zurückgedrängt. Die islamische Welt ist dadurch bei ihrem Kampf um eine bessere Zukunft auf nur eine Hand – auf das männliche Potential – angewiesen. Das gebietsweise feststellbare Teilengagement der Frau im öffentlichen Leben ist absolut unzureichend, solange sie nicht an allen Entscheidungsprozessen gleichberechtigt teilnehmen darf. Die gebildete muslimische Frau von heute steht vor dem Dilemma, entweder, unter Verleugnung ihrer intellektuellen Ehrlichkeit und bei Ge-

---

4 Von mir herausgegeben in „Religionswissenschaftlichen Studien", Band 20 (Würzburg, Altenberge 1992).

wissensqualen, an den Spielregeln der herkömmlichen patriarchalischen Ordnung festzuhalten oder aber dieser Ordnung samt und sonders den Rücken zu kehren.

Qâsim Amîn hat mit seinen Schriften viel gewagt. Er ist heute noch erstaunlich aktuell. Die von ihm angebotenen Hilfestellungen zur Verbesserung der Lage der Frau müssen aber heute erweitert werden, will man einen durchschlagenden Erfolg haben. Zu diesem Zweck ist eine Relativierung qur'anischer Aussagen über die Frau erforderlich. Es gibt im Qur'an, der Grundurkunde der islamischen Lehre, Aussagen, die eindeutig in Zeit und Raum eingebunden sind. Darauf weist schon das Vorhandensein eines traditionellen Forschungszweiges der islamischen Wissenschaft hin, der den äußeren Zeitveranlassungen der einzelnen Offenbarungssegmente *(asbâb an-nuzûl)* nachgeht. Ein Beispiel der möglichen und sinnvollen Relativierung: In der Sure „Die Frauen“, Vers 34, heißt es: „Die Männer stehen über den Frauen, insofern nämlich, als Gott die einen mit Vorzügen über die anderen ausgestattet hat und insofern die Ersteren unter Inanspruchnahme ihres Vermögens den Lebensunterhalt sichern“. Diese qur'anische Aussage kann sowohl im indikativen (anzeigenden) als auch im normativen (gesellschaftsregulierenden) Sinne verstanden werden. In der konventionellen Theologie wird sie zuweilen als Zentralaussage zugunsten der Patriarchalität benutzt. Man schreibt ihr also eine normative Bedeutung zu. Konfrontiert mit dem modernen Leben, erkennen wir aber sehr bald, daß die Vorzüge und Fähigkeiten, die den Frauen in der Zeit Muhammads abgegangen sind – etwa die Wehrtüchtigkeit, der Mut, die politische oder wissenschaftliche Gewandtheit – heute den Frauen ebenso zugänglich und von ihnen beherrschbar sind wie es bei den Männern der Fall ist. Heute ist es keine Seltenheit, daß die Frau für den Familienunterhalt aufkommt und der Mann etwa die Kinder betreut und den Karenzurlaub genießt. Die Prämissen, auf denen die Grundaussage beruht, sind also entfallen; somit kommt ihr die Bedeutung einer zwingenden Schlußfolgerung nicht zu. Es muß sich also hier um eine indikative, in Zeit und Raum eingebundene, Aussage handeln. Sie spiegelt das Bild eines historischen Gesellschaftszustandes wider.

Wenn im Bezug auf die Straßenaufmachung der Frau vom Qur'an gewisse Empfehlungen erlassen worden sind, so um für einen bestimmten historischen Augenblick ein sichtbares Zeichen der Zugehörigkeit zur besseren Gesellschaft, nämlich der islamischen, zu setzen. Dadurch sollte den Erfordernissen einer konkreten Lebenssituation entsprechend die Frau vor Anpöbelungen auf der Straße geschützt werden. Das Aufsetzen der Kapuze auf den Kopf – davon ist in der qur'anischen Empfehlung die Rede! – erinnert an das spätere Hutaufsetzen, das sich immer wieder empfahl, damit die Frau auf der Straße als Dame angesehen werde. „Ohne Hut geht die Dame nicht auf die Straße!“, lautete noch in den fünfziger Jahren dieses Jahrhunderts eine Losung.

Für die traditionelle islamische Gesellschaft ist der Schleier ein Statussymbol der freien Frau gewesen. Getragen haben ihn hauptsächlich Städterinnen. Das Kopftuchtragen durch Frauen war bis vor nicht allzu langer Zeit eine der herrschenden Sitten in den Ländern, in denen dereinst die byzantinische Zivilisation geherrscht hat. Die Hochstilisierung des Kopftuchs zu einem „islamischen Symbol“, die sich vor unseren Augen abspielt, hängt mit restaurativen Tendenzen innerhalb des politisierten Islam zusammen. Das Kopftuch dient infolgedessen als ein Manifestationsmittel der ideologisierten Religiosität. Manche Trägerinnen empfinden es paradoxerweise als Adelszeichen. In der Regel wird aber das Kopftuch auf Betreiben von Eltern oder anderen Autoritätspersonen getragen.

Durch den fortwährenden Ausschluß der Frau aus dem öffentlichen Leben, den die fundamentalistischen Kreise betreiben, werden den Islam-Kritikern zusätzliche Adute in die Hände gedrückt. Tief verwurzelt ist in Europa die irrige Meinung, daß der Islam die Frau von Haus aus geringschätze.

Die sogenannte Renaissance des Islam in unseren Tagen ist zu einem erheblichen Teil – wie Soziologen zu sagen pflegen – im Nativismus begründet. Unter dem Nativismus versteht man im religionssoziologischen Bereich das Festhalten an eigenen nationalen oder stammesmäßigen Kulturmodellen, was eine häufige Erscheinung bei Bedrohung durch eine überlegene Fremdkultur ist. Zum Prinzip erhoben, kann die nativistische Denkweise zur Wiederbelebung alter, bereits von der Geschichte überrollten Kulturinhalte führen.

Den Nativisten im Islam genügt es nicht, Muslime zu sein; sie nennen sich (arabisch) *al-Islâmiyyûn*, zu Deutsch etwa: die Islamisten. Diese Ideologisierer des Islam wollen alle anfallenden Lebensprobleme in enger Anlehnung an Beispiele aus der Erstzeit des Islam lösen. Sie sind also Fundamentalisten, aber nicht im theologischen, sondern im historisch-konfessionellen Sinne. Denn der Islam versteht sich als eine monotheistische Religion, die die ganze Menschheitsgeschichte durchwandert. Ihre Ursprünge liegen folglich sehr weit – bei den ersten sich selbst bewußten Menschen – zurück. Nun ist für die Islamisten der Anfang des historischen Islam, wie er von Muhammad Aleihisselam gepredigt wurde, maßgeblich. In dieser Erstzeit des Islam sei die Welt, wie die meisten Muslime glauben, heil gewesen. Jedes Verhaltensmuster aus jener Zeit sei daher nachfolgewürdig.

Weder in der Einschätzung der jeweiligen Geschlechtsrolle noch in vielen anderen Rechtsbereichen ist der Islam einheitlich. Teils aus Gründen der religiösen Solidarität und des ökumenischen Wollens, teils wegen wirtschaftlicher Abhängigkeit von reichen traditionellen oder fundamentalistischen Staaten werden die bestehenden Differenzen verdeckt.

Krasse Auffassungsunterschiede sind in der Haltung zur Frau ins Auge stechend. Nach einer 1918 erlassenen Verordnung erhielt im Osmanischen Reich die Frau automatisch das Recht auf Scheidung, wenn ihr Ehemann während der Dauer der Ehe mit der Absicht hervortreten sollte, eine zweite Frau zu heiraten. Sowohl nach dieser Verordnung als auch nach der malikitischen Interpretationsschule des Islam steht der Frau das Recht zu, in den Ehevertrag eine Klausel aufnehmen zu lassen, wonach die von ihr einzugehende Ehe monogam bleiben müsse.

Einer Qur'an-Stelle (4:3) ist zu entnehmen, daß es erlaubt sei, bis zu vier Frauen zu heiraten. Es handelt sich um ein Zugeständnis, das nur dann in Anspruch genommen werden darf, wenn die Gewähr dafür gegeben ist, daß eine gleichberechtigte Behandlung der beteiligten Frauen auf wirtschaftlicher, sowie auf gefühlsmäßiger Ebene gesichert ist. Durch Heranziehung anderer Qur'an-Stellen (Verse 4:25 und 4:128) ergibt sich jedoch, daß das Zugeständnis der Mehrehe in Wirklichkeit zeitbezogen ist. Es bezweckte die soziale Versorgung der Waisenmädchen, deren Väter und Ernährer bei der Schlacht von Uhud im Jahre 625 gefallen waren.

Die Einehe ist folglich die normale, religiös empfohlene Form der Familie. Die bestehenden Rechtsschulen, einschließlich der Zwölfer-Schia, verstehen jedoch den 3. Vers der vierten Sure als eine zeitlose Anweisung.

Ein selektiver Umgang mit den geltenden Regelungen, die in verschiedenen Rechtsschulen zum Tragen kommen, bietet sich als Möglichkeit, das Familien- und Eherecht der Schari'a dem Lebensgefühl des modernen Menschen näher zu bringen. Im Gesamtkonzept der Rechtsschulen sollten also jene Standpunkte als maßgebend angesehen werden, die zugunsten der Frau sprechen.

Der tiefeingewurzelten semitischen Patriarchalität, die vielfach als biblisch geboten gilt, hat der Qur'an, in dem u. a. Zeugnisse der von Gott eingegebenen, doch von Muhammad angewendeten, Pädagogik ihren Niederschlag gefunden haben, einige Zugeständnisse gemacht. Von einer in der Sicht des aufgeklärten demokratischen Menschen brutalen Alltagsrealität ausgehend, empfiehlt er z. B. dem Ehemann im Falle der Streitigkeiten mit der Gattin, mit dieser ein ruhiges und vernünftiges Gespräch aufzunehmen bzw. sie zu vermahnen. Bleibt dieses Vorgehen ohne das gewünschte Ergebnis, dann wird der zeitweilige Entzug der Liebe als wirkungsvolle Methode in Erinnerung gebracht. Hilft auch das nicht, dann wird eine – wie die Kommentatoren sagen – leichte Züchtigung als erwägungswürdig angeführt. Diese Art des Umgangs mit der Partnerin wirkt freilich schockierend auf den kultivierten Menschen. Muhammad selbst hat sie nie ausgeübt. Die im arabischen Wortlaut für diesen Sinninhalt verwendete Aussage lautet *Wa'ḍribûhunna!* („Und züchtiget sie!“, Sure 4:34). Dieser Satz läßt sich zwar auch mit etwa: „Und präget dadurch sie bzw. ihren Charakter!“ übersetzen, wie ich es in einer meiner Arbeiten getan habe, doch bin ich nicht sicher, daß diese Bedeutung wirklich darin steckt. Fest steht es, daß der Qur'an die Liebe als das eigentliche Fundament der guten zwischenmenschlichen Beziehungen ansieht und ihr die Qualität der göttlichen Gnade zuschreibt. (Siehe die Sure 30, Vers 21!)

Mit dem „Züchtigungsvers“ verhält es sich so wie mit dem Vers 5:38, in dem eine altarabische Bestrafungsart für den Diebstahl aufgegriffen wird, wobei unmittelbar darauf die ungemeine Größe der göttlichen Gnade und Verzeihung hervorgehoben wird. In einem Vers weiter wird *expressis verbis* die wirkliche Justizgewalt nur Gott zugesprochen. Die landläufige Exegese geht bedauerlicherweise an diesen ergänzenden Aussagen des Qur'an unbekümmert vorbei. So kommt es dazu, daß die Scharī'a, d. i. das Korpus der islamischen Lebensregeln einschließlich des Strafrechts, von Nichtmuslimen fälschlich als eine Ansammlung von barbarischen Gesetzen und Anleitungen gesehen wird.

Das konventionelle islamische Familienrecht ist betont patriarchalisch – eine Folge der in der Bibel begründeten Weltsicht. Die patriarchalische Gesinnung kommt in der ganzen islamischen Tradition stark zum Ausdruck.

Das religiöse Denken des Orients legt auf die Kleidung großen Wert, weil man sie als ein Mittel zur Wahrung der Sittlichkeit ansieht. Mag sie das bis zu einem gewissen Grade auch sein, so wird ihr dennoch im ethischen Bereich eine übertrieben hohe Bedeutung beigemessen. Entgegen der herrschenden Meinung steht der Qur'an auf dem Standpunkt, daß die persönliche, moralische Integrität und ein lebendiges religiöses Bewußtsein – die sog. *taqwâ* (das „Selbstbewahren“) – den besten moralischen Schutz für Frau und Mann bieten. So heißt es im Qur'an: „O Kinder Adams! Wir ließen euch Kleidung zukommen, sei es um eure Scham zu bedecken, sei es um euch zu schmücken, doch die Kleidung des Selbstbewahrens – die ist die beste“ (7:27).

Macht man sich etwa mit der indischen Weisheit vertraut, so erfährt man, daß manche scheinbar islamischen Praktiken in bezug auf die Frau dort ihren Ursprung haben. In einer Abhandlung über die indische Weisheit heißt es: „Als Mädchen soll der Vater sie behüten, als Frau der Gemahl, im Alter die Söhne, und falls diese nicht da sind, die Verwandten; nie darf eine Frau sich selbst überlassen sein“. Ferner: „Keine Art von Opfer, kein Totenmahl und kein Fasten gibt es für Frauen: sie erlangen Verdienst durch den Gehorsam, den sie ihrem Gatten erweisen, und dadurch auch gewinnen sie sich den Himmel". An der Diskriminierung der Frau im Orient ist also nicht der Islam, sondern ein altes Kulturerbe des Ostens schuld.

Die Frau ist nach der islamischen Lehre die Partnerin des Mannes, mag diesem als Familienoberhaupt auch in gewissen Entscheidungsbereichen größere Autorität zustehen. Der Qur'an stellt fest, daß alles auf Erden in Paaren geschaffen ist. Es gibt eine bestimmte Rollenaufteilung, doch die Frauen sind eine Hälfte der menschlichen Gesellschaft, die als Ganzes ein und demselben Lebensprinzip folgt.

Nach der qur'anischen Schöpfungsgeschichte verdankt die Frau ihr Werden nicht erst einem nachträglichen Einfall des Schöpfers. Der Qur'an vergleicht sie mit dem Acker (2:224). Das ist so zu verstehen, daß der Mann seine Gattin liebevoll zu behandeln hat. Ist sie doch – ähnlich dem Acker – die Garantin des keimenden Lebens und der Freude am Nachwuchs. Eine andere Metapher in derselben Sure (Vers 188) besagt, die Frauen seien den Männern ein Gewand ebenso wie diese jenen.

Die gelegentlichen Behauptungen, die islamische Frau dürfe aus religiösen Gründen nicht alle Berufe ausüben, stehen nicht zu recht. In diesem Punkt sind sich allerdings die islamischen Gelehrten nicht einig. So vertritt der Mentor der hanefitischen Rechtsschule die Auffassung, daß die Frau in der bürgerlichen Gerichtsbarkeit das Richteramt bekleiden darf, während es die fundamentalistischen Kreise verneinen. *Muḥammad aṭ-Ṭabarî* (gest. 923) stand auf dem Standpunkt, daß sie in jeder Sparte des Geschäftslebens tätig sein darf. *Ibn Ḥazm al-Andalusî* (gest. 1064) sah es als selbstverständlich an, daß die Frau als Regentin die Geschicke eines Landes zu lenken berechtigt ist.

Die Anweisungen des Qur'an und Sprüche Muhammads, die die Frau betreffen, sind von zweifacher Art: allgemein geltende und situationsbezogene. In die zweite Gruppe fallen zweifellos gewisse Empfehlungen in bezug auf die Straßenkleidung und öffentliches Auftreten. Im Qur'an werden diese Empfehlungen mit der Notwendigkeit begründet, die ehrbaren Frauen auf der Straße erkennbar zu machen und sie vor Beleidigungen zu schützen.

Der Qur'an weist auf den naturbedingten Unterschied zwischen Mann und Frau hin. Die Frau ist von größerer Zartheit, Gefühlsbezogenheit und physischer Zerbrechlichkeit; der Mann hat in der Gesellschaft insofern Vorzug, als er für den Familienunterhalt und Schutz zu sorgen hat. Das mag bis zu einem gewissen Grad als islamisches Rollenverständnis der Geschlechter gelten. Aber es gibt Länder, in denen der Mann nicht mit seiner Frau speist, sondern sich von ihr bedienen läßt, obwohl Muhammad selbst gesagt hat: „Gott und seine Engel segnen eine Familie, die zusammen speist."

„Ist eine Frau aus vornehmerem Geschlecht", bemerkt *Pischon*, ein älterer Orientforscher, „oder verdankt der Mann ihr seine bürgerliche Stellung oder überragt sie ihn an Verstand, dann steht der Mann in der Türkei oder anderen mohammedanischen Ländern ebenso unter dem Regiment des weiblichen Pantoffels wie in Europa. Und dieser Pantoffel wird zuweilen mit sehr großer Energie geschwungen."

In der Zeit der kulturellen Hochblüte des Weltislam spielte die Frau eine gesellschaftliche Rolle, die jener des Mannes ziemlich ebenbürtig war. Im maurischen Spanien lehrten sogar Frauen in Moscheen als Professorinnen vor gemischtem Publikum.

In erbrechtlicher Hinsicht ist die Frau scheinbar etwas benachteiligt, weil sie nur 50 % erbt, doch hat sie auf anderen vermögensrechtlichen Gebieten ausreichende Ausgleichsmöglichkeiten (Recht auf die Hochzeitsgabe, unbeschränkte Verfügungsgewalt über ihr eigenes Vermögen, selbst wenn sie verheiratet ist, eigene Erwerbsfähigkeit und anderes mehr).

Das Problem der Vielweiberei wird vielfach hochgespielt. In Wirklichkeit ist es in einem großen Teil der islamischen Welt geschichtlich überwunden. Die hanafitische Rechtsschule, die in Teilen von Europa, in der Türkei und der ehem. Sowjetunion herrscht, hat das Bestehen dieser Institution immer erschwert. Durch die moderne Gesetzgebung, die von den Muslimen keineswegs als eine Einschränkung ihrer religiösen Freiheit empfunden wird, ist sie praktisch unmöglich gemacht worden. Diese Gesetzgebung wird andererseits von den betroffenen Muslimen stillschweigend akzeptiert, vielfach aber auch ausdrücklich gebilligt. Dazu ist zu bemerken, daß die einmütige Haltung einer muslimischen Gesellschaft, etwa des islamischen Staates, ein Weg der islamischen Rechtsfindung ist – vor allem dann, wenn der rechtsbildende Wille von religionsbewußten Muslimen getragen wird. Muhammad hat gelehrt, daß sich seine Anhänger niemals in etwas einig finden werden, was von Haus aus verderblich und antiislamisch wäre. Es ist eine irrige Annahme, der Islam trete für Polygamie ein. Er duldet sie nur in gewissen Ausnahmesituationen.

Da die Eheschließung ein zivilrechtlicher Akt ist, kann die Frau sich vertraglich das Scheidungsrecht sichern. – Jedem Gläubigen im Bereich des sunnitischen Islam steht es zu, seine Ehe nach den Bestimmungen einer der vier Rechtsschulen zu schließen. Damit haben der einzelne wie die Gesellschaft die Möglichkeit, sich für diese oder jene Rechtsordnung zu entscheiden. Die Polygynie und die üblichen orientalischen Vorrechte des Mannes im Bezug auf die Scheidung verlieren damit ihre Dramatik.

Bekanntlich gehört die Frage der Entschleierung und der freien Betätigung der Frau im öffentlichen Leben seit Jahrzehnten zu den umstrittensten Fragen des islamischen Orients. Sie wurde in einigen Ländern (Türkei, ehem. Sowjetunion, Bosnien) überraschend schnell zugunsten der Modernisierung gelöst, und zwar mit Zustimmung der zuständigen religiösen Behörden. So holten sich die sowjetischen und jugoslawischen kommunistischen Machthaber sogar rückversichernde religiöse Gutachten, bevor sie die Verabschiedung ihrer Antischleiergesetze ins Auge faßten.

Vor etwa 90 Jahren war es das Oberhaupt der islamischen Gemeinschaft in Bosnien, *Džemaludin Čaušević,* ein hoher religiöser Würdenträger mit dem Titel „Mulla von Mekka und Medina“, der als einer der ersten hohen Geistlichen für die Entschleierung und die Gleichberechtigung der Frauen eintrat. Er legte seine diesbezüglichen Gedanken anläßlich eines muslimischen Intellektuellenkongresses mit aller Deutlichkeit dar. „Es gibt Muslime“, sagte er damals, „die den Hut aufgesetzt haben. Ich würde mich freuen, wenn diese Mitglieder unserer Gemeinschaft in die Moschee kämen, damit ich ihnen dort einen Platz zuweise und ihnen eine Predigt halte und damit auch sie Gelegenheit bekommen, von der Kanzel zu sprechen ... Die Verschleierung der Frau ist eine tief verwurzelte Sitte, die in keinerlei religiösen Quellen begründet ist. Grundsätzlich hat der Islam gegen die Entschleierung nichts einzuwenden. Es sind lediglich die persönlichen Ansichten einzelner Gläubigen, sowie die herkömmliche Erziehung, die sich dagegen auflehnen. Es gibt religiöse Bücher, in denen zu lesen ist, daß ein Mädchen nach dem vollendeten zwölften Lebensjahr sich zu verschleiern habe und fortan mit keinem Fremden mehr in Berührung kommen dürfe. Ich frage euch aber, ob unsere Mädchen, die die Universitäten besuchen, bei verschleiertem Gesicht lernen und ihren Vorlesungen folgen können. Mir wäre es lieber, eine muslimische Frau zu sehen, die bei freiem Gesicht ehrlich ihr Brot verdient, als ein Mädchen, das verschleiert auf dem Corso spazieren geht und sich nachts in Kaffeehäusern herumtreibt.“

Čaušević, vermochte nach langjährigen Bemühungen um die Befreiung der muslimischen Frau einen bescheidenen Erfolg zu erzielen. Die Mehrzahl der Geistlichen stellte sich aber ihm dabei in die Quere.

Außer *Kemal Atatürk* waren bekanntlich noch dem Schah von Persien, *Mohammad Reza Pahlawi*, ferner dem ehemaligen König von Afghanistan, *Amânullah*, und dem vorzeitig aus dem Leben geschiedenen Oberst *Husnî Zâ'* im von Syrien auf diesem Gebiet gewisse Erfolge beschieden. In Persien hat der nach dem Zweiten Weltkrieg eingesetzte konservative Gegenstoß einen Teil der Intellektuellen in die Arme eines islamisch-christlichen Synkretismus, insbesondere des Baha'ismus, getrieben.

Wie eine Entschließung des Europäischen Parlaments zur Lage der Frau in der Europäischen Gemeinschaft vom 12.2.1981 ergibt, laufen die Bestrebungen der europäischen Frauenrechtlerinnen gegenwärtig hauptsächlich dahin, eine materielle Besserstellung der Frau zu erreichen. Darunter sind kürzere Arbeitszeit, gleiche Entlohnung, Aufhebung des sogenannten geteilten Arbeitsmarktes durch gleichmäßige Zuteilung der Arbeitsplätze an Mann und Frau und Bildungs- und Ausbildungsausgleich zu verstehen. Dieser Teil des Forderungs- und Maßnahmenkatalogs ist vor allem auf das Betreiben sozialistischer Sprecher im Europäischen Parlament zustandegekommen. In dem Forderungskatalog, den diese Entschließung enthält, sind auch religiöse Akzente festzustellen. Diese liegen auf folgenden Forderungen: Offenhaltung der Entscheidungsfreiheit für Männer und Frauen, Familienbetreuung und Erwerbstätigkeit miteinander zu vereinbaren oder als gleichwertiges Tätigkeitsfeld anzusehen und jede Vergesellschaftlichung und Gleichstellung aller denkenden Bereiche auszuschalten.

Der Gleichberechtigungsbegriff ist nicht absolut, sondern bedingt. Dies wirft besonders im Rechtswesen eine Fülle von Problemen auf. Eines davon ist z. B. das Entscheidungsrecht in Ehe und Familie. In den Gerichtsentscheiden ist „der Geschlechtsunterschied so lange als wesentlich rechtserheblich anzusehen, bis seine Nichtbeachtung ein Willkürtatbestand wäre". Der Gleichberechtigungsgrundsatz gebietet im allgemeinen „eine Rücksichtnahme überall da, wo die Nichtbeachtung die Frau benachteiligen würde."

Die Gleichberechtigung in Ehe und Familie ist etwas ganz anderes als Gleichberechtigung im Sozial- und Erwerbsleben. „Ein univoker Gleichberechtigungsbegriff – innerlich unmöglich, dennoch äußerlich durchgeführt – müßte", meint *Albert Ziegler*, „die wesenhafte Vielgestalt sozialer Wirklichkeit vergewaltigen"[5].

Die Gleichberechtigung muß nicht automatisch auch eine Erleichterung im Leben der Frau bedeuten. In den patriarchalischen Strukturen ist es z. B. ausschließlich die Aufgabe des Mannes, für den Familienunterhalt zu sorgen. Nach dem jüdischen, islamischen und wohl auch dem kanonischen Recht einiger Kirchen hat die verheiratete Frau Anspruch auf die sexuelle Zuwendung durch den Mann, widrigenfalls liegt ein Scheidungsrecht vor. Im Islam hat sie das alleinige Entscheidungsrecht über ihr eigenes Vermögen. Die Schutzfunktion des Mannes scheint nach der verwirklichten Gleichberechtigung ihrer inneren Logik beraubt worden zu sein. Wird es danach wohl noch Kavaliere geben können?

In der neuen Gesellschaft werden an die gleichberechtigte Frau hohe berufliche und gesellschaftliche Anforderungen gestellt. Sie muß alles besser machen als der Mann, um die Bewährungsprobe bestehen zu können.

---

5 Albert Ziegler: Das natürliche Entscheidungsrecht des Mannes in Ehe und Familie. Ein Beitrag zur Frage der Gleichberechtigung von Mann und Frau. Heidelberg und Löwen 1958, S. 418.

Trotz aller Bedenken, die eine völlige Gleichberechtigung der Frau mit dem Manne begleiten mögen, ist ein Zustand der Gesellschaft, in dem die Frau – wie bisher – zu einem zweitrangigen Dasein verurteilt wird, in einer reif gewordenen Menschheit unhaltbar. Die Frauen haben das Recht, das Leben mitzugestalten und den Reichtum seiner Formen zu vergrößern.

Mit dem sozialen Wandel ändert sich auch das Gewicht der Gesetze (*taġayyur al-aḥkâm bi- taġayyur az-zamân).*

Fortschrittliche islamische Traditionen können wegweisend sein für die Art, wie neuauftretenden rechtlichen und sozialen Problemen beizukommen ist. Das Leben kann immer klaglos im Zeichen der Hingabe an Gott bewältigt werden. Das Verharren in zum Teil schon längst überholten patriarchalischen Lebensgewohnheiten wird auf die Dauer im aufgeklärten Europa nicht möglich sein. Die Religion kann ja ohnehin nicht aus solchen Gewohnheiten bestehen. Der Glaube muß jedermann einleuchtend sein.

Jeder Tat eines glaubensbewußten muslimischen Menschen hat ein Vernunfturteil vorauszugehen, genauso wie das mit jeder qur'anischen Aussage der Fall ist. Gott ist die Wahrheit selbst; folglich darf die Religion dem gesunden Verstand und den Eindeutigkeiten nicht widersprechen.

Ad-Dîn 'aql („Die Religion ist eine Kategorie der Vernunft"), sprach Muhammad. Orientalische Verhaltensweisen und Lebensgewohnheiten, die als fremde Einschübe oder als übernommenes Erbe im Islam wirken, müssen nicht im Sittenkodex des europäischen Muslims Platz beanspruchen. Solche Sitten sind z. B. das Barttragen durch Männer und das Kopftuchtragen durch Frauen, die Ablehnung von Speisen, die Andersgläubige zubereitet haben (ein absolut qur'anwidriges Verhalten, wenn Juden und Christen „Küchenmeister" sind!), die Weigerung der muslimischen Frau, die entgegengestreckte freundschaftliche Hand eines fremden Mannes entgegenzunehmen, was peinliche Situationen und verletzbare Effekte hervorruft, das Herumlaufen auf der Straße mit ungewöhnlichen Kopfbedekkungen, das Spielen mit Rosenkränzen in der Öffentlichkeit und das Demonstriergehabe beim Vollzug von religiösen Pflichten. Gott ist sicherlich ein diskretes, aber aufrichtiges Gebet lieber als ein manifestes und im Grunde schablonenhaftes. Der Händedruck, den Muhammad ('a. s.) mit Frauen auszutauschen pflegte, als diese kamen, um das Treuegelöbnis dem Islam (*bay'a* – die Huldigung) abzulegen, ist der beste Beweis für die Haltlosigkeit der Annahme, daß der asketische Umgang mit dem anderen Geschlecht islamische Wurzeln habe[6]. Die Rechte und Pflichten der beiden Geschlechter haben – religiös gesehen – auf beiden Seiten das gleiche

6 In Lebensbeschreibungen von Muhammad (Sîra-Büchern) werden die Namen der Frauen, deren Treuegelöbnis er mit Händedruck besiegelte, angeführt.

Gewicht. Die Gleichberechtigung ist aber nicht mit der Identität der Rollen gleichbedeutend. Erst die Gleichberechtigung gibt die Frau für den freiwilligen Dienst am Nächsten frei. Dieser Dienst verhilft ihr zu einem geläuterten Selbstbewußtsein, zum Selbstwertgefühl und zur Anerkennung durch die Gesellschaft. Die Selbstzufriedenheit, die sie dabei schöpfen darf, wirkt sich dann auf ihren Lebensumkreis, vor allem aber auf die Familie und die Kinder, positiv aus. In der Harmonie mit sich selbst, mit Gott und mit den Mitmenschen vollzieht sich letztlich ein sinnvolles Leben.

Die natürliche Berufung der Frau ist es, für den Nachwuchs zu sorgen und diesen für das zukünftige Leben zu befähigen. Um dieser Berufung gerecht zu werden, bedarf sie einer soliden Bildung. Die Frau muß mit allen Erfordernissen des modernen Lebens vertraut sein. Es liegt im gut verstandenen Interesse der islamischen Gesellschaft, aufgeschlossene, gebildete und freie Frauen zu ihren Mitgliedern zu zählen.

Die Unterdrückung der Frau ist eine uralte orientalische Lebenspraxis. Sie ist mit dem Phänomen der Sklavenhalterei entwicklungsgeschichtlich verbunden. Allen befreienden Tendenzen der qur'anischen Botschaft zum Trotz hat die islamische Welt fast bis in die vierziger Jahre dieses Jahrhunderts es nicht vermocht, sich von diesem beklemmenden Erbe radikal zu befreien. „Wie war es möglich, daß die Sklavenhaltung trotz des Verbotes durch den Islam weiterexistieren konnte?“ So fragt sich die kritische und dennoch, wie sie beteuert, gläubige *Fatima Mernissi.* „Auf Grund sprachlicher und juristischer Spitzfindigkeiten“, antwortet sie. „Man veränderte einfach die Identität des Sklaven. Der Islam verbietet die Versklavung eines Muslims. Dies war jedoch kein Hinderungsgrund. Es gab genügend Andersgläubige, die versklavt werden konnten. Man nutzte die große Zeit der Eroberungen, um die Besiegten zu Sklaven zu machen“[7].

Der Islam ist im Prinzip eine ontische Kategorie. Denn jedes Kind wird nach Muhammads Lehre mit der natürlichen Prädestination für den Islam geboren. Gemeint ist ein Islam universaler Natur, nämlich die natürliche Akzeptanzbereitschaft für den Grundsatz, daß der Mensch für ein menschenwürdiges Leben und für die Befähigung, mit den Unbillen der Zeit fertig zu werden, der Hingabe an Gott bedürfe. Diese Hingabe heißt eben arabisch *islâm.* Sie ist ja die Voraussetzung jeglichen Monotheismus. So gesehen wird der Mensch frei geboren. Da es im Glauben keinen Zwang gibt (vgl. Qur'an 2:256), so darf die naturgegebene Freiheit des Menschen am wenigsten im Namen der Religion in Frage gestellt werden. Eine Reli-

7 Fatema Mernissi: Der politische Harem. Mohammed und die Frauen. Frankfurt: Dagyeli 1989, S. 202.

gion, die auf die Entrechtung des Menschen wegen Geschlechts-, Rassen- oder Glaubensunterschiede hinausläuft, ist einer Verfremdung anheimgefallen. Diese Verfremdung ist gewissen Erscheinungsformen des gegenwärtigen Islam, nämlich jenen, die ihn als reines Politicum erscheinen lassen, leicht anzumerken. Dadurch ist der Islam weltweit in Verruf einer obskuranten Ideologie geraten – eine Entwicklung, die die Herzen unzähliger Gläubiger betrübt. Der eigentliche Islam ist darauf angelegt, sich der Inhumanität entgegenzustellen.

Eine der in diesem Buch behandelten Fragen, nämlich die Bekleidungsfrage, wird von gewissen Kreisen als Zentralanliegen des Islam hingestellt. Ihren wirklichen religiösen Stellenwert hat unlängst einer der kompetenten Schriftgelehrten, *Muḥammad al-Ġazâlî,* klar definiert. In seinem Buch „Die islamische Tradition zwischen den Hermeneutikern und den Traditionariern" stellt er – arabisch – die Frage *Hal li'l-Islâm ziyy mu'ayyan?*, (Kennt der Islam eine bestimmte Bekleidungsart?), um sie gleich danach apodiktisch zu beantworten: *Kallâ!* (In keiner Weise!)[8]. *Al-Ġazâlî,* wird dem Lager der traditionalistischen Gelehrten zugerechnet. *Qâsim Amîn,* der ägyptische Frauenrechtler, geht ihm ansonsten in seinen Ansichten um vieles voraus. Freilich ließen sich auch seine theologischen Überlegungen in manchen Punkten erweitern und vertiefen, zumal er selbst Hinweise darauf liefert, daß Segmente der Scharî'a nichts anderes sind als Formen der altarabischen nationalen Rechtssprechung. Ihre Anwendung oder Unterlassung sei daher dem jeweiligen Herrscher überlassen.

Im Kontext der Modernisierung des gesellschaftlichen Lebens gewinnt die Frage des Moscheebesuches durch die Frauen und deren Mitwirkung an der Gestaltung der Gebetspraxis ein besonderes Gewicht. „Im Zuge des Niederganges der vitalen islamischen Kultur", beklagt die muslimische Aktivistin *L. Jamila Abid* die gegenwärtige Situation, „wurde es in vielen muslimischen Ländern üblich, daß Frauen nicht in die Moscheen gingen, um zu beten, sondern ihre Gebete zu Hause verrichteten. Da die Moschee auch eine soziale Funktion hat, kann dies tiefgreifende Auswirkungen auf die Gesellschaft und die Position der Frauen haben. Der Prophet hat sich dazu ganz klar geäußert und sogar bezüglich später nächtlicher Moscheebesuche folgendes gesagt: „Wenn eure Frauen euch um Erlaubnis fragen, nachts zur Moschee zu gehen, dann erlaubt es ihnen!" Dazu gibt es noch folgenden Ausspruch des Propheten: „Hindert die Mägde Allahs nicht am Besuch der Moscheen!"

---

8 Muḥammad al-Ġazâlî: As-Sunna an-nabawiyya bayna ahl al-fiqh wa ahl al-ḥadîṯ. Al-Qâhira: Dâr as-Šurûq 1989.

„Frauen genießen", fährt Frau Abid in Erklärung des Frauenanteils an dem Gebetsleben im Islam fort, „gewisse Erleichterungen, was die Gebetspflicht betrifft, mit Rücksicht auf die weiblichen Körperfunktionen. Während der Menstruation betet die Frau nicht, da die rituelle Reinheit nicht gegeben ist. Der Islam betrachtet die Frau jedoch während dieser Zeit nicht als „unrein": 'Ā'ischa, die Frau des Propheten, berichtete, daß der Prophet sie einmal ersuchte, ihm den Gebetsteppich aus der ans Haus anschließenden Moschee herüberzureichen. Sie sagte: ‚Ich habe meine Periode'. Darauf antwortete er: ‚Deine Periode ist nicht in deiner Hand'. Hat eine Frau aus Krankheitsgründen ihre Menses länger als zehn Tage, so muß sie dessen ungeachtet die Gebete verrichten, nachdem sie davor die übliche Waschung vollzogen hat. Nach der Geburt ist die Frau für längstens 40 Tage vom Gebet befreit. Zur Kleidung sei noch erwähnt, daß ein Gebet mit verhülltem Gesicht nicht gültig ist. Ein Gesichtsschleier der Frauen wäre daher beim Gebet gar nicht statthaft. Das Gleiche gilt für die Riten der Pilgerfahrt nach Mekka, die für Frauen ebenso verpflichtend sind und ebenfalls für Mann und Frau die gleichen Gebetstexte bei den Ritualhandlungen vorschreiben"[9]. Die Frau ist auch befugt, als Vorbeterin der weiblichen Betgemeinde zu fungieren.

Im Beharren orientalischer Väter und Ehemänner auf der Absonderung ihrer Töchter und Frauen von der Außenwelt sieht *Qâsim Amîn* nicht nur eine Bedrohung der persönlichen Integrität, sondern vielfach auch eine Gefährdung der Gesundheit der betroffenen weiblichen Personen. Beide Formen der Verletzung der Menschenrechte sind u. a. in der Behinderung der Koedukation, im frauenbezogenen Verbot des Lenkens von Kraftfahrzeugen in Saudi-Arabien und in der Verweigerung der Erlaubnis zur Teilnahme am Schwimm- und Gymnastikunterricht, die manche Eltern muslimischer Schülerinnen pflegen, gegenwärtig.

Derartige, unter Berufung auf die Religion getätigten, Verhaltensweisen sind freilich nur dazu geeignet, dem Islam – wohl zu Unrecht – den Ruf einer fortschritthemmenden Religion einzubringen. In Wirklichkeit widersprechen sie dem Geist des Islam. Die islamische Lehre betrachtet, wie auch aus diesem Buch klar hervorgeht, den persönlichen Einsatz für die Bereicherung des menschlichen Lebens und für die Vervollkommnung des Individuums als ein naturgegebenes Gebot. Diesem sei nicht zu entgehen ohne Nachteile einstecken zu müssen. Eine qur'anische Maxime lautet

9 L. J. Abid: Über das Gebet der Frauen im Islam. In: Symposium „Frauen im Gespräch" – Judentum, Christentum, Islam. Eine Veranstaltung der Aktion gegen den Antisemitismus (Arbeitspapiere). Hrsg. von Liselotte Jamila Abid und Gabriele Amina Saleh-Ronnweber. Wien 1992. Beitrag Nr. 10.

(arabisch): *Wa an laysa li'l-insâni illâ mâ sa'â*, zu Deutsch: „Nach der Maßgabe des Eigeneinsatzes ergibt sich des Menschen Gewinn" *(53:39)*.

In der Frühgeschichte des Islam pflegte man in den Moscheen freie Disputiergruppen zu organisieren, an denen sich – ungetrennt voneinander – gemeinsam Männer und Frauen beteiligten. Eine der eifrigen Teilnehmerinnen solcher „Workshops" war die vorher zitierte junge Gattin des Glaubensboten, 'Ā'ischa. Die Moscheen bekleideten damals bekanntlich auch die Funktion der heutigen Schulen. Kein Grund also in der Gemeinschaftsunterweisung von Knaben und Mädchen in der Schule eine religiös bedenkliche Praxis zu sehen, solange freilich in der Schulklasse eine saubere menschliche Atmosphäre gewährleistet ist.

Einer auf Muhammad zurückgehenden authentischen Überlieferung ist zu entnehmen, daß der Gläubige – ob Mann oder Frau, Knabe oder Mädchen – angehalten ist, sich in Schwimmen und Reitkunst unterrichten zu lassen. Es handelt sich um zwei Sportdisziplinen, die sowohl gesundheits- als auch kreativitätsfördernd sind. Daraus ergibt sich analogerweise, daß auch alle anderen Kunstfertigkeiten, die diese beiden Eigenschaften besitzen, von religionswegen empfehlenswert sind. Das Schwimmen und das Reiten können unter Umständen lebensrettend sein. Nun, das Leben ist im Islam, genauso wie in anderen Religionen, ein unersetzbarer und nichtaustauschbarer Wert. Alles, was das Selbstvertrauen stärkt und die inneren Abwehrkräfte des Gläubigen steigert, ist in Funktion eines *ǧihâd*, d. h. einer religiös gebotenen Sanierungsmaßnahme, die der Gesellschaft zugute kommt.

Die Einbeziehung der muslimischen Frau in alle Sparten des gesellschaftlichen Lebens, darunter auch in die religiösen Aktivitäten, ist für die Herausführung der islamischen Welt aus der gegenwärtigen Krise unerläßlich. Theologische Voraussetzungen für ihr ungehindertes und breitangelegtes soziales, kulturelles und religiöses Engagement sind gegeben. Die muslimische Frau kann in ihrem Umfeld zur Stärkung der demokratischen Strukturen und zur Bekämpfung des allfälligen Despotismus viel beitragen. Sie kann auch mithelfen, daß ein Weg gefunden wird, damit die allgemeinen Menschenrechte auch *fiqh*-mäßig begründet und rückversichert werden, ohne daß ihre Anerkennung an irgend welche Auflagen gebunden wird. Es unterliegt keinem Zweifel, daß der Islam sich letztlich zu den Menschenrechten bekennt, wo er doch den Menschen als Stellvertreter Gottes auf Erden (*Ḫalîfatallâh fi'l-arḍ*) ansieht.

WORÜBER KÖNNEN WIR SPRECHEN?

Theologische Inhalte eines Dialogs zwischen Christen und Muslimen

Der Islam steht von seinem Ansatz her in einem dialektischen Verhältnis zum Christentum. Als wiederhergestellte authentische Offenbarung der biblischen Religionsboten, wie er sich selbst versieht, ist er zwangsläufig diesem Verhältnis ausgesetzt. Wird unter der Dialektik die Methode zum Aufweisen und zur Überwindung von Widersprüchen im Denken und im Sein verstanden, dann hat der *ökumenisch ausgerichtete Dialog* damit etwas zu tun. Übrigens hat die dialektische Theologie des Christentums, namentlich durch die Leistungen Karl Barths, zum innerchristlichen Dialog geführt. So ist die Kirche zum Darstellungsraum des Wortes Gottes geworden. Sie will nunmehr im Bereich der innerchristlichen Beziehungen vor allem an dem evangelischen Auftrag der Versöhnung gemessen sein.

Das Erscheinungsbild der theologischen Landschaft im Islam

Im Islam sind die erforderlichen theologischen Einsichten noch ausständig, die zwischen den zahlreichen Schulen, religiösen Strömungen und Sekten ein innerislamisches Gespräch auf solider Grundlage ermöglichen könnten. Der Anspruch auf die Totalität der Wahrheit in den verselbständigten Segmenten erdrückt im Keim jeglichen Gedanken an eine islamische Ökumene. Diese historische Belastung des Islam wirkt sich auch auf den christlich-islamischen Dialog nachteilig aus.

Das Gespräch bringt die Menschen zusammen. Der christlich-islamische Dialog ist seiner Natur nach ein bilaterales Gespräch. Sein Ziel ist nicht eine Vermischung der beiden Religionen, sondern die Klärung der beiderseitigen Ausgangspositionen und die Verbesserung des interreligiösen und zwischenmenschlichen Klimas.

Der Islam ist theologisch leicht erklärlich. Die Säkularisierung hat bisher nicht vermocht, seine Lehrinhalte dermaßen zu relativieren, daß sie verglichen mit ihren Urmodellen nicht mehr erkennbar sind. Das ist ein Vorteil wohlgebildeter muslimischer Religionsgelehrter, wenn sie sich zu einem Gespräch mit den modernen abendländischen Theologen an denselben Tisch setzen.

Der soziale Wandel unserer Zeit hat den Islam weitgehend unvorbereitet vorgefunden. Deshalb ist er sowohl in seinen Stammländern als mehr noch in pluralistischen Gesellschaften, wo er sich in einer Minderheitssituation befindet, von manchen Sparten des realen Lebens getrennt worden. Die Religionsgelehrten des Islam haben zur Bewältigung des Problems sozialen Wandels bisher kaum brauchbare Rezepte zu liefern vermocht. Gegenüber den weitgehend tempozentrisch orientierten christlichen und jüdischen Theologen sind die eher der Geschichte verpflichtet. Sie handeln nicht selten geradezu unter dem Diktat der Geschichte, die bekanntlich im Islam – soweit es sich um die Zeit der ersten vier rechtgeleiteten Kalifen handelt – auch als Heilsgeschichte verstanden wird. Die Rückwendung zu den Erstquellen, ein Hauptzug der sogenannten „Renaissance des Islam“, die den Herausforderungen der Zeit begegnen will, ist gleichzeitig Flucht von angesammelten Problemen, auch solchen theologischer Natur.

Diese Ausgangslage erschwert den günstigen Ablauf des Dialogs. Durch die Verinnerlichung der Religion, die die Reformation im Abendland auf breiterer Grundlage eingeleitet und somit die Religion als Zivilisationsfaktor ausgeschaltet hat, ist der einstige konträre Gegensatz der Islamwelt zum Abendland, wie Rudolf Geyer richtig bemerkt, zu einem kontradiktorischen geworden. Dieser Prozeß der Verinnerlichung der Religion ist nämlich in der Islamwelt – sehen wir einmal vom mystischen Islam ab – bis heute ausgeblieben. Die Aufklärung ist dort noch ausständig. Der metaphysische Dualismus eines *René Descartes* (1596–1657), der zwei Existenzbereiche – jenen der Seele und jenen der greifbaren Wirklichkeit – unterscheidet, konnte in der islamischen Welt nicht auf fruchtbaren Boden stoßen, weil er dem gängigen Verständnis des Monotheismus (des *tawḥīd*) im Islam widerspricht. Der Islam ist weitgehend in einem altorientierten Komplex eingebunden.

So wie im alten Babylon ist die „Einheit von Religion und Geschichte mit starrer Größe stabilisiert“. Die Versuche, diesen Komplex zu überwinden, sind neueren Datums. Der Dialog mit einem konservativen islamischen Gesprächspartner muß also mit beträchtlichen Verständnisschwierigkeiten rechnen.

Der Islam zwischen Judentum und Christentum

Nach den fünf Büchern Mosis zu urteilen, ist das vornehmste Anliegen der jüdischen Religion, das jüdische Volk für das Leben und Handeln auf dieser Erde vorzubereiten. Im Zentrum des Glaubens steht eben dieses Volk in seinem besonderen Verhältnis (dem Bund) mit Gott. Die Lehre Jesu Christi ist eine Antithese dazu: Sein Reich ist nicht von dieser Welt. Das nahende Ende ist im Zentrum der urchristlichen Predigt gestanden. Der Islam ist eine Synthese. Er lehrt den Gläubigen, an jene Welt so ernst zu denken, als ob er morgen sterben müßte, und für diese Welt so eifrig zu arbeiten, als ob er ewig leben dürfte. So lautet nämlich eine auf Muhammad zurückgehende Tradition.

Der muslimische Dialogpartner verfügt folglich in rein dogmatischer Hinsicht über größere Flexibilität. Vieles im jüdischen und im christlichen Erbe ist ihm wohlvertraut.

Der Islam bekennt sich zu biblischen Glaubensinhalten. Er ist zwar, geschichtlich gesehen, eine neue Religion, greift aber im wesentlichen auf die alten Vorlagen zurück, die den Offenbarungsreligionen zugrundeliegen. Er steht daher auch in bezug auf die Ethik diesen nahe.

Muhammad selbst hat sich bekanntlich nur als Wiederhersteller und Bewahrer eines alten, auf die Offenbarung zurückgehenden Erbes verstanden. Der Inspirator aller biblischen Offenbarungsschriften, den Qur'an mitinbegriffen, ist nach der islamischen Lehre Gott selbst. Diese Schriften sind ebenso wie ihre Verkünder im Prinzip gleichwertig. Dieser Offenbarungssicht angemessen betrachtet der Islam den Dialog als eine Art Familiengespräch.

Beheimatet in mehreren Kulturen

Auf der muslimischen Seite liegen die Grenzen des Dialogs hauptsächlich in der Persönlichkeitsstruktur der jeweiligen Gesprächspartner. Eine alte, von F. Perles formulierte Erkenntnis müßte vor jeder Gesprächsrunde bedacht werden:

„Im Islam trifft uns nebeneinander eine philosophisch begründete, bemerkenswert hohe Geisteskultur und eine größtenteils noch naive Vorstellungswelt entgegen. Jeder der beiden Kreise hat nun die überlieferten offiziellen Lehren auf seine Weise erweitert und auch modifiziert, so daß auf den ersten Blick zwei weit voneinander klaffende Weltanschauungen vorzuliegen scheinen."

Trotz der unleugbar vorhandenen tiefen Spuren einer Asiatisierung ist der Islam dem abendländischen Kulturkreis zuzuordnen. Er kann allerdings nicht allein oder überwiegend aus westlicher Perspektive verstanden wurden. Das Christentum hat auf das Religionsverhältnis der traditionellen Muslime – trotz aller durch Lehre errichteter Abgrenzungen – einen tiefgreifenden Einfluß ausgeübt: in Weltanschauung und Moral, in Staat und Gesellschaft, in der Sozial- und Wirtschaftslehre und in der Intimsphäre der Gläubigen.

Der Islam ist von Haus aus weder missionarisch im christlichen Sinne noch auf die Unterwerfung der Erde unter den Menschen eingestellt. Die sogenannten Missionen des Islam von heute sind in Wirklichkeit eine Nachahmung des christlichen Musters, manchmal zwar aus einer Not geboren, doch nicht genuin islamisch. Namentlich den monotheistischen Religionen gegenüber versteht sich der Islam lediglich als eine bessere Alternative und als ein freies Angebot, nicht aber als der alleinseligmachende Weg. Deshalb motivieren weder missionarische noch taktische Erwägungen seine Teilnahme am Dialog. Eine intime ökumenische Grundhaltung durchzieht den ganzen vergeistigten und depolitisierten Islam. Er ist bestrebt, sich in seinen Versuchen, das Leben im Zeichen der Hinordnung auf Gott zu meistern mit den Juden, Christen und anderen an Gott glaubenden Menschen eins zu wissen. So ruft der Qur'an jene auf, zum gemeinsamen Glaubensinhalt zu finden (vgl. Sure 3:64 und Sure 5:69).

Der Qur'an lehrt: „Diskutiert mit ihnen auf denkbar feine Art." (Sure 16:125) Gemeint sind die Diskussionen und Streitgespräche mit den Juden und Christen. *Mehdi Razvi,* dialogoffener Imam des Islamischen Zentrums in Hamburg, gibt dazu folgenden Kommentar: „Galten in früheren Jahrhunderten im Abendland ‚religiöse Ermahnungen', d. h. Predigten und Traktate, noch als literarische Bestseller, so werden sie heute in allen Religionen oft nur noch ‚pro forma' und sehr flüchtig wahrgenommen. Der heutige Mensch ist zwar belehrbar, will aber keine Belehrung. Deshalb sollte ein ‚ermahnender Unterton' vermieden und im Dialog eher von erweckender, darlegender Rede Gebrauch gemacht werden. Ebenfalls sollte der Begriff ‚Streitgespräch' nur mit Vorbehalt benutzt werden. Wie leicht sind solche Gespräche im Übereifer schon zu einem wirklichen Streit ausgeufert!" Der erfahrene Imam von Hamburg weiß genau, warum er seinen Glaubensgenossen diesen Rat erteilen muß. Der *ǧidâl* (das Streitgespräch, der Disput, die Diskussion, die Debatte) ist im arabisch-islamischen Raum seit je eine beliebte Kommunikationsform. Mit der obigen Anweisung will der Qur'an sie lediglich in zivilisierte Bahnen lenken. Deshalb widerspricht ein sachliches Gespräch mit offenem Ohr für die Argumente des Partners nicht dem qur'anischen Geist. „Bei Glaubensgesprächen geht es nun wahrlich nicht darum", schließt Mehdi Razvi, „wer recht hat, denn das sollten wir Gott allein überlassen. Das heißt andererseits aber auch nicht, das Wetteifern in guten Dingen aufzugeben"[1].

Das hier erwähnte Wetteifern bezieht sich auf einen anderen qur'anischen Vers, der lautet: „Hätte Gott gewollt, so hätte Er euch alle zu einer einzigen Gemeinschaft gemacht. Doch will Er euch prüfen in dem, was Er euch hat zukommen lassen. Wetteifert darum miteinander in guten Wer-

1 Siehe: A.M.I., Einheit der Religionen. Wie sollen wir miteinander Dialog führen, in: Al-Fadschr, Die Morgendämmerung (Hamburg), 5/1988, Nr. 37, 4.

ken! Zu Gott werdet ihr allesamt zurückkehren. Dann wird Er euch kundtun, worüber ihr uneinig waret" (Sure 5:48).

„Der Appell an die Vernunft ist in der pluralistischen Gesellschaft von heute", bemerkt richtig Peter Antes in einem Aufsatz über Erziehung und Wertesystem als Gegenstand des Dialogs, „die einzige Basis, um einen Handlungskonsens zu erreichen. Bleibt er aus, so ist die erhobene Norm nicht mehr zu begründen und demnach auch nicht aufrechtzuerhalten. Das war im Bereich der klassischen Religionen anders. Dort galt das göttliche Gebot nicht, weil es als solches konsensfähig oder einsichtig gewesen wäre, sondern weil Gott es so gewollt und damit der menschlichen Verfügbarkeit und Manipulation entzogen hat. Für Mächtige wie Rechtlose galt es im Prinzip gleichermaßen"[2].

Ein systematisch geführter Dialog kann zu einem wertvollen Lernprozeß werden, bei dem die Teilnehmer, erstens, ihren Bildungshorizont erweitern, zweitens, den eigentlichen Stellenwert ihrer religiösen Lehre sachgerechter erfassen und, drittens, einer inner-religiösen Erneuerung näher gebracht werden. Diese inner-religiöse Erneuerung ist notwendig, damit eine inter-religiöse Verständigung erleichtert wird.

Erst nach der Erlangung einer maximalen theologischen Verständigungsbasis können sich die Religionen glaubhaft für die Sache des Weltfriedens einsetzen. Der Friede unter den Religionen ist, wie der Theologe Hans Küng mit Recht immer wieder unterstreicht, die Voraussetzung des Friedens unter den Nationen. Dieser inter-religiöse Friede muß von innen her motiviert, d. h. theologisch fest begründet sein, damit er von Eigenverantwortlichkeit begleitet wird.

Das Problem des Weltfriedens ist zweifellos einer der Schwerpunkte des christlich-islamischen Dialogs. Um an dieses Problem aber in theologisch gerüsteter und damit wirksamer Weise heranschreiten zu können, bedarf es vor allem der Klärung gegenseitiger Mißverständnisse und Fehldeutungen.

So ergeben sich als Schwerpunkte aller theologischen Gespräche zwischen Christentum und Islam automatisch folgende Themen:

- der Gottesbegriff
- das Menschenbild
- das Offenbarungsverständnis
- der Autoritätsglaube und die Eigenverantwortlichkeit – das Wertesystem

2 P. Antes, Erziehung und Wertesystem im christlich-islamischen Dialog, in: Islam und der Westen 8/1988, 4, 8.

- das Nichtaufgebbare und das Aufgebbare im religiösen Lehrsystem
- die Menschenrechte
- die einheitliche, von der Scharī'a geprägte Gesellschaft der islamischen Tradition oder eine zweigeteilte (religiöse und profane) Gesellschaft der christlichen Tradition
- die Lage der jeweiligen religiösen Minderheiten.

Es gibt freilich auch eine andere Art zwischenreligiöser Begegnung, die das Eingehen auf diese Themen überflüssig macht. Sie stellt das Allgemeinmenschliche in den Vordergrund und rechnet mit einer wenigstens während der Begegnung andauernden „Entreligionisierung" der Gesprächspartner. In geschlossenen Gesellschaften, wo die Demokratie noch nicht Einzug gehalten hat, mag sie förderungswürdig sein, weil sie – wie Pater Rossano vom Vatikanischen Sekretariat für Nichtchristen bemerkte – „aus einer langen und schmerzvollen Erfahrung kommt. Aber man verzichtet dabei auf den zwischenreligiösen Dialog und man achtet nicht auf den ererbten Glauben des Gesprächspartners"[3].

Auch einer solchen Begegnung kann in gewissem Sinne der religiöse Geist innewohnen. Als Beispiel sei ein Brief der nordafrikanischen Bischöfe an ihre Kirchen aus dem Jahre 1979 im Auszug zitiert:

„Das Reich verwirklicht sich nicht nur, wo Menschen die Taufe empfangen. Es kommt auch überall dort, wo ein Mensch sich in seiner echten Berufung einsetzt, überall dort, wo er geliebt wird ... Es kommt, wo ein Armer als Mensch behandelt wird, wo Feinde sich versöhnen, wo Gerechtigkeit Förderung erfährt, wo Friede zustandekommt, wo Wahrheit, Schönheit und das Gute den Menschen wachsen lassen"[4]. In einer offenen und säkularisierten Gesellschaft kann man um den Dialog schwer herumkommen, will doch der moderne Mensch die ganze Wirklichkeit um sich erfahren und in bezug zu seiner Gedankenwelt stellen, abgesehen davon, daß die verdichteten Kontakte zwischen Menschen verschiedener Kulturen und Religionen den Dialog zu einer Lebensnotwendigkeit machen. Seit dem Zweiten Vatikanischen Konzil läuft er auch auf verschiedenen Ebenen.

---

3 P. Rossano, Weltkirche und religionswissenschaftliche Aspekte. Erfahrungen des Dialogs, in: CIBEDO-Texte Nr. 20, Frankfurt/M. 1983, 14.

4 Ebd.

Was hat der Dialog für die Beziehung von Christentum
und Islam bisher gebracht?

Gewisse Korrekturen im Wissensstand über den Gesprächspartner sind bereits feststellbar. So meidet man sichtlich immer mehr die falsche Bezeichnung „Mohammedaner“ für die Anhänger des Islam; die Dreifaltigkeit wird andererseits unter den Muslimen kaum mehr als Drei-Götter-Lehre verstanden. Man wird sich der Gemeinsamkeit der Wurzeln immer mehr bewußt. Eine Öffnung hat eindeutig auf beiden Seiten stattgefunden. Aber auch die Unterschiede werden in einer eng gewordenen Welt spürbarer, vor allem, wenn die metaphysische Ebene verlassen wird. In der alltäglichen Lebenswirklichkeit gibt es trotz aller Dialogbereitschaft besorgniserregende Differenzen. Auf der christlichen Seite identifiziert sie der vorhin zitierte Pater Rossano als „tiefgreifende Verschiedenheiten“, deren Erfahrung „die Bewährung und den Skandal des Dialogs begründen“. Diesem etwas pessimistischen Befund des katholischen Theologen gegenüber glaubt ein muslimischer Gelehrter, der Ägypter *Fuad Kandil*, im konkreten Zusammenleben mit den Christen fühlbare Konsequenzen der Konzilerklärung zu vermissen. In Anbetracht der von ihm selbst erlebten Situation in der Bundesrepublik Deutschland meint er: „Davon, daß die Muslime hier durch die überwiegend christliche Bevölkerungsmehrheit als gleichwertige Partner im Glauben an den einen Gott, an den Gott Abrahams, betrachtet und eingestuft werden, kann wirklich keine Rede sein ... Daher meine Frage an die Christen: Sehen Sie eine Möglichkeit, die Muslime im Rahmen Ihres religiösen Systems‘ oder Ihres ‚religiösen Paradigmas‘ nicht als ‚Ungläubige‘ schlechthin einzustufen?“[5]

Der „rebellische“ Theologe Hans Küng drückt diese muslimische Erwartung deutlicher aus: „Wenn die Katholische Kirche nach der Erklärung über die nichtchristlichen Religionen des Vatikanum II (1964) auch die Muslime mit Hochachtung betrachtet, die den alleinigen Gott anbeten ..., der zu den Menschen gesprochen hat‘, dann müßte meines Erachtens dieselbe Kirche – ja, müßten alle christlichen Kirchen – auch jenen mit ‚Hochachtung betrachten‘, dessen Name in jener Erklärung aus Verlegenheit verschwiegen wird: ... Muhammad.“ Weiter sagt Küng: „Wenn wir Muhammad als Propheten anerkennen, dann werden wir konsequenterweise auch zugeben müssen, worauf es den Muslimen am allermeisten ankommt: Daß Muhammad seine Botschaft nicht einfach aus sich selber hat, ja, daß seine Botschaft nicht einfach des Muhammad Wort, sondern Gottes

---

5 F. Kandil, Dialog zwischen den „abrahamitischen Religionen“. Einige Überlegungen aus der islamischen Sicht, in: Islam und der Westen 8/1988, 3, 6.

Wort ist"[6]. Dieser Feststellung läßt der Tübinger Theologe dann die besonders heikle Frage nach dem Qur'an als Offenbarung oder Gottes Wort folgen. Dabei geht er von der Annahme aus, daß im Islam Gottes Wort Buch geworden sei – nicht so wie die Bibel, sondern wie Jesus Christus im Christentum. Diese Annahme kann aber schwerlich als islamisch bezeichnet werden. Sie ist eher eine reine Spekulation einzelner Theologen, die auch im Islam eine Trinitätsidee finden wollen. Sie ist ebenso falsch wie die Vorstellung von Muhammad als einem willenlosen Sprachrohr Gottes. Das reale Muhammad-Bild widerspricht ihr von Grund auf.

In der islamischen Theologie gibt es zwei Grundthesen über den Charakter der Offenbarung. Nach einer dieser beiden Thesen ist sie in Gott präexistent, nämlich ein Teil seiner ewigen Weisheit; nach der anderen ist sie erschaffen und somit in Zeit und Raum gestellt. Die erste ist die Auffassung der orthodoxen Mehrheit. Während die zweite These eine geschichtliche und humane Dimension der Offenbarung ausweist, spricht die erste jeglichen menschlichen Anteil an der Entstehung der Offenbarung und erst recht jegliche Züge einer Vergänglichkeit ab. Aber in der Tat rechnet diese These mit der Wirkung einer menschlichen Komponente im Gesamtrahmen der islamischen Botschaft. Allein die wiederholten Aufforderungen des Qur'an, Muhammad nachzufolgen, verdeutlichen die enorm wichtige Rolle eines Menschen in der Entwicklung des Islam. Muhammad hat selbst von Augenblicken erlebter Kreativität gesprochen. Teile qur'anischer Gebetstexte, wie die erste Sure, sind auf den Menschen zugeschnitten und haben nur im menschlichen Gebrauch ihren Sinn und ihre Wirkungsgeschichte. Dies sind Ansätze für ein Gespräch über die Anwendung der historisch-kritischen Methode in der Qur'an-Exegese. Bekanntlich ist diese Methode aus der Qur'an-Exegese nach außen verbannt, wenn sie auch, wenigstens partiell, seit eh und je existiert, und zwar in der Lehre von den abrogierenden und den abrogierten Textstellen des Qur'an. Arabischer Terminus für diese Forschung ist *'ilm asbāb an-nuzūl.* Im Verständnis und der Handhabung der historisch-kritischen Exegese haben die Muslime einen großen Nachholbedarf. Der Dialog mit den Christen mag diesbezüglich gewisse Hilfestellungen bieten. In der Endkonsequenz kann das zu einer Entkrampfung auf beiden Seiten führen.

Mit dem Einstieg in den Dialog wird die traditionelle Geborgenheit verlassen und die Bereitschaft bekundet, sich kritischen Fragen über das eigene Religionserbe zu stellen. Die meisten Muslime entschließen sich dazu ungern, weil sie mehrheitlich aus geschlossenen Gesellschaften kommen

---

6 H. Küng, Christentum und Islam, in: R. Italiaander (Hg.), Die Herausforderung des Islam, Göttingen 1987, 61.

und an eine Theologie gewöhnt sind, die sich im Besitze der richtigen Lösungen für alle Lebensfragen wähnt.

Neben dem Gedankenaustausch, der menschlichen Annäherung aneinander und der geistigen Befruchtung verspricht der Dialog noch im besonderen eine Belebung und Vertiefung der Hermeneutik auf beiden Seiten. Die Muslime sind auf eine Vertiefung ihres Qur'an-, aber auch ihres Bibel-Verständnisses angewiesen, damit sie sich besser definieren können. Ihre konventionelle Ḥadīṯ-Kritik ist nicht befriedigend, weil sie auf die Inhalte der Überlieferungen und den Geist, von dem sie getragen werden, nicht ernst genug eingeht. Neue, im Christentum bereits praktizierte Forschungs- und Kritikmethoden könnten unter Umständen auch dem Islam helfen, die geschichtliche Verkrustung abzutragen.

Der Islam wird den Gläubigen erst durch den *fiqh* – die Kultus- und Rechtslehre – gewissermaßen „mundgerecht“ vorgeführt. *Fiqh* ist effektiv die islamische Hermeneutik. Das Wort – es ist arabischer Herkunft – bedeutet auch: Verstehen, Erkenntnis, Einsicht. Das Verstehen der ererbten Texte und der Welt ist heute – im Zeitalter der Datenspeicherung und der raffinierten Forschungsmethoden – vielfach anders als in der fernen Vergangenheit. Der Dialog dient zum Abbau von Verstehensschwierigkeiten und zu einer vergleichenden, umfassenderen und somit vielleicht verbesserten Weltsicht. In ihm lernt man mit den Herausforderungen der Zukunft besser fertig zu werden.

In einer Stellungnahme zu dem Thema „Die historische und theologische Grundlage des Dialogs zwischen Muslimen und Menschen anderen Glaubens“ hat vor etwa 25 Jahren der damalige Generalsekretär der Außenministerkonferenz der „Organisation islamischer Staaten“ *Abdur Rahman Tunku* in einer Rede vor dem Weltkirchenrat den Dialog zwischen dem Islam und den anderen Glaubensgemeinschaften als vordringliche Verpflichtung bezeichnet. „Die Welt erlebt“, meinte er, „rasante Veränderungen, darunter auch solche, die oberflächlich gesehen harmlos wirken. Das ist vor allem der Wandel in den Zukunftserwartungen der Jugend: ihre ablehnende Haltung gegenüber der Tradition, ihre Respektlosigkeit gegenüber den Eltern und den älteren Menschen, ihre Hinwendung zu Drogen und anderen gefährlichen Aufputschmitteln und Vergänglichkeiten, ihr Unglaube und ihre Ablehnung all dessen, was für ein erfülltes Leben unerläßlich ist. Diese Entwicklung ängstigt uns. Wir wundern uns zuweilen, daß das Leben immer noch weitergeht. Während wir Muslime unsere Zeit mit Gebet und Fasten verbringen, entgleitet diese Entwicklung unserem Griff. Es ist zu befürchten, daß wir eines Tages von diesem Sog in den Abgrund gerissen werden“.

Tunku folgert daraus, daß in den Dialog der Religionen auch die sozialen Probleme der Welt einbezogen werden müssen. Geschieht dies, so wird der Dialog nach seiner Ansicht die Wertschätzung aller Menschen finden.

Im Verständnis des muslimischen Dialog-Theologen *Muḥammad Ṭalbi* ist es das erste Ziel des bilateralen Dialogs, „die trennenden Mauern niederzureißen und das Gute in der Welt durch den freien Austausch von Ideen zu vermehren. Allen Gläubigen, die vereint sind im einmütigen Dienst Gottes, muß es in einem zuvor bereinigten Klima leichter fallen, die bedrückenden Probleme gemeinsam zu erörtern und eine gemeinsame Sprache zu finden".

Zwei entscheidende Weltanschauungs- und Lebensfragen überschatten unausweichlich jeden christlich-islamischen Dialog: die Frage nach Gott und jene nach der Ordnung des internationalen Friedens. Die Einheit der monotheistischen Religionen hängt weitgehend von der Einheitlichkeit des Gottesbegriffes ab. Die Hinsteuerung auf den Weltfrieden ist die erklärte Aufgabe aller Religionen. Stellvertretend für die anderen friedenstiftenden Verse im Qur'an sei hier im arabischen Original und in deutscher Übersetzung die folgende Anleitung wiedergegeben (Qur'an 2:208): *Udḫulū fi's-silmi kāffah* (Tretet allesamt in den Friedensstand ein!).

Der Dialog, als unverbindliches Zwiegespräch verstanden, würde ins Leere führen. Ein solcher Dialog zeugte nur davon, daß wenigstens einem der beiden Gesprächspartner der gute Wille zur Verständigung und zur Ergründung des Gemeinsamen abgeht. Das Ringen um die Wahrheit, das den Dialog eo ipso begleitet, setzt eine ehrliche Offenheit voraus.

Der von einer wohlwollenden Gesprächsbereitschaft getragene und zielgerichtet geführte Dialog gestattet keinerlei Indifferenz gegenüber dem Gesprächspartner. Gefährliche, aber heilsame Anfragen gehören zu seinem Wesen. Sie werden im Zuge des Dialogs gemeinschaftlich geklärt. Der Dialog führt uns aus der Ausweglosigkeit des sich wiederholenden Monologs hinaus; das Verweilen in ungebrochener Selbstgefälligkeit wird gestoppt. Beim Dialog geht es „also nicht nur um eine neue theologische Methode in der Begegnung mit Menschen anderer Religionen, sondern um die Neubestimmung der Beziehung (Theologie der Religionen)"[7].

Der christlich-islamische Dialog hat, sowohl von der islamischen als auch von der christlichen Sicht aus gesehen, Zukunft. Die ersten Anstöße zu diesem Dialog finden wir im Qur'an: „Du wirst finden, daß diejenigen, die sich als Christen verstehen, den Gläubigen gegenüber am freundlichsten sind." (5:82) „Disputiere mit ihnen auf die gediegenste Art." (16:125) „Oh

---

7 P. Löffler, Dialog mit anderen Religionen, in: Ökumene Lexikon. Frankfurt/M. 1983, 260.

Volk der Schrift! Kommt herbei zu dem Wort, das gemeinsam ist zwischen uns und euch: daß wir keinen anderen denn Gott anbeten!“ (3:64)

Interreligiöse Kommunikation – ihr Sinn und ihre Erscheinungsformen

Ist der Gegenstand des interreligiösen Dialogs die Zukunft der Menschheit und die gemeinsame Verantwortung für sie, dann steigt seine potentielle Bedeutung an. Er kann unter Umständen die Wirkungsgrenzen einer gewöhnlichen kulturellen Kommunikation weit überschreiten, weil die Religiosität, vor allem eine echte, die ganze Persönlichkeit des Menschen ergreift.

Im Hinblick auf den Veranlasser gibt es verschiedene Typen der interkulturellen Kommunikation: Selbstdarstellung, Widerspiegelung eines Aussagewertes in der Erfahrungswelt der anderen, unmittelbare Wahrnehmung eines Aussageinhaltes durch die Zeitgenossen, Übersetzung, Vermittlung von Studienergebnissen oder Dokumenten usw. Die interkulturelle Kommunikation kann sehr wohl zum Verwischen von Unterschieden beitragen, sie greift aber von Haus aus nicht das sakrale Gebiet an. Sie läuft auch nicht auf einen religiösen Synkretismus hinaus, „der geistliche Armut, theologische Verwirrung und ethische Kraftlosigkeit bedeutet“[8]. Andererseits ist ein auf die Dimension der kulturellen Kommunikation zurückgeführter Dialog geeignet, gegenseitiges Verstehen und Voneinanderlernen der Menschen verschiedenen Glaubens zu fördern und eine gemeinsame Meisterung der Zukunft zu erleichtern.

Der Ausgangspunkt der interreligiösen Kommunikation ist die Verwurzelung der Menschen in ihren eigenen Religionsbereichen. Der Dialog führt zu einem neuen, ausgleichenden Bewußtsein. Der Dialog kann sehr wohl die universale Gültigkeit einer Religion hinterfragen. Auch viele andere Erscheinungsformen des religiösen oder des kulturellen Establishments können leicht in das Schußfeuer der Kritik geraten, wie die Mission, der Kulturimperialismus, der Eurozentrismus, der sogenannte „heilige Krieg“, die archaische Einteilung der Welt in Zivilisierte und Barbaren (im Fiqh: *dār al-islām* und *dār al-ḥarb*) usw. Der Dialog darf aber nie zu einer Polemik oder Apologetik ausarten. Die Polemik droht, den Geist auszuschalten; die Apologetik ist in der Regel einseitig und engstirnig.

Das katholische Dialogkonzept ist bekanntlich in den Dokumenten des Zweiten Vatikanischen Konzils, *Lumen Gentium*, 16, und *Nostra Aetate*, 3,

---

8 U. Schön, Determination und Freiheit im arabischen Denken heute, Göttingen 1976, 6.

festgelegt worden. Im Dokument *Nostra Aetate* heißt es u. a.: „Auch auf die Muslime blickt die Kirche mit Wertschätzung. Sie verehren den einen Gott, der lebt und bleibt, der barmherzig und allmächtig ist, den Schöpfer der Himmel und der Erde und Sprecher zu den Menschen. Sie streben danach, sich vom ganzen Herzen sogar Seinen unerforschlichen Befehlen zu unterwerfen, gerade wie es Abraham tat, mit dem sich der islamische Glaube besonders verbunden fühlt. Wenngleich sie Jesus nicht als Gott anerkennen, verehren sie ihn als Propheten. Sie ehren auch Maria, seine jungfräuliche Mutter; zu gewissen Zeiten rufen sie auch diese in Frömmigkeit an. Weiter erwarten sie den Tag des Gerichts, da Gott jedem Menschen des Gebührende gibt, nachdem Er ihn auferweckt hat. Folglich preisen sie das moralische Leben, und sie verehren Gott besonders durch Gebet, Almosengeben und Fasten." Diese von kompetenter kirchlicher Stelle erstellte Islam-Darstellung hat in der katholischen Welt einen wahrhaft revolutionären Gemütswandel in bezug auf die Beurteilung des Islam herbeigeführt. Sie hat eine fremde Religion dem christlichen Menschen näher gebracht. Mit Ausnahme der irrigen Annahme, daß die Muslime zu irgend einer Zeit Maria in Frömmigkeit anrufen sollen, ist die Konzil-Darstellung des Islam richtig. Sie zeugt vom aufrichtigen Bemühen der Kirche um interreligiöse Verständigung. Der neue vatikanische Kurs hat bald danach auch die Zustimmung des Weltkirchenrates gefunden. Wichtige Meilensteine in der Dialog-Geschichte sind die Konsultationen des Weltkirchenrates in Kandy 1967 und in Chiang Mai 1977. Die letzterwähnte Konsultation der nichtkatholischen Christen stellte klar, „daß zwischen dem ökumenischen Dialog innerhalb der einen christlichen Gemeinschaft und dem Dialog zwischen den verschiedenen Religionsgemeinschaften ein qualitativer Unterschied besteht. Letzterer zielt nicht auf eine Vereinigung der Religionen und damit ihre Vermischung ab, sondern auf eine Verbesserung und Klärung ihrer Beziehungen. Deshalb schließen sich Dialog und Mission als christliches Zeugnis in Wort und Tat nicht aus"[9].

Mir scheint, daß der Dialog – von islamischer Seite her gesehen – auch dann eine ökumenische Dimension hat, wenn er mit anderen monotheistischen Gemeinschaften geführt wird. Der Islam ist von Haus aus dem Judentum und dem Christentum gegenüber offen. Die Lehre von der Alleinseligmachung ist im Islam auf alle Fälle weniger stark ausgeprägt als im Christentum. Auch missionarische Tendenzen im christlichen Sinne sind ihm fremd. Bestimmend für die Haltung des Muslims anderen monotheistischen Religionen gegenüber sind folgende qur'anische Anleitungen:

---

9 P. Löffler, a.a.O., 261.

„Diejenigen, die glauben, und die Juden und die Christen und die Sabier – wer immer an Allah glaubt und an den Jüngsten Tag und das Rechte tut, die haben ihren Lohn bei ihrem Herrn, und Furcht kommt nicht über sie, und nicht werden sie traurig sein“ (5:69).

„Jeder hat eine Richtung, nach der er sich kehrt; wetteifert daher nach dem Guten. Wo immer ihr seid, Gott wird euch zusammenbringen“ (2:148).

„Es könnten welche sein“, meinte zu den vorangehenden Qur'an-Passagen der seinerzeitige Dialog-Spezialist des Vatikans, *Kardinal Sergio Pignedoli*, „die einwenden, daß einige dieser Verse durch eine eigentümliche Art der Exegese abrogiert worden sind. Ich möchte ihnen antworten, falls es notwendig wäre: Es gibt eine erweiterte Exegese, die nichtsdestoweniger orthodox ist, und entsprechend dieser Exegese gilt die Abrogationstheorie nur für Verse normativer Natur, die in strenger Beziehung zu den genauen Ereignissen gesehen werden müssen“.

Der muslimische Herausgeber des Pignedoli'schen-Dialog-Beitrags wendet an dieser Stelle ein, daß keine wie immer geartete Exegese berechtigt sei, irgend einen Qur'an Vers zu abrogieren. Der Kardinal hat nämlich bei der Erklärung des Sachverhalts den Fehler begangen, den Akzent auf die Exegeten anstatt auf die Natur der zu abrogierenden Aussagen zu setzen. Meinungsverschiedenheiten unter den Islam-Gelehrten darüber, was im Qur'an abrogiert ist, gibt es[10]. Im großen und ganzen steht man auf dem Standpunkt, daß nur normative Bestimmungen des Qur'an, die in einen bestimmten historischen Zusammenhang eingebunden sind, Gegenstand der Abrogierung sein dürfen.

Einem theologisch gut beschlagenen Muslim fällt es relativ leicht, unter Zuhilfenahme der ausgeprägten Christologie des Qur'an christliches Wohlwollen zu gewinnen. Der Islam-Bezug im vatikanischen Schriftstück *Nostra Aetate* ist ein Ausdruck dieses Wohlwollens. Aber auch in dem das religiöse Leben übergreifenden Ethos begegnen sich Islam und Christentum. Die islamische Lehre mißt der Menschlichkeit einen ebenso hohen Wert bei wie die christliche. Die auf Muhammad zurückgehende Überlieferung ist voller Zeugnisse von Humanität und Menschenliebe. *Muhammad al-Ġazālī* (gest. 1111), der bei weitem hervorragendste Theologe des Islam, bedient sich gerne sogar der Bibelzitate, um die Verpflichtung des Muslims zur Menschlichkeit zu unterstreichen.

10 Darüber mehr bei: M. Talbi, Islam und Dialog, Köln 1981, 15f.

Entgegen der biblisch orientierten christlichen Theologie, die nicht einfach von Gott, sondern von „Gott und Mensch“ im Zentrum des Geschehens, von einer Personalunion zwischen „Gott und Mensch“ redet, ist der Islam eifrig darauf bedacht, jeden Gedanken an eine Teilhaberschaft des Menschen an der göttlichen Einmaligkeit aus dem Bewußtsein seiner Gläubigen zu tilgen.

Im muslimischen Glaubensverständnis begegnen sich Gott und Mensch im diesseitigen Leben lediglich in der Offenbarung. Eine Begegnung in Person wird verneint. Deshalb lehnt der Islam die Inkarnation und die Vorstellung von der göttlichen Natur Jesu Christi ab. Das ist ein schwieriger Punkt in der Dialog-Landschaft. Der Islam wird kaum jemals bereit sein, über sein streng monotheistisches Religionsverständnis hinauszugehen, um vielleicht eine neue Gemeinsamkeit zu entdecken. Dadurch würde er sich selbst aufheben.

Die Entwicklung der modernen christlichen Theologie zeigt eher eine gewisse Bereitschaft, dem islamischen Gottesverständnis entgegenzukommen. Erwähnt seien die diesbezüglichen Anstöße, die von *Hans Küng* und *Adolf Holl* ausgegangen sind – zwei Theologen allerdings, die sich wegen ihrer Theorien mit der Kirche überworfen haben. Das kann freilich nicht als ein hoffnungsvoller Schimmer angesehen werden.

Der Dialog ist tatsächlich nicht immer bequem. Die Fallstricke sind zahlreich, meint der bereits zitierte muslimische Gelehrte Muḥammad Ṭalbī. „Wir müssen sie gewissermaßen zuvor enttarnen, um ihnen besser ausweichen zu können, damit die Entwicklung, die gerade erst angelaufen ist, nicht gleich wieder zum Stillstand kommt. Man muß dabei zwei Haltungen vermeiden, die beide Mißverständnisse, Verärgerung und Verbitterung erregen könnten: den polemischen Geist und den Geist des Kompromisses und der Gefälligkeit. Dieser Geist der Gefälligkeit kann vor allem die in einer Minderheitssituation lebenden muslimischen Dialog-Partner befallen.

„Als Minderheit in einer prinzipiell feindseligen christlichen Umwelt“, bemerkt in seinen Betrachtungen zum christlich-islamischen Dialog *Murad Wilfried Hofmann*, „geraten westliche Muslime allerdings selbst dabei (nämlich beim Dialog) leicht in die Rolle des bittstellerischen ‚demandeurs‘. Das kann zu liebesdienerischer, apologetischer Grundpose und zu einem taktischen Bedürfnis führen, Ballast abzuwerfen, z. B. unpopuläre Aspekte der Scharīʿa. Das Endergebnis eines solchen Dialoges wäre dann ein synkretischer Islam, etwa nach dem ‚Vorbild‘ der krausen Glaubensvorstellungen der Bektaschi-Derwische – ein Islam, dem die Zähne gezogen sind, der als Sauerteig für die Verwandlung der religiösen Landschaft des Westens nicht mehr taugt. Allah sei dem vor“[11].

Nun, so wie dieser deutsche Muslim, der dem Islam offenkundig eine besondere Missionsaufgabe im Westen zugedacht hat, denken nicht alle bewußten und problemorientierten Muslime. Der Islam kann sich auch aus sich selbst heraus erneuern und des „Ballastes“ befreien, ohne deshalb in ein Abhängigkeitsverhältnis zu den christlichen Dialog-Partnern zu geraten. Ein geschickter Umgang mit der historischen Not ist bereits von alten islamischen Denkschulen vorexerziert worden. Nicht nur einmal ist im Rahmen ihrer Fiqh-Methodologie – der *uṣūl al-fiqh* – eine rechtliche Schwierigkeit gemeistert oder auch ein Ballast der Scharīʿa abgeworfen worden.

Ich bin der Meinung, daß gerade die in einer pluralistischen und säkularisierten Gesellschaft lebenden Muslime auf den Dialog angewiesen sind: Er hilft ihnen, die Welt, in der sie leben, besser zu verstehen, ferner den eigenen Glauben zu verlebendigen und ihn in der Sprache der Zeit zu verdeutlichen und schließlich Gleichschritt mit der Zeit zu erlangen. Im Dialog bietet sich, was für sie nicht unwichtig sein sollte, die beste Gelegenheit, die vielen Mißverständnisse über den Islam auszuräumen und die von *Murad Wilfried Hofmann* beklagte Feindseligkeit zumindest abzuschwächen.

Hindernisse des Dialogs

Muḥammad Ṭalbī glaubt in den folgenden kulturpolitischen und gesellschaftlichen Phänomenen die wichtigsten Hindernisse des christlich-islamischen Dialogs identifiziert zu haben:

1) das schwierige Erbe der Vergangenheit,
2) das mangelnde Verständnis vieler muslimischer Gesprächspartner für die Probleme der Industriegesellschaft,
3) die Verschiedenheit des Bildungsniveaus der Gesprächspartner,
4) die ungleiche theologische Entwicklung und
5) die spezifischen muslimischen Schwierigkeiten, die sich aus der gegenwärtigen politischen Entwicklung in den Stammländern des Islam ergeben.

---

11 M. W. Hofmann, Zum christlich-islamischen Dialog, in: Al-Islam 4/1986, München, 19.

Ich habe hier bereits auf die auseinanderklaffende Kulturentwicklung im Abendland und im Orient hingewiesen. Wenn man in der Aufklärung das Mittelalter zu entdecken sucht, so läuft man Gefahr, vieles im Westen nicht zu verstehen.

Ein zusätzliches erhebliches Erschwernis bildet die zunehmende Politisierung des Islam in der Dritten Welt. Das Erscheinungsbild des heutigen islamischen Fundamentalismus ist keineswegs geeignet, das Dialog-Klima zwischen dem Christentum und dem Islam zu fördern. Gestützt auf die Erfahrungen eines islamisch-christlichen Seminars auf höchster Ebene, das 1976 in Tripoli, Libyen, stattgefunden hat, spricht *Ismā'īl Rāǧī al-Farūqī,* einer der muslimischen Sprecher dieses Seminars, einem Dialog, bei dem es Gastgeber und eingeladene Gäste gibt, Erfolgschancen ab. Damals, in Tripolis, hat sich bekanntlich die vatikanische Delegation noch vor dem Besteigen des Flugzeugs, das sie in die Heimat zurückbringen sollte, von den beim Seminar gefaßten gemeinsamen Beschlüssen losgesagt. Sie hatte das Gefühl, daß sie in gewisse Formulierungen, namentlich jenen, die die heikle Problematik der heiligen Stätten in Jerusalem betrifft, hineinmanövriert worden sei.

Der Dialog ist ein langwieriger Prozeß, der mit viel Geduld und Einfühlungsvermögen ausgetragen werden muß. Es wäre auch ein Wunder, würde sich nach einem überstürzt einberufenen Seminar und seinen ebenso überstürzt vorgenommenen Entschließungen ein völlig neues theologisches Verhältnis zwischen zwei seit alters bestehenden religiösen Gemeinschaften konstituiert haben. Der Gang der Dinge, die danach eingesetzt haben, zeigt, daß wir von dem erstrebten Idealzustand der Ökumene leider immer noch entfernt sind – heute allerdings weniger als früher einmal. Trotz aller Schwierigkeiten gehen wir aber durch den Dialog und durch andere Formen der Zusammenarbeit aufeinander zu, und die Entwicklung berechtigt zu einigem Optimismus.

Der Glaubenskrieg – gibt es den noch?

Ursachen und Geschichte des Glaubenskrieges

Mit den Ursachen des Krieges in der Politik verhält es sich wie mit den Ursachen der Gewalt im alltäglichen Leben. Der Egoismus, die Machtgier, die Rachsucht, der nationale und gesellschaftliche Dünkel, die Intoleranz, der hemmungslose Geltungs- und Geschlechtstrieb und ähnliche niedrige Beweggründe führen leicht zu Konflikten. Das Machtstreben ist eine wichtige Triebfeder im Leben der Menschen. Um diese im positiven Sinne zu steuern, bedarf es bestimmter Regeln. Es ist vor allem die Religion, die diese Regeln aufstellt, systematisiert, sakralisiert und den Menschen bewußt macht. Aber die Religion kann sehr wohl auch zur Quelle von Spannungen und Konflikten werden. Die Geschichte lehrt uns, daß dies vor allem mit den sogenannten Hochreligionen der Fall ist. Der unreflektierte Monotheismus ist wegen seines Absolutheitsanspruchs von Haus aus intolerant. *Extra ecclesiam nulla salus.* Dieser Ausspruch des Heiligen Cyprian (gest. 258) beherrschte jahrhundertelang die Haltung des Christentums anderen Religionen gegenüber. Gesteigert wurde diese exklusivistische Einstellung durch das machtpolitisch motivierte Selbstverständnis der Kirche als streitbare und triumphierende Institution. Dabei wurden Opfer dieses Verständnisses vielfach auch Christen selbst. „Von der Zeit Konstantins angefangen bis zum Ende des 7. Jahrhunderts", stellt Bertrand Russel fest, „wurden Christen viel leidenschaftlicher von anderen Christen verfolgt als jemals von den römischen Imperatoren. Vor dem Aufkommen des Christentums waren in der antiken Welt, außer bei den Juden, religiöse Verfolgungen überhaupt unbekannt."[1]

Mit dem westfälischen Frieden ging am 24. Oktober 1648 ein unrühmliches Kapitel der europäischen Geschichte zu Ende. Aber durch die Weiterbefolgung des *Cuius regio eius religio* blieb der alte beengende Geist, der zu dem Glaubenskrieg geführt hat, weiter bestehen. Den Inbegriff der Glaubenskriege bilden bekanntlich die Kreuzzüge (1095–1270). Der erste Kreuzzug wurde vor genau 906 Jahren von Papst Urban II. initiiert. Die theologische Begründung des Glaubenskrieges erstellte in umfassender Form der Heilige Augustinus (gest. 430) mit seiner Lehre vom *bellum justum.* Damit wurde praktisch der Gedanke der hebräischen Bibel vom „Heiligen Krieg" wiederbelebt. Gefördert wurde dieser biblische, doch der Bergpredigt Jesu Christi widersprechende, Geist durch das Ethos

---

1 Bertrand Russel, Warum ich kein Christ bin. München 1968. S. 45, 46.

Abb. 1 Eine Brunnenanlage im Hof der Ferhad Pascha Moschee in Banja Luka, um 1890.

Abb. 2 Eine der 1993 zerstörten Moscheen in Banja Luka samt Mausoleum.

Abb. 3 Die Ferhad Pascha Moschee (Ferhadija) in Banja Luka, errichtet 1579, eines der schönsten Baudenkmäler in Bosnien, 1993 zerstört. Aufnahme aus der Zeit um 1890.

Abb. 4 Teilansicht von Banja Luka, um 1890. Die muslimischen Wahrzeichen der bosnischen Stadt wurden inzwischen zerstört.

Abb. 5 Eine andere Stadtansicht von Banja Luka, um 1890.

Abb. 6 Die Arnaudija- oder Tefterdarija-Moschee in der Stadt am Vrbas, errichtet 1595 vom Finanzverweser Hasan Efendi, 1993 zerstört. Aufnahme aus der Zeit um 1890.
(Sämtliche Fotos: Raimund Baron Stillfried, um 1890)

des Rittertums. Die *militia Christi* wurde zum nicht übersehbaren Zeichen des christlichen Alltags im Mittelalter. Der eschatologische Charakter der Lehre wurde in der Politik zugunsten der Macht aufgegeben.

Was ist ein Glaubenskrieg? Glaubenskrieg ist ein Krieg, der zur Durchsetzung von religiösen Anliegen geführt wird, um dem Gegner etwa die eigenen religiösen Vorstellungen aufzuzwingen, ihn wegen der Religion zu knechten und zu demütigen oder mit ihm – unter Berufung auf religiöse Quellen – Probleme der Landeinnahme zu bereinigen.

Manche Kriege haben einen eindeutig religiösen Charakter, bei manchen überschneiden sich religiöse Motive mit rein politischen, nationalen und wirtschaftlichen.

Die islamische Lehre

Vom Geist der hebräischen Bibel war auch Muhammad (571–632) in seinem Verhältnis zu den altarabischen Götzendienern angehaucht. In einem Kampf auf Leben und Tod war den letzteren ein Abgang von der Geschichtsbühne beschieden. Doch eine friedliche Koexistenz mit Juden, Christen und anderen Glaubensgemeinschaften monotheistischer Ausrichtung stellt sich für den Islam als Frage nicht dar. Sie ist in der Stiftungsurkunde des Islam – dem Qur'an – gesetzlich verankert. Der Status der „Monotheisten" wird allen Gläubigen zuerkannt, die sich auf ein Buch als Quelle ihrer Religion berufen. So sind für den Súfí-Gelehrten *Mīrzā Janjānan Mazhar* (1701–1781) die Hindus Monotheisten, weil sie durch Brahmâ bei der Schöpfung das heilige Buch (den Veda) von Gott übermittelt bekamen.[2]

Nach der islamischen Lehre verträgt sich Gottes Freiheit sehr wohl mit der aus der Geschichte nicht wegzuschaffenden Tatsache, daß es verschiedene Religionen gibt. Sogar der Unglaube wird als zulässig angesehen. „Hätte Gott gewollt", heißt es im Qur'an (5:48), „so hätte er euch zu einer einzigen Gemeinschaft gemacht. So aber will er euch prüfen: Wetteifert daher in guten Werken! Zu Gott ist euer aller Heimkehr. Dann wird er euch klarmachen, wo die Wurzeln der Differenzen liegen." Über Giovanni Boccaccios *Il Decamerone* (entstanden um 1348–1353) hat dieser qur'anische Gedanke als Ringparabel in Ephraim Lessings dramatischem Gedicht „Nathan der Weise" (1779) in die Weltliteratur Eingang gefunden. Lessing

2 Helmuth von Glasenapp: Die fünf Weltreligionen. Brahmanismus, Buddhismus, Chinesischer Universismus, Christentum, Islam. Düsseldorf 1981. S. 346.

hielt den Islam für eine ausgesprochen tolerante Religion, die ein multireligiöses und multikulturelles Leben ermöglicht.

Der Islam kennt keinen eigentlichen Missionsauftrag, weil er auch anderen an Gott glaubenden Menschen Anteil an Gottes Zufriedenheit zubilligt (5:69). Das, was an Missionsähnlichem in der islamischen Welt geboten und auch nach außen getragen wird, ist eher eine Gegenmission. Peter Heine meint, daß sich der Islam, anstatt durch Missionierung, durch den „Glaubenskrieg" (*ǧihâd*) verbreitet habe.[3] Dieser Deutung, die im Abendland häufig anzutreffen ist, liegt wohl die falsche Vorstellung zugrunde, daß der Islam dem „Heiligen Krieg", wie das Wort *ǧihâd* übersetzt wird, also der Inanspruchnahme von „Feuer und Schwert", seine Stärke verdanke. Die Expansion muslimischer Staaten, die nicht mit der Verbreitung des Islam identisch ist, wird zwar von einigen islamischen Rechtsgelehrten (*fuqahâ'*) als Anbahnung des Glaubensweges (*ta'mîn at-ṭarîq*) angesehen, doch halten sie auch an dem qur'anischen Grundsatz „Es gibt keinen Zwang im Glauben" (2:256) fest. Der *ǧihâd* ist der Maximaleinsatz von Abwehr- und Aufbruchskräften, die einer Krisensituation angemessen sind. Er wird, je nach der Beschaffenheit der Krisensituation, dem Individuum oder dem Kollektiv als religiöse Pflicht auferlegt. In der Geschichte des Islam tritt er zuweilen als Pendant zu der christlichen Vorstellung von der „streitbaren und triumphierenden Kirche" auf. Auf diese Vorstellung sowie auf den in der hebräischen Bibel vorkommenden Begriff „Heiliger Krieg" ist die im Abendland eingebürgerte falsche Übersetzung des Begriffes *ǧihâd* zurückzuführen. Wie tief verwurzelt dieses Vorurteil ist, zeigt illustrativ der Umstand, daß in der exjugoslawischen Presse der Holocaust in Bosnien als *serbisch-orthodoxer ǧihâd* gedeutet wurde, obwohl die islamische Verpflichtung mit dem menschenverachtenden Vorgehen des Balkan-Aggressors nicht das geringste gemeinsam hat.[4]

In der Übersetzungskultur der islamischen religiösen Termini ist so manche Verbesserung notwendig. So wird beispielsweise der arabische Terminus *kâfir*, mit dem das Karl Maysche Wort *Giaur* in Verbindung gebracht wird, als *Ungläubiger* übersetzt. In der Tat bedeutet das Wort: *Überdenker* (der Wahrheit), *Mystifikator* – einer, der einem etwas vormacht.

Der Islam ist in einer antagonistischen Welt entstanden. Er sah sich im arabischen Umfeld vor die Notwendigkeit gestellt, den Götzendienst, aber

---

3 Islam-Lexikon. Freiburg/Basel/Wien 1991. Bd. 2.

4 Vgl. Smail Balic: „Heiliger Krieg" oder Anstrengung für den Frieden. In: Johannes Lähnemann (Hrsg.), Weltreligionen und Friedenserziehung/Wege der Toleranz. Hamburg 1989. S. 89–98.

auch die tiefe Unwissenheit zu bekämpfen. Barbarische Zustände, wie Verscharren im Wüstensand von neugeborenen Mädchen, um sich unproduktiver Esser zu entledigen, und die Wurstherstellung aus dem Blut lebender Kamele, brachten dem vorislamischen Zeitabschnitt der arabischen Geschichte die Bezeichnung *al-ǧâhiliyya* („das Zeitalter der Unwissenheit") ein. Auf dem außenpolitischen Gebiet war der islamische Anteil an der Bekämpfung der beiden Imperialismen (des byzantinischen und des persischen), die das Arabertum bis dahin unterdrückten, gefragt. Das umzingelte Arabertum sehnte sich nach einem *Sieg* über diese Mächte. Daher heißt im Qur'an der Sieg eigentlich „Öffnung" (*al-fatḫ*). Beide Engagements verliefen äußerst lebhaft. Der *ǧihâd* nahm zum Teil die Form von Kriegszügen an. Aber ohne Argumentationskraft hätte sich der Islam nicht verbreiten können. Der Impuls zur Aufnahme einer fairen Überzeugungsarbeit, also einer Art *propaganda fide,* geht auf den Qur'an zurück, wo es heißt: „Rufe auf zum Weg deines Herrn mit Weisheit und angemessener Ermahnung. Disputiere mit ihnen auf eine denkbar faire Art. Dein Herr weiß am besten, wer dem Irrtum verfallen ist; er kennt auch am besten jene, die rechtgeleitet sind" (16:126). Die Lehre, „deren Probierstein ein jeder bei sich führet" (Lessing), ist wohl nicht auf Gewalt und Wunder angewiesen.

Der Fundamentalismus – eine Erscheinungsform des Islam?

Ein aus der protestantischen Theologie stammender Ausdruck macht dem Islam seit einigen Jahrzehnten zu schaffen. Fundamentalismus nannte man Ende des 19. Jahrhunderts vor allem in Amerika die blinde Bibelgläubigkeit. Im Islam sollte das analog die blinde Qur'an- und Hadîṯgläubigkeit bezeichnen[5]. Der Fundamentalismus ist mit der Zeit zu einer Weltbewegung angewachsen. In der modernen Gesellschaft wird er als regressiv, dialogfeindlich und intolerant angesehen. Schlägt der religiöse Fundamentalismus in politischen Aktivismus um, bedroht er demokratische Werte und die Freiheit des Individuums. Doch stellt sich die Frage, ob der Weltislam insgesamt – wie von gewissen Seiten behauptet wird – fundamentalistisch sei. Die große Mehrheit der muslimischen Weltbevölkerung mag traditionalistisch sein. Wohl ist der Rückgriff auf die Quellen im Islam inhaltsbestimmend für den Glauben, doch wird dieser Rückgriff bei Inanspruchnahme der Reflexion, der besseren Einsicht und des rationalen Abwägens vollzogen. Die

5 Hadîṯ = Tradition; Überlieferung der Aussprüche von Muhammad sowie Berichte über seine Taten und Unterlassungen.

Wissenschaft, die diesen Vorgang bestimmend begleitet, heißt *al-fiqh*, zu deutsch: Erkenntnis oder Einsicht. Dieser spezifische Zugang zu den Quellen macht den wesentlichen Unterschied zwischen dem traditionsgebundenen Islam-Gläubigen und einem Fundamentalisten aus. Noch eine andere unüberbrückbare Kluft trennt die islamische Frömmigkeit vom Fundamentalismus: Im Islam hat es niemals, so wie im religiösen Fundamentalismus protestantischer Prägung, eine erklärte Wissenschaftsfeindlichkeit gegeben. Daher kann er – entgegen der Behauptung Samuel Huntingtons – an einem „Zusammenprall der Zivilisationen" nicht interessiert sein.

„Es genügt auszurufen *Fundamentalist!*, damit alles klar wird", schildert *Darko Pavičić* die Lage im ehemaligen Jugoslawien. Bei uns wird über den Islam außerhalb des fundamentalistischen Komplexes eigentlich nicht mehr diskutiert. Solches Denken verwirft alle anderen Maßstäbe; die alltäglichen Probleme dieser Glaubensgemeinschaft werden bis zur Unkenntlichkeit entstellt. Den Gleichschritt mit der mitteleuropäischen (modernen) Zeit erlangt der Islam bei uns am besten in nichtmuslimischen Gebieten. Es ist interessant, daß die Zagreber Diaspora seit einigen Jahren die Blüte des islamischen Gedankens bei uns hervorbringt. Das wurde vor allem durch das unlängst abgehaltene Symposium „Probleme des zeitgemäßen Zutritts zum Islam" in der Zagreber Moschee bestätigt. Bei diesem Symposium waren neben anerkannten islamischen Theologen und Islamwissenschaftlern noch Marxisten und Angehörige anderer Religionen versammelt[6].

Der Ğihâd

Ein zweites Schreckgespenst, das die Welt seit Jahr und Tag beunruhigt, ist der besagte *ğihâd* – eine bis vor einigen Jahren recht vernachlässigte Verpflichtung der Islam-Gläubigen.

Um das Gewicht dieser Verpflichtung im Pflichtenkatalog des Islam und die Bewußtseinslage, auf der sie beruht, zu ermitteln, wurden stellvertretend für alle anderen zwei Katechismen des Islam, die in Schulen Verwendung finden, nach Aussagen über diesen Gegenstand hin geprüft. Zu einigem Erstaunen findet man in keinem dieser beiden Lehrbücher über den *ğihâd* etwas. Gehörte der *ğihâd* zu den zentralen Obliegenheiten des

---

6 Darko Pavičić: Islam kao džoker (Der Islam als Joker). In: Vjesnik (Zagreb) vom 10.3.1990. Vgl. dazu Nusret Čančar i Enes Karić: Islamski fundamentalizam – šta je to? Sarajevo 1990. S. 300.

Muslims, wäre seine Ausklammerung aus derartigen Darstellungen der Lehre absolut undenkbar.

Der Rigorist *Muhammad Hamidullah* sagt in seinem Buch „Der Islam“: „Im Glauben an die Notwendigkeit der Unterwerfung des Menschen unter das göttliche Gesetz könne (...) ein gerechter Krieg nicht unheilig sein. Jeder Krieg ist im Islam verboten, wenn er nicht für eine gerechte Sache, die durch göttliches Gebot befohlen ist, geführt wird. (...) Jeder andere Krieg ist unerlaubt. Daß ein Krieg geführt werden könnte, um die Menschen zum Übertritt zum Islam zu zwingen, ist gänzlich unmöglich, denn die Religion selbst erklärt ihn als gottlos“[7]. Der Ausdruck „Heiliger Krieg“ in Anwendung auf den Islam ist eine abendländische Erfindung oder beruht auf einer Verwechslung des Islam mit dem Judentum.

Ein Reformist übersetzt den Terminus technicus als Ausdruck für einen „gesteigerten Einsatz zugunsten der religiös motivierten Humanität.“ *Gihâd* wird immer wieder mit „Heiliger Krieg“ übersetzt. Der eigentliche Islam hat aber für den Ausdruck *heilig* nicht viel übrig.

Der *ğihâd* ist eine religiöse Pflicht für außerordentliche Zeiten. Diese Zeiten scheinen heute vorzuliegen, weil ganze muslimische Völker eine Identitätskrise durchmachen und in sozialen Nöten stecken. Die Rückbesinnung auf die Ursprünge verspricht einen Ausweg aus der Krise.

Man sucht die verlorengegangene Geborgenheit in der Wiederherstellung der Lebens- und Handlungsmuster aus der Glanzzeit der islamischen Geschichte.

Zweifellos hat der *ğihâd* in seinen beiden Erscheinungsformen, nämlich als kollektives und als individuelles Bemühen um einen Ausbruch, eine idealistische und humane Ausgangsgrundlage, doch das besagt nicht, daß mit ihm nicht Unfug getrieben werden kann. Zeugen eines solchen Unfugs sind wir in unserer Zeit. Der *ğihâd* ist ein Verteidigungskrieg. Er darf unter keinen Umständen dem Machtstreben oder der Anhäufung weltlicher Güter dienstbar gemacht werden.

Der fehlgedeutete Islam

Es gibt zur Zeit wohl kein anderes Weltphänomen, das so vielen Mißdeutungen ausgesetzt ist wie der Islam. Daran sind mehrere Faktoren schuld: die vormoderne, noch in der Scholastik steckende islamische Theologie und ihr gestörtes Verhältnis zum Lebensgefühl des modernen Menschen, das Hochkatapultieren des Islam zum bedrohlichen Politikum, das Auf-

---

7 M. Hamidullah, Der Islam, Geschichte, Religion, Kultur. Kuwait 1973. S. 277.

kommen des Islam als Ersatznationalismus im arabischen und persischen Raum, die Einbeziehung terroristischer Aktionen in islamisch-religiöse Kontexte; die Gewohnheit der sensationslüsternen Massenmedien des Westens, alle noch so ausgefallenen Ereignisse in muslimischen oder von Muslimen bewohnten Ländern einem einheitlichen, vom Islam gesteuerten Willen zuzuschreiben.

Mit Sicherheit wird jedoch der islamische Rigorismus mit dem Abbau bestehender sozialer Gegensätze und mit der Anhebung des kulturellen Niveaus der breiten Massen an Zündstoff verlieren.

Was sagt der Islam zu den Menschenrechten?

Der Islam sieht den Menschen von zweierlei Aspekten: Einerseits ist er ein Sklave, von Gott oder Natur abhängig, andererseits ist er Gottes Stellvertreter auf Erden. Der Menschenrechte ist sich der Islam ebenso wenig bewußt wie andere Religionen. Aber sein Menschenbild und das darauf aufgebaute ethische Ideal zeugen davon, daß das Glück des Menschen – das irdische wie das überirdische – sein Zentralanliegen ist.

Die Frage nach dem Sinn des Lebens wird im Islam dahingehend beantwortet, daß der Mensch erschaffen worden ist, um Gott zu dienen. Wenn sich im Leben diese Erkenntnis auch vielfach als bestätigt erweist, so ist die gegebene Antwort philosophisch sicherlich nicht ausreichend. Unsere Existenz ist eine verdankte, nicht aber eine verdiente. Darauf folgt, daß wir uns dafür irgendwie erkenntlich machen sollen. Dadurch ist bei weitem nicht die Sinnfrage befriedigend beantwortet worden. Andererseits ist der ganze Gottesdienst mit seinen Nebenerscheinungen wie den guten Werken und der Nächstenliebe letztendlich Dienst am Menschen. Beim echten Gebet wird eben Gott gesucht und der Mensch wird gefunden.

Ohne Bindung an Gott erscheinen alle Grundsätze und guten Taten wenig sicher. Das Absolutum ist jener archimedische Punkt, der ihnen die Festigkeit verleiht. Die Verpflichtung zum Absolutum war wohl der Anfang der humanen Tat. Mit anderen Worten, die Ansätze der späteren Menschenrechte sind in der Offenbarung, der Gründungsurkunde des Glaubens, zu suchen. So wenigstens in monotheistischen Religionen.

Der Islam hat unbewußt alle wesentlichen Verhaltensweisen ins Auge gefaßt, die wir heute Menschenrechte nennen. Er hat sie zum Teil zu moralischen Geboten, zum Teil zu religiösen Pflichten erklärt. Das Leben ist ihm so gut wie heilig. Eine der jüdischen Tradition entlehnte Metapher, die im Qur'an – der Haupturkunde der islamischen Lehre – Platz gefunden hat, vergleicht die mutwillige Tötung eines einzigen Menschen mit der Vernichtung der ganzen Menschheit (vgl. Qur'an 5:32 und Sanhedrin IV,5; Tos VIII,4). Nicht alleine die moralische Verurteilung jeglichen Übergriffs auf Menschenleben gehört zur Wesensart des Qur'an; er hat eine ganze Reihe von Bestimmungen und Gesetzen erlassen, die die Unversehrtheit und die Ehre der Person verbürgen.

Der unverkennbare Niederschlag der antiken und mittelalterlichen Denkweise in einem Teil der für islamisch gehaltenen Strafjustiz hat dazu geführt, daß dem Islam eine mangelnde Sensibilität für die Menschenrechte nachgesagt wird. Die alltägliche Praxis mancher Gesellschaften, die sich als islamisch ausgeben, verstärkt diesen Eindruck. Es ist richtig, daß der

Qur'an den Ursprung aller Rechte auf Gott zurückführt und somit für den bekannten Grundsatz der Aufklärung „Der Mensch ist Maßstab aller Dinge“ wenig Verständnis aufzubringen vermag; doch hat er sehr wohl viele grundlegende Menschenrechte erkannt und zum Teil in bahnbrechender Weise verkündet. Eine in Zusammenarbeit mit der UNESCO im September 1981 in Paris abgehaltene internationale Gelehrtenkonferenz fand heraus, daß der Islam von allem Anfang an nicht weniger als zwanzig grundlegende Menschenrechte bewußt formuliert hat. Darunter sind das Recht auf Leben, auf Schutz gegen Übergriffe und Mißhandlungen, das Recht auf Asyl, Minderheitenschutz, Freiheit des Glaubens, soweit es sich um keine barbarische Idolatrie handelt, das Recht auf Vermögen, soziale Sicherheit und Arbeitsschutz.

Die Scharī'a ist mit dem Islam nicht identisch

Das Gesamtkorpus der islamischen Kult- und Lebensregeln, darunter auch der Gesetze, heißt *Scharī'a* oder *Scheriat.* Es gründet nur zu einem kleineren Teil im offenbarten göttlichen Recht. Die Offenbarung ist aber bekanntlich konstitutiv für den Glauben. Da jedoch die Tradition (sunna) im Islam als zweite Religionsquelle gilt, ist im Wege der Nachfolge des Glaubensverkünders in die Scharī'a viel Menschliches hineingeflossen. Die vielfachen Lücken im Rechtsdenken wurden im postmuhammedanischen Zeitalter durch nachträgliche Denkkonstruktionen gefüllt. Der Bildungsprozeß der Scharī'a ist etwa Ende des 10. Jahrhunderts abgeschlossen worden. In so einem, teilweise unter Zuhilfenahme des levitischen und christlichen Rechtsdenkens konstruierten Recht haben sich nicht wenige veraltete Rechtsvorstellungen und Strafarten erhalten. Als Beispiele seien angeführt: das minuziös ausgearbeitete Sklavenrecht, die Steinigung für extreme Formen von Ehebruch, Todesstrafe für Abfall vom Islam, Verständnis von einer zweigespaltenen Welt mit seinen Rechtsfolgen („Haus des Islam“ und „Haus des Krieges“), degradierter, wenn auch durchaus gesetzlich geschützter Personenstand der Juden und Christen in einem islamischen Staat, wo sie die Klasse der „Schutzbefohlenen“ bildeten, und das vermeintlich verpflichtende Kopftuch-Tragen der Frau, wenn sie sich in der Öffentlichkeit zeigt.

Die herkömmliche islamische Rechtsprechung ermittelt den Sachverhalt vor allem auf Grund der Zeugenaussagen. Dieses Recht ist also formal-technisch ein Zeugenrecht. Daraus ergibt sich seine Unsicherheit, die in Urteilssprüchen mancher Kadis (Richter) zum Ausdruck kommt. Die Anwendung des Grundsatzes „*In dubio pro reo*“ (Im Zweifel für den Angeklagten) hat die Strenge des Gesetzes gemildert. Außerdem ist dem Gesetz in orientalischen Kulturen eine dienende und untergeordnete Rolle zugedacht. Es ist dort ein Instrument des Staates. „Der Staat kann natürlich Tun und Lassen befehlen, wie Hammurabi, wie Nehemia und sogar die Makkabäer, die die Einhaltung der Thora befahlen"[1].

Nicht anders geht es den Scharīʿa-Gesetzen. Sie sind einem stillen Wandel unterworfen. Den besten Beweis dafür bietet die Kairoer Deklaration von Menschenrechten im Islam vom 5. August 1990[2]. In ihr ist kein Wort von den nachteiligen, das Gewissen vieler Muslime belastenden Bestimmungen der konventionellen Scharīʿa zu finden. Die Deklaration ist immerhin das Ergebnis gewissenhafter Arbeit vieler angesehener Schriftgelehrten und wurde von der 19. Islamischen Außenministerkonferenz, die vom 31. Juli bis 5. August 1990 tagte, angenommen. Die 25 Artikel des Dokuments gehen weitgehend mit der Allgemeinen Erklärung der Menschenrechte vom 10. Dezember 1948 konform, die von den Vereinten Nationen verabschiedet wurden. Allerdings die wiederholten Einschübe der Beschränkung „Soweit es nicht der Scharīʿa widerspricht" machen sie in ihrer Transparenz fragwürdig. Auch einige dem Dokument vorangehende Feststellungen mögen der üblichen religiösen Rhetorik gehören und als solche zweifelhaften Aussagewert besitzen. So kann man schwerlich den sonst qur'anischen Gedanken, daß die Muslime die beste Gemeinschaft seien, die Gott hervorgebracht hat, akzeptieren – vor allem auch deshalb nicht, weil sie heute keine „Pioniere des Guten und Bekämpfer des Schlechten" in der Welt sind, was diese religiöse Dialektik begründet.

Im Einzelnen besagt diese Kairoer Antwort an die aufgeklärte Menschheit, daß alle Menschen gleich sind. Allen ist die von Gott gegebene Würde eigen und eine Diskriminierung wegen Rassen-, Religions- und Sprachzugehörigkeit und ähnlichem ist unzulässig. Alle sind Gottes Untertanen und keiner ist besser als der andere, es sei denn durch Frömmigkeit (eigentlich: durch die Selbstbeherrschung).

Wie die beiden anderen islamischen Erklärungen über die Menschenrechte – jene von Paris und eine andere, schiitische, von Teheran – geht die Kairoer Deklaration, wohl die angesehenste unter ihnen – von der Annahme aus, daß die individuellen Menschenrechte nicht in sich selbst begründet sind, sondern nach dem vermeintlich göttlichen Maßstab ihre Gewichtung haben. So lesen sich diese Dokumente z. T. wie Aufrufe zur Un-

1 Carl Heinz Ratschow, Ethik der Religionen. Berlin 1989, S. 502.

2 Bei meiner Analyse dieses Dokuments ist die bosnische Übersetzung von Fikret Karčić benutzt worden. Die Quelle: Conscience and Liberty, in International Journal of Religious Freedom, No 1 (5) Spring 1991, S. 90–95.

terwerfung unter göttliches Diktat. Der Islam ist also als Submission (Unterwerfung) verstanden, nicht aber als eine freiwillig gewählte Hingabe an Gott, in deren Zeichen das Leben und Leiden bewältigt werden, wie die Reformer es wollen. Auch die Einordnung der religiösen Texte im Qur'an und der *Sunna* nach historischen Gesichtspunkten und in kritischer Beleuchtung, wodurch eine neue Hermeneutik möglich ist, ist kaum gefragt. Offenkundig ist die konventionelle Scharīʿa die einzige Stütze der Dokumente. Dies bedeutet nicht, daß hier keine individuellen Menschenrechte den Urhebern als Ideal vorschweben, sondern lediglich, daß jene sie als in göttlicher Autorität begründet sehen. Jedes einzelne dort angeführte Menschenrecht ist religiös verpflichtend und von ihm kann nicht abgerückt werden. So weit, so gut. Die Schwierigkeiten beginnen aber mit Verboten und Einschränkungen und ihren Folgerungen. Vom modernen, weltoffenen Menschen wird freilich das Eintreten für den Schutz des Lebens, für die körperliche und seelische Unversehrtheit des Individuums, für humanen Umgang mit Kriegsgefangenen, die die Meidung aller Mittel, die zum Völkermord führen könnten, für die Würde des Menschen, für Asylrecht u.a.m. gutheißen. Ob aber der Zins in der Wirtschaft verboten ist, ob der Mensch nur jene Meinungen äußern darf, die den Grundsätzen der Scharīʿa nicht widersprechen, ob alle Rechte und Freiheiten der Scharīʿa unterworfen werden sollen, ist die entscheidende Frage. Durch die Scharīʿa, wie sie ist, schert die islamische Welt aus der globalen Gemeinschaft aus.

Alle drei islamischen Erklärungen über die Menschenrechte hinterlassen letztendlich den Eindruck wohldurchdachter moralischer Manifeste des Islam. Sie hören sich im übrigen gut an, stechen aber in einzelnen Passagen ganz erheblich von der Wirklichkeit ab. Wer bei der Begegnung mit dem Gedanken, daß jede Geiselnahme ausdrücklich verboten ist (Artikel 21 des Kairoer Dokuments) und daß jegliche Agitation, die zu Rassen- oder Ideologiehaß führt, verwerflichen Charakter hat, nicht stolpert, wenn er die Realität der Geiselnahme und die antiwestliche Stimmung im Orient im Sinne hat? Die Religion ist eben das, was die Menschen aus ihr machen. Das gilt um so eher für die Allgemeine UNO-Erklärung der Menschenrechte.

Was in den islamischen Urkunden zu den Menschenrechten enthalten ist, gehört sicherlich zum fortschrittlichen und allgemein akzeptierbaren Gedankengut – so etwa im Paragraph 13 der Kairoer Erklärung, daß die Frau mit dem Mann vollkommen gleich ist und daß sie in keiner Weise diskriminiert werden darf, ferner daß die Verantwortlichkeit persönlich ist, daß jedem Angeklagten zunächst die Unschuldsvermutung zukommt und daß jeder Mensch Recht auf Verteidigung hat. Hier ist eine stillschweigende Aufgabe gewisser Schari'a-Bestimmungen zu beobachten, wie die

Abhängigkeit der Frau vom Willen ihres Mannes, wenn sie Ausgänge aus dem Haus und Reisen vornehmen will, ihr Ausschluß vom Bestimmungsrecht über die Kinder u.a.m. Die Institution des Rechtsschutzes in Form der Anwaltschaft ist der herkömmlichen Scharī'a unbekannt.

Im allgemeinen kann man dem Rechtswissenschaftler *Martin Forstner*[3] zustimmen, daß das Rechtsverständnis der zeitgenössischen führenden Islam-Interpretatoren eine „theonome Welt und Werteordnung" ist, die von einem Islamozentrismus zeugt und im Grunde den Dialog unter den Religionen erschwert[4].

Eine gemeinsame Sprache mit der theologisch indifferenten säkularen Welt zu finden ist nicht nur für den Islam schwer.

Auf dem Wege zu einer erweiterten Weltsicht

Immerhin mehren sich Islamgelehrte, die auf dem Wege sind, eine solche Sprache zu finden. Im Brennpunkt ihres Interesses steht verständlicherweise das Verhältnis der Religion zur Politik. Beide Kraftzentren haben ein gemeinsames Anliegen. Beide wollen den Menschen, für die sie zuständig sind, ein harmonisches und sicheres Leben ermöglichen. Doch die Religion identifiziert sich nicht mit dem spezifischen Handeln, das zur Verwirklichung dieses Anliegens führt. Sie versteht sich vielmehr als moralische Anleitung (*hudā*) und als Gnade (*rahma*), deren Ursprünge im göttlichen Wesen liegen.

Die Religion ist nach einer qur'anischen Metapher „Medizin der Herzen". Sie beantwortet vor allem die Frage nach dem Sinn des Lebens und des Leidens. Die Staatspolitik gehört nicht zum Aufgabenbereich der Gottesboten und der Religion. Der Reformtheologe *'Alī 'Abdarrāziq*, Verfasser des Werkes „Die Grundsätze des Regierens im Islam", und der ägyptische Gesellschaftskritiker und Essayist *Ḥusayn Aḥmad Amīn* trennen die Religion streng von der Politik.

---

3 Martin Forstner, Inhalt und Begründung der Allgemeinen Islamischen Menschenrechtserklärung, in: Johannes Hoffmann (Hrsg.), Begründung von Menschenrechten aus der Sicht unterschiedlicher Kulturen. Bd. 1. Frankfurt 1991, S. 261.

4 Christian Troll: Diskussionsbeitrag zum Referat „Zur Diskussion über die Menschenrechte in den arabischen Staaten" von Martin Forstner, in: Christen und Muslime in der Verantwortung für eine Welt- und Friedensordnung. Frankfurt 1992, S. 104. (3. Sankt Georgener Symposion 1992.)

„Die Religion ist auf keine Machtpolitik angelegt", stellt *Amīn* dezidiert fest, „noch steht es ihr zu, sich politisch zu betätigen. Der Mensch ist frei und befugt, seine gesellschaftliche Ordnung selbst zu gestalten – so eben, wie es ihm sein gesunder Verstand, seine wissenschaftlichen Einsichten und seine konkreten Bedürfnisse gebieten"[5].

Neuerdings treten für diese Trennung der Gewalten und für die Angleichung des islamischen Wertesystems mit jenem des Abendlandes besonders eindeutig und vehement zwei Professoren ein: der Sudanese *'Abdullāhi Aḥmad an-Na'īm*[6] und der Syrer *Bassam Tibi*[7]. *An-Na'īm* will aus der Menschenrechtserklärung von 1948 einen Kernbestand von Werten herausfiltrieren und ihn mit Anschluß der Scharī'a zum gemeinsamen Obligatum zu deklarieren. Auf diese Weise soll eine „Brücke zwischen den verschiedenen kulturell bedingten Wertkonzepten" geschlagen werden[8].

Tibi hat einen Großteil seines Wirkens den beiden Themen „Religion und Politik" und „Menschenrechte" gewidmet. Es sind dabei ausgezeichnete und auch manchen ernsten Muslim packende Aussagen getroffen worden. Diese lassen an Schärfe nicht viel übrig. So meint *Tibi*, daß das „Fehlen individueller Menschenrechte in der Zivilisation des Islam gleichermaßen mit der orientalischen Despotie und der Schari'a als dem entsprechenden kulturellen Muster" zusammenhänge[9].

Positive Auswirkungen der Scharī'a sind nicht übersehbar

Es mag sein, daß die Schari'a unter dem Einfluß verschiedener Volksmentalitäten und Traditionen, der häufigen Ausbrüche von Gewalt und der absichtlichen Mißdeutung von Gesetzen nicht immer ihr ideelles Ziel erreicht hat: die Sicherheit, die Stabilität und den Frieden zu sichern. Aber sie hat sich stets der Beliebigkeit und Zügellosigkeit hemmend in den Weg gestellt. Allein ihr Prinzip „Es gibt keinen Zwang im Glauben" (Qur'an 2:256) hat die Multireligiosität und das multikulturelle Miteinander ge-

---

5 Husayn Ahmad Amin: Dalīl al-muslim al-ḥazīn (Vademecum des betrübten Muslims), 3. Aufl. Kairo 1986, S. 282.

6 Abdullahi Ahmed an-Na'im: Toward an Islamic Reformation. Syracuse Eniversity Presse 1989, besonders die Kapitel 4 und 7; ferner: An-Na'im: Qur'an, Shari'a and Human Rights, in: Concilium 1990, Heft 2.

7 Bassam Tibi: Im Schatten Allahs. Der Islam und die Menschenrechte. München, Zürich 1994, S. 406.

8 Martin Forstner, ebenda S. 271.

9 Bassam Tibi, ebenda, S. 241.

stützt und erhalten. Die Ansicht, daß der Ein-Gott-Glaube jedem Kind in der Wiege von der Natur mitgegeben wird, bestimmt das Verhalten des Islam den Kindern gegenüber. Sie sind für ihn ganz einfach Muslime und von jeder Verhaltensabweichung frei.

In einer Zeit, in der so wenig differenziert wird, ist es gut, an ein berühmtes Wort *Albert Camus*' zu denken, daß falsche Namen das Unheil in der Welt vergrößern. Schwingt nicht das Schlagwort *Samuel Huntingtons* vom Zusammenprall der Zivilisationen mit, wenn die spannungsgeladene und zum Gutteil aufgebauschte Weltlage betrachtet wird? Beim Österreicher gesellen sich dazu leidvolle Erfahrungen aus der Geschichte, die er aber in der Regel nur selten richtig einzuordnen versteht. Wer ist sich z. B. dessen bewußt, daß der Osmanenvorstoß nach Europa nicht durch den Islam, sondern einzig und allein durch den genuinen Machttrieb der Türken ausgelöst worden war? Macht und Ruhm der Dynastie sollten vermehrt werden; alles andere war von zweitrangiger Bedeutung. Der Islam spielte dabei eher die Rolle eines Vermittlers, der dafür zu sorgen hatte, daß die Grenzen nicht überschritten werden. Der Intervention des Islam haben die Balkan-Christen ihre Weiterexistenz zu verdanken. Als Ende des 15. Jahrhunderts im Osmanenreich Stimmen nach Vergeltung wegen der Vertreibung der Muslime (und Juden) aus Spanien 1492 laut wurden, war es der geistliche Führer (*Scheich ul-Islam*) *Zembillî 'Alī Efendi* (gest. 1525), der sich unter Berufung auf die Scharīʿa jeglichen Übergriffen auf die Christen wirkungsvoll widersetzte.

Blutige Verfolgungen der christlichen Armenier in der Türkei 1895/96 und 1914/15, die als Exzesse des Islam erscheinen mögen, sind in der Tat Werke nationalistisch gesinnter Türken und Kurden gewesen.

Der Islam ist nicht ausschließbar. Die Koexistenz mit Andersgesinnten stört ihn nicht. Sogar in eschatologischer Hinsicht sieht er die Christen und Juden gewissermaßen als sich selbst ebenbürtig. „Die glaubenden Menschen, seien sie Juden, Gottgläubige oder Christen – alle, die an Gott und das Jüngste Gericht glauben und Gutes tun – sollen keine Angst haben noch sollen sie traurig sein", steht im Qur'an (5:69).

Seit je konnte man im islamischen Raum neben Moscheen noch Kirchen, Synagogen und – in Indien – Tempel sehen. Durch fremde Religionen hat er sich bekanntlich bereichern lassen. Er steuert keinen Konfrontationskurs, wie ihn etwa *Samuel Huntington* in seiner von Zeitläufen eingeengten Perspektive sieht. Die Fundamentalisten im Islam, die er bei seiner Betrachtung hauptsächlich im Visier hat, sind atypisch für den historischen Islam. Diese sind aber nicht leicht von der Gegenwartsszene wegzuwischen. Die Leute, die sich selbst Islamisten nennen, stehen unter dem Verdacht, über den Islam hinaus einem zusätzlichen gedanklichen Überbau verpflichtet zu sein.

Heutzutage wird im Zuge der Politisierung des Islams und dessen Einbeziehung in die Terrorszene eine Ausnahmeregelung des Islam von Massenmedien besonders häufig auf's Korn genommen. Es ist der sogenannte „Heilige Krieg", ein Begriff, den der Islam überhaupt nicht kennt. Gemeint ist der *ǧihād*, eine für Ausnahmefälle vorgesehene religiöse Verpflichtung, die im Sammeln aller Kräfte besteht, um ein Unheil von der Gemeinschaft oder vom Individuum abzuwenden. *Ǧihād* ist in keiner Weise heilig und gehört zum Katalog allgemeiner Schari'a-Pflichten, die nicht einmal für alle Gläubigen zum Tragen kommen. *Ǧihād* ist eine sittliche Forderung, die in existentiellen Notlagen greift. Der Ausdruck hängt etymologisch mit dem Terminus Iǧtihad zusammen. Beide Ausdrücke bedeuten *Maximalanstrengung*. Im letzteren Fall ist das ein Intensivbemühen intellektueller Art, um eine theologische Schwierigkeit zu überwinden.

Hoffentlich wird der *Iǧtihad* den Muslimen helfen, den Weg zu den globalen Menschenrechten ein für alle Male zu finden – so wie er ihnen geholfen hat, sich in einem gemeinsamen Weltethos mit anderen Religionsgemeinschaften zu finden. Die dialogoffene Natur des Islam – seine Ächtung jeglichen Rassendünkels –, seine Akzeptanz der religiösen und kulturellen Vielfalt, seine Aufgeschlossenheit für Vernunftgründe – auch in religiösen Angelegenheiten – und seine durch die Scharī'a geförderte Nüchternheit (z. B. Alkohol- und Drogenverbot!) bieten gute Voraussetzungen für die Annahme der universellen Menschenrechte.

Bassam Tibi konkretisiert diesen Weg. Er spricht in diesem Sinne Europa eine besondere Rolle zu. „Europa könnte unter den Bedingungen der Migration den Boden bieten", meint er, „auf dem sich ein mit Demokratie und individuellen Menschenrechten versöhnter Euro-Islam entfalten kann. Muslime als freie Individuen können demokratische europäische Bürger werden, deren Euro-Islam zu den Mosaiksteinen des europäischen Pluralismus gehört"[10].

Das ist tatsächlich ein brauchbarer Weg, denn im Orient ist einer wirklichen Reform des Islam in bezug auf die Scharīʿa der Weg verbaut. Auch Anzeichen dafür, daß das Licht vom Westen kommen wird, sind vorhanden. Bedenken meldet *Tibi* wegen mangelnder Glaubwürdigkeit der europäischen Politik an, weil sie nach Bosnien wenig vertrauensvoll ist. Die polemische Antwort an europäische Politiker liegt noch immer in der Luft: „Wenn ihr Völkermord, Folter und Vergewaltigung von Frauen in eurem eigenen Haus, dem europäischen Kontinent, duldet, wie könnt ihr euch dann das Recht herausnehmen, über Menschenrechte zu sprechen?"[11].

---

10 Ebenda, S. 313/314.

11 Ebenda, S. 315.

Doch ohne die guten Absichten, die hinter den fixierten Menschenrechten der Allgemeinen UNO-Erklärung von 1948 stehen, bleibt die Menschheit noch viel unsicherer. Möge zuweilen der Weg zur Hölle mit guten Absichten bepflastert sein, sind sie der Ausgangspunkt der guten Tat.

Aus dem Selbstverständnis des Islam ergibt sich, daß er in alle Lebensbereiche seiner Bekenner/Bekennerinnen eingreift. Mit der Hingabe an Gott, die in Einzelheiten von der Offenbarung vorgegeben wird, deckt sich das Grundethos des Islam. Die Übereinstimmung mit dem den Naturgesetzen abzulesenden göttlichen Willen wird daher von jedem Muslim, der seinen Glauben ernst nimmt, angestrebt. Das Vertrauen auf Gott ist einer der Wesenszüge eines solchen Gläubigen. Dieses Vertrauen (arabisch: *tawakkul*) kann zur mangelnden Bereitschaft zur Veränderung oder Besserstellung der eigenen Lebenslage führen. Dies widerspräche aber dem Offenbarungsmanifest, daß der Mensch ein *Vicarius Dei* (*ḫalīfatallāh fi'l-arḍ*) sei. Die Beimessung eines fatalistischen Sinninhalts dem Begriff der Hingabe an Gott widerspricht dem qur'anischen Gebot nach dem Maximaleinsatz für das Gemeinwohl und der Lehre von der Unausweichlichkeit des Bösen nach bösen Taten und des Guten nach guten Taten. Insofern spricht die islamische Ethik der Freiheit und dem Fortschritt das Wort. Sie widersetzt sich jedoch jeglicher Vermessenheit, die dabei aufkommen könnte und qualifiziert sie als Sünde gegen den Schöpfer. Illustrativ dafür ist die Gewohnheit der islamischen Miniaturmaler, in ihre Werke absichtlich kleine Fehler einzubauen, um dadurch zu bezeugen, daß sie in ihrem schöpferischen Können Gott nicht konkurrieren wollen. In einer ähnlichen geistigen Haltung wurzelt die markante Floskel „*Wallāhu a'lamu*" („Und Gott weiß es besser"), der man als Schlußsatz vieler gelehrten Abhandlungen im Orient begegnet.

Der ethische Gehalt einer Religion hängt mit der Art, wie sie die Frage nach dem Sinn des Lebens beantwortet, eng zusammen. Alle Katechismen des Islam lehren, daß Gott den Menschen erschaffen hat, damit dieser Ihm diene. Folglich findet der Mensch in göttlichen Botschaften – das sind die Naturgesetze und Zeichen seiner Weisheit, die in der Natur vorkommen und seine Selbstmitteilung im Wege der Offenbarung – die erforderlichen Orientierungshilfen, um diesen Dienst korrekt zu leisten und gleichzeitig damit ein erfülltes Leben zu führen. Bei einer solchen Lebens- und Leidbewältigung ist es unerläßlich, das Grundlegende von Gott, dem Schöpfer und Erhalter der Welten, zu wissen. Gott (arabisch: *Allāh*) ist nach dem islamischen Verständnis vor allem der Schöpfer. Zum Wesen der Schöpfung gehören das Werden und das Entwerden, das Bauen und das Abbauen, die Geburt und der Tod.

„Wir haben doch den Menschen in denkbar schönster Art erschaffen", lautet eine qur'anische Aussage (95:4). Ihm ist darüber hinaus eine natürliche Würde verliehen. (17:70). Deshalb ist er angehalten, den göttlichen Eigenschaften nachzustreben und nach Möglichkeit vollkommener Mensch (*al-insān al-kāmil*) zu werden, was besonders die Philosophie von ihm erwartet. Dennoch ist die Vergöttlichung oder die Anbetung des Menschen eine schwere Verirrung, weil sie das Bewußtsein von Gott als einzigem zuverlässigem Lebensanleiter praktisch zum Auslöschen bringt. Entschiedener als die Theologie will die islamische Philosophie – dies z. T. in Anlehnung an *Plato* – die wichtigsten Determinanten des menschlichen Glücks in der Verähnlichung des Menschen mit Gott begründet wissen.

Zwischen Leben und Tod muß ein Gleichgewicht hergestellt werden. „Arbeite für diese Welt, als ob du ewig leben würdest; handle für jene Welt, als ob du morgen sterben müßtest", lautet eine religiöse Anweisung des Islam. Ein erfülltes und ein noch irgendwie sinnvoll erlebbares Leben machen den Einsatz der ganzen menschlichen Fähigkeiten gerechtfertigt, ja geboten.

Die Technik sollte dazu dienen. In diesem Sinne wird eine Wissenschaft, die sich über die Naturordnung oder auch über ein sinnerfülltes Leben hinwegsetzt, vom Islam abgelehnt. In allem was gegen den göttlichen Gewohnheitskomplex verstößt, wird ein Risikoakt gesehen. Das Wissen an sich ist immer erstrebenswert. „Suchet das Wissen, mag es auch in China beheimatet sein", sprach Muhammad. Als eine indirekte Aufforderung, sich an der Entwicklung der Technik zu beteiligen, wird eine Anweisung des Qur'an, also der Grundurkunde der islamischen Lehre, verstanden. Darin heißt es: „Und mobilisiert an Kraft und einsatzbereiten Pferden, was nur möglich ist, um den Feinden Gottes und damit auch euren eigenen Feinden, Respekt einzuflößen!" Das steht in der Sure 8, Stelle 60. Sowohl das Wissen als auch die Energieausnützung sind an Verantwortung gebunden. „Und verfolge nicht das", heißt es in der Sure 17:36, „wovon du kein Wissen hast. Über Gehör, Augenlicht und Herz – über all das, gilt es einmal Rechenschaft abzulegen".

Beliebigkeit bei Bewältigung von entscheidenden Lebensfragen steht einem nicht zu. Wer z. B. seiner Gier nachgibt oder sich von ihr beherrschen läßt, gilt in der Sprache der islamischen Mystik als Götzendiener. Es stellt sich in diesem Zusammenhang die Frage, inwieweit diese Qualifikation auf jene Menschen zutrifft, die unter Sachzwängen, die sie selbst heraufbeschworen haben, handeln. Die Vergänglichkeit ist jener Zusammenhang, der Mensch und außermenschliche Natur überspannt. Auch das Schöpfungs- und das Lebensprinzip sind zwischen Mensch und Tier gemeinsam. Daher ist jeder Gläubige angehalten, ehrfurchtsvoll mit Geschöpf und Schöpfung umzugehen. Ein harmonisches Verhältnis zu Gott, zu den Mitmenschen und zur Natur ist das erstrebte Ziel des Islam. Die menschliche Verantwortung der Natur gegenüber gründet, wie schon angedeutet, in dem unumschränkten Respekt gegenüber dem Schöpfungsakt Gottes und den Gesetzen, die diesem Akt innewohnen. Diese Gesetze sind in die islamische Lehre zum Teil als Religionsgesetze eingeflossen. Sie sind im Gottesbegriff sublimiert. Die Schöpfungsverantwortung wurzelt im Bekenntnis zu dem einen Gott. Die Liebe zu Gott bestimmt die Handlungsweise der gar nicht selten vertretenen mystischen Naturen unter den Gläubigen. In ihrer höchsten Entfaltung führt diese Liebe zum Verzicht, zur Bescheidenheit und zuweilen sogar zur Selbstaufgabe. Im mystischen Umfeld ist eine spürbare geistige Nähe der Weltreligionen zueinander anzutreffen. Außerhalb der Mystik ergibt sich vor allem durch das biblische Gebot, sich nicht vor dem niederzuwerfen, was sterblich ist (Jesaja 51), und durch die gemeinsam vom Islam und Judentum betriebene Ablehnung jeglicher Teilhaberschaft des Menschen am Absoluten eine ökumenische Sicht des Umweltschutzes.

Der besondere Beitrag des Islam zum Umweltschutz kann vor allem die Stärkung des Bewußtseins von der Einheit der Menschheit und von der gemeinsamen Betroffenheit durch Umweltbedrohung sein. Ferner trägt der Islam zur Bekämpfung der Drogensucht und des Alkoholismus dem Lehrauftrag gemäß bei. Das einmonatige Fasten während des Monats Ramadan, das Maßhalten beim Essen und Trinken – ein ausdrückliches Gebot des Islam – der in selektiver Ernährung zu Tage tretende Konsumverzicht und die vom Islam geforderte rituelle Reinheit sind zweifellos eine Art flankierende Umweltschutzmaßnahmen, die geeignet sind, Denkanstöße auszulösen und die Umkehr zu einer Welt ohne menschliche Anmaßung zu erleichtern.

Die Technik ist für den Islam nicht wertfrei, weil er eben eine Religion ist, die in alle Lebensbereiche eingreift. Im Qur'an gibt es Verse, die geradezu den Menschen anspornen, sich technisch zu befähigen. So heißt es:

„Dem Menschen gebührt, was er sich erwirkt hat. Gegen den Menschen spricht, was er sich verwirkt hat“ (2:286). Oder eine andere Aussage aus der Tradition, wo es heißt: „Der Erwerbende (der Gewinner) ist ein Freund Gottes“. Dementsprechend ist der Islam zur Technik absolut positiv eingestellt.

Allerdings stellt er sich jeglicher Vergewaltigung der Natur, wie der Verabreichung vom zum Teil aus Fleisch hergestellten Tiermehl an pflanzenfressende Tiere, entschieden entgegen. Auch hier verspricht der Glaube, bei der Bewältigung von Entartungen zu helfen.

Vom Kopftuch steht nichts im Qur'an

Im vorislamischen Arabien war die Verschleierung ein Vorrecht der Frauen besserer Gesellschaftsschichten. Auf einen Vorfall in der Familie des Religionsverkünders des Islam, Muhammad, bei dem seine Lieblingsfrau Ā'ischa eine Schlüsselrolle gespielt hat, ist der koranische Bezug auf diese altarabische Sitte zurückzuführen. In der Sure 33, Vers 59, wird Muhammad anheimgelegt, seinen Gattinnen und Töchtern sowie den Frauen der übrigen Gläubigen zu empfehlen, einen Teil ihrer *Ǧalābīb* (d. s. leichte überwurfartige Frauenkleider, die damals in Gebrauch waren) über sich zu ziehen, wenn sie sich in der Öffentlichkeit zeigen. Dadurch sollen sie, argumentiert sinngemäß der Qur'an, als Damen erkennbar sein und folglich Belästigungen aus dem Wege gehen. Gleich nach dieser Empfehlung folgt der Satz: „Nur Gott ist allverzeihend und gnädig". Die Sitte wird in demselben Kontext als „scheinbar geeignetere Methode" qualifiziert, um das gewünschte Ziel, nämlich die Erkennbarkeit der angestrebten Vornehmheit der Frau und deren Schutz vor Anpöbelungen auf der Straße, zu erreichen.

Die Rhetorik dieser qur'anischen Textstelle macht es erklärlich, warum die empfohlene Sitte selbst in Medina zu jener Zeit nur sehr wenig befolgt wurde.

In dem historisch gewachsenen Islam hat die qur'anische Empfehlung vielfach den Charakter eines zeitlosen Gebotes angenommen. Dies war besonders in gewissen regressiven (ultra-traditionalistischen bis zelotischen) Interpretationsschulen des Islam, wie bei den Hanbaliten und Charidschiten, der Fall.

Im allgemeinen ist die Frauenverschleierung eher ein Phänomen der islamischen Stadtkultur alten Typus als des flachen Landes.

Der Begriff „Kopftuch", das im Arabischen etwa den Ausdrücken *burqu', qinā'* und *liṯām* entspricht, kommt im Qur'an überhaupt nicht vor. Das Kopftuchtragen hat vielmehr im syrischen Mönchschristentum seinen Ausgang. Die Sitte war und ist heute noch im Bereich des orthodoxen Christentums, besonders auf dem Land, weit verbreitet. In der abendländischen Christenheit ist sie bei den Hutterern, einer Täufergemeinschaft, die vom Bischof Jakob Huter (gest. 1536) gegründet wurde, erhalten. Sonst ist sie bereits bei den Sumerern, einem polytheistischen Volk in Mesopotamien, das zwischen dem 4. und 2. Jahrtausend vor Christi blühte, nachweisbar. Der oberste Himmelgott der Sumerer wurde übrigens trinitarisch verstanden. Ihre Frauen wurden aus religiösen Gründen zum Kopftuch-Tragen angehalten.

Der Islam lehnt bekanntlich jeglichen Glaubenszwang ab (vgl. den Qur'an 2:256). In seinem Schoß ist der aufklärerische Gedanke von den drei monotheistischen Religionen als Wettbewerberinnen im Rennen um das Gute entstanden, wie er in Lessings Parabel von den drei Ringen literarisch vorgeführt worden ist. (Der Gedanke ist in der Sure 5, Vers 49, fixiert.) Die Glaubensfreiheit und folglich auch die Gedankenfreiheit ist in Gottes Wesen begründet: „Gott läßt (in aller Freiheit) irregehen, wen er will, und führt den rechten Weg, wen er will" (4:4). Der soziale Druck, spezifisch für geschlossene Gesellschaften, hat mit der Lehre wenig zu tun.

Das Nachdenken und das Forschen im religiösen Betrieb sind legitim. Ansätze zu einer historisch-kritischen Exegese im Islam liefert ein altehrwürdiger Wissenschaftszweig, der den äußeren Veranlassungen der einzelnen Offenbarungssentenzen nachgeht, nämlich das *'ilm asbāb an-nuzūl.* Die alleinige Existenz dieser Disziplin weist darauf hin, daß manche Aussagen und Empfehlungen des Qur'an *zeit- und raumbedingt* sind. Die Ambivalenz einzelner qur'anischer Gedanken wird durch das Vorhandensein von abrogierenden (*nāsiḫ*) und abrogierten (*mansūḫ*) Versen noch verstärkt. Daher darf der Qur'an nicht eklektisch, sondern immer unter Heranziehung aller anderen den behandelten Gegenstand betreffenden Verse, gehandhabt und erklärt werden.

Der Qur'an ist für die Muslime die einzige sichere Offenbarungsurkunde, die als solche einzig und allein die unzweifelhafte Richtschnur im Glauben bildet. Er versteht sich selbst als die „Bibel, an der nicht zu zweifeln ist" (al-Kitāb la rayba fīh: 2:3). Dem Irrtum verfällt, wer die *Scharī'a*, d. h. das Gesamtkorpus der islamischen Lebensregeln, mit dem Islam gleichsetzt. Die Scharī'a ist zu einem beträchtlichen Teil eine Konstruktion der Rechtsgelehrten aus den Reihen der Altvorderen im Glauben, die in den ersten drei Jahrhunderten der islamischen Geschichte gewirkt haben. Daraus erklärt sich die Vielfalt an Interpretationsschulen der islamischen Lehre. Allein der sunnitische Islam weist vier als rechtgläubig geltende Interpretationsrichtungen auf. Keine dieser Schulen lehrt etwas von einer „islamischen Tracht" („az-zīyy al-islāmī"), einem Begriff, der im Schrifttum des politisierten arabischen Islam herumspukt. Weniger aus Sorge um die religiöse und moralische Integrität der Frau als aus einem engstirnigen Erotikverständnis wird von rigoristischen Elementen im Islam die Frauenverschleierung vorangetrieben. Für sie gelten neben den vom Qur'an der Sure 24, Vers 31, angezeigten intimen Körperteilen der Frau, die sich in der Öffentlichkeit nicht zur Schau zu tragen geziemt, auch ihre Haare als 'awrat, d. h. als erogene Zone[1]. Das 'awrat-Problem ist

1 Das Wort *'awrat* scheint etymologisch mit dem griechischen Wort *Erotik zusammenzuhängen.*

vorwiegend Gegenstand der (echten oder falschen) Überlieferungen. Insgesamt betrachtet ergeben diese Überlieferungen, ebenso wenig wie der Qur'an selbst, eine volle Klarheit darüber, welche Teile des menschlichen Körpers im Einzelnen als erogen anzusehen sind. Sicher ist es, daß im Qur'an von Frauenhaaren nirgends die Rede ist. Die Überlieferungen (*Ḥadīṯe*), auf denen die zweite Lehrquelle des Islam – die *Sunna* – baut, sind stets kritischen Rückfragen unterworfen gewesen. Viele hervorragende Lehrinterpreten, wie *Abū Hanīfa* (gest. 767) haben nur eine äußerst geringe Anzahl der Ḥadīṯe als echt und verpflichtend angesehen. „Zu handeln im Einklang mit den Ḥadīṯen", schreibt einer der ersten islamischen Reformtheologen *Chirāgh 'Alī* (gest. 1895) von der Aligarh-Universität, „ist gleichbedeutend mit dem Handeln gegen die Vernunft und das Gewissen, weil die Ḥadīṯe nicht ein abgesichertes und zuverlässiges Wissen vermitteln"[2]. Als ein stichhaltiges Argument für diese wohl überzogene Behauptung hätte *Chirāgh 'Alī* jene angebliche Überlieferung anführen können, die die grausame afrikanische Sitte der Mädchenbeschneidung – völlig zu Unrecht – für den Islam reklamiert.

Da sich der Islam als eine Vernunftreligion versteht (*Ad-dīnu 'aql*), die das sichere Wissen und die Forschung nicht scheut, wäre wohl gegen eine wissenschaftliche Stellungnahme zur vermeintlichen erotischen Reizwirkung der Frauenhaare nichts einzuwenden. Kann die Aufzwingung der Kopftücher den kleinen Mädchen im schulpflichtigen Alter unter Berufung auf diese – ob nur fiktive oder wirklichkeitsgerechte – Vorstellung noch irgendwie gerechtfertigt werden?

Der Qur'an selbst schließt die Behandlung des eigentlichen Gegenstandes dieser Zeilen, nämlich der Tracht als des eventuellen Selbstwert- und Schutzmechanismus der Frau, mit dem denkwürdigen Satz: „Doch das Schutzkleid des Selbstbewahrens – das ist das beste" (7:26).

Alle hier angeführten Tatsachen religiösen, gesellschaftlichen und historischen Charakters sprechen dafür, daß das Kopftuch-Tragen nicht im göttlichen Recht, sondern in alten Traditionen und orientalischen Mentalstrukturen begründet ist.

Daß ein Insistieren auf seiner Übernahme im Namen des Islam nicht wohlbedacht ist und der Zukunft des Islam in diesem Weltteil schadet, zeichnet sich bereits ab. In Bosnien, wo man daran war, eine große islamische Gemeinschaft auszurotten, agierten die serbisch-orthodoxen Kreuzfahrer im Rahmen einer großangelegten Propaganda, an der sich auch ser-

---

2 Zitiert nach dem Aufsatz „Modernist Muslims Approach to *Ḥadīthe*": Aligarh School, von A.N.M. Wahidur Rahman, erschienen in Hamdard Islamicus (Karachi) 14/1993, Heft 4, S. 20.

bische Orientalisten maßgeblich beteiligten, besonders gerne mit dem Pseudoargument, der Islam sei „europafremd“. Der Kampf um das Kopftuch in Frankreich und jetzt auch in Österreich kommt ihnen mehr als gelegen[3].

---

3 Siehe: Norman Cigar: Serbia's Orientalists and Islam – Making Genocide intellectually respectable. In: The Islamic Quarterly (London) 38/1994, Heft 3, S. 147–170.

Der Islamismus bedeutet Instabilität und Unsicherheit

Der Ruf nach totaler „Schariatisierung“ des Islam hat in vielen Ländern den inneren Frieden zerstört und die Islam-Bekenner selbst entzweit. Die Ursachen der Unruhen im Sudan, in Ägypten, Syrien, Algerien und z. T. in der Türkei liegen hier. Die Fortdauer des Bürgerkriegs in Afghanistan ist mit dem Scharīʿa-Problem eng verbunden. Auch die Konflikte von morgen werden vielfach auf dieser Ebene stattfinden, es sei denn, die wahre Natur der Scharīʿa wird inzwischen in das Bewußtsein der Gläubigen eingebracht.

Fraglich sind vor allem die strafrechtlichen Bestimmungen der Scharīʿa. Sonst hat sie stets das Rechtsbewußtsein der Volksmassen günstig beeinflußt, so daß die Islam-Staaten in der Regel Nomokratien bildeten. In der Rechtssicherheit beruhte letztlich der abgesicherte Fortbestand der andersgläubigen Gemeinschaften innerhalb der staatlichen Ordnung.

Zwar hat es Zeiten gegeben, in denen die Scharīʿa unter dem Einfluß von regionalen Mentalitäten und Traditionen ihr Ziel, nämlich Sicherheit, Stabilität und Frieden, verfehlt hat. Aber sie hat sich stets der Beliebigkeit entgegengesetzt. Das von ihr befolgte qur'anische Prinzip „Es gibt keinen Zwang im Glauben“ (2:256) hat die Multireligiosität und die Multikulturalität gestützt und erhalten. Beispiel dafür ist das Osmanische Reich, das allerdings wegen seiner Expansionskriege in Europa in denkbar schlechter Erinnerung geblieben ist. Aber wer weiß in Europa, daß der Osmanenvorstoß nicht durch den Islam, sondern durch einen genuinen Machttrieb des Staatsvolkes ausgelöst worden war. Der Machtpolitik ihrer Dynastie dienten die Osmanen; alles andere war nebensächlich. Der Islam spielte dabei eher die Rolle eines moralischen Dämpfers, der darüber wachte, daß die Handlungen im geregelten Rahmen ablaufen[1].

Als Ende des 15. Jahrhunderts wegen der Vertreibung von Muslimen aus Spanien 1492 im Osmanenreich Stimmen nach Vergeltung laut wurden, war es der geistliche Führer der Muslime, Scheich *ul-Islam Zembilli 'Alī-Efendi* (gest. 1525) der durch sein Votum (*fatwā*) jegliche Übergriffe gegen die Christen im Staate verhinderte.

Große Gefahr stellt im Islam der Mißbrauch der Religion zu politischen Zwecken dar, wozu auch der Umgang mit der Scharī'a zählt. Rein

---

1 Siehe: Herbert Jansky, Das Osmanische Reich in Südosteuropa von 1453 bis 1648, in: Theodor Schieder (Hrsg.), Handbuch der europäischen Geschichte, Bd. 3, Stuttgart 1971, S. 1171 und die Rezension von Antonia Zelsjaskovas Buch von Machiel Kiel in „Südost-Forschungen“ 51/1992, S. 291–299.

theologisch gesehen, ist der Islam ein toleranter und offener Glaube, freilich wenn der fundamentalistische Überbau von ihm abstrahiert wird. Die schlimmen Auswirkungen des Fundamentalismus sind überall schon sichtbar: Vernichtung des ägyptischen Tourismus infolge terroristischer Tätigkeit, die Auslöschung von Zehntausenden unschuldiger Menschenleben in Algerien, ständige Bruderkriege in Afghanistan im Zeichen eines mißverstandenen Islam, zusätzliche Blamage des gemeinsamen Glaubens durch skandalöse Haltung der Taliban zu den Frauen u. a. m. Der seelische Schaden, der über die Muslime weltweit hereingebrochen ist, kann gar nicht ermessen werden. Äußerungen wie „Die Taliban sind Esel!", die die weltberühmte Universität Al-Azhar hat fallen lassen, sind der Tragödie, die sich abzeichnet, gar nicht angemessen.

Der Bildungsprozeß der Scharī'a ist um das Ende des 10. Jahrhunderts abgeschlossen worden. Es ist natürlich, daß sich in ihm viele alte Rechtsvorstellungen eingefunden haben. Manche gehen auf das levitische und urchristliche Rechtsdenken zurück. Dazu sei beispielsweise das minuziös ausgearbeitete Sklavenrecht angeführt. Ferner gehören dazu die Bestrafung der Ehebrecherin mit Steinigung, wie das in Saudi-Arabien vor einigen Jahren geschah, Todesstrafe für Glaubensabfall für den Mann, die Gefängnisstrafe für die Frau, das Blockdenken, nach dem die Welt zweigeteilt erscheint: das „Haus des Islam" oder des Friedens und das „Haus des Krieges" oder der Gewalt, der untergeordnete, wenn auch rechtlich abgesicherte Personenstand der Juden und Christen, die zu der Klasse der „Schutzbefohlenen" gehörten und die für Frauen in Öffentlichkeit – bei aller relativierenden Einstellung des Qur'an – geltende Verpflichtung, das Kopftuch zu tragen

Es ist nicht vorstellbar, daß im aufgeklärten, von Information beherrschten kommunikativen Zeitalter die Frau, der man die Rolle der Partnerin des Mannes auch im Islam zubilligt, weiterhin von allen Lebensläufen abgeschnitten werden kann. Auch eine Lebensführung nach der Art der Mönche, die sich in zahlreichen zeitraubenden Gebetsritualen äußert, kann nicht standhalten. Der soziale Druck, der dahinter steht, ist konfliktgeladen.

Samuel Huntington unterliegt einem schweren Irrtum, wenn er das gegenwärtige Teilverhalten der Araber und der Iraner zum Einheitsmaßstab macht und darauf die Theorie vom Zusammenprall der Zivilisationen aufbaut. Diese beiden Völker machen nicht einmal ein Drittel der muslimischen Weltbevölkerung aus. Außerdem sind sie religionsmäßig vielschichtig.

Der Islam ist für außenstehende Kulturen und Anschauungen offen. Von diesen hat er vielfach profitiert. Genauso wie das vorherrschende Bewußtsein eines progressiven Juden seine Humanität ist, so kann es aufgeklärte Muslime geben, die sich diesem Ideal hingeben. Ihr Ziel muß nicht, wie *Huntington* annimmt, die Erniedrigung des Westens, sondern Gleichschritt mit ihm sein.

Rassismus und Fremdenfeindlichkeit – potentielle Konfliktursachen von morgen

Rassendünkel ist mehr in Europa denn in anderen Kontinenten anwesend. Das ist wohl auf die höhere kulturelle Entwicklung, die Anthropologie des Europäers und die Weltsicht, die ihn beherrscht, zurückzuführen. Auch theologische Einflüsse sind unbestreitbar. Man denke an das Bibelwort, der Mensch (wohl der glaubende) soll sich die Welt untertan machen. Die Genesis-Aussage 1:28 hat einst eine Zentralbedeutung gehabt. Das Missionsgebot und die Vorstellung von der triumphierenden Kirche haben von vornherein die Entwertung der anderen Weltansichten und Kulturen mitenthalten. Vergleichbare Lehren sind im Buddhismus, Hinduismus und Islam nicht vorhanden. Im Qur'an, der Grundurkunde der islamischen Lehre, finden wir sogar den Gedanken wie „Wer will, der soll glauben; wer es will, der soll bei der Verdeckung (der Wahrheit) bleiben" (18:29). *Arnold Toynbee* (1889–1975) hat dem Islam bei der Bekämpfung des Rassismus und des Alkoholismus eine Vorzugsrolle zugedacht.

Große Denker der Aufklärung haben Begrifflichkeiten erarbeitet, die die modernen Denkprozesse, wie Dialog, Wahrheit, Freiheit, Toleranz und Frieden, erleichtern. Die Menschenrechte und die Globalisierung sind ihre Errungenschaften. Sie symbolisieren die Höhepunkte der Menschlichkeit, zu dem Europa wesentlich beigetragen hat. Aber Europa hat sich nie sonderlich bemüht, außereuropäische Kulturen zu verstehen. Trotz gewaltiger geistiger Umbrüche, die die Renaissance, Humanismus und Aufklärung bewirkt haben, ist das europäische Verständnis der fremden Welt vorherrschend eurozentristisch. Die Weltdeutung geschieht in der Regel im engen Anschluß an die gewohnten Maßstäbe.

Nur kulturell gleichgestellte, ethisch gereifte und sich erkenntnistheoretischer und methodischer Bescheidenheit befleißigende Partner sind zum Dialog berufen. Daher wird der Konsensus in Religionen und Kulturen ihren jeweiligen ranghöchsten Vertretern zugestanden. Bei all ihrem Konsensualismus ist aber das Ergebnis ungewiß. Eine weniger wählerische oder gar wahllos zusammengestellte Partnerschaft führt zu nichts.

Apropos Globalisierung! Diese erfordert nicht alleine die Vereinheitlichung der Werte, sondern bringt auch Probleme mit sich, die in ihrer Tragweite und ihrer Beschaffenheit nie da gewesen sind. Das erhöht das Konfliktpotential. Dazu gehören neue, unheilbare Krankheiten, organisierte

Kriminalität, Massenflucht in die Städte infolge Hunger u. a. m. Die damit verknüpften Schwierigkeiten kann man durch Vereinheitlichung der Werte – etwa durch ein Weltethos – zwar entschärfen, doch nicht lösen. Der Kompromiß und der Konsensus sind nur zwei Wege dazu. Aber das Bewußtsein von der gemeinsamen Betroffenheit in Anbetracht der Tatsache, daß wir vor einem, durch gewisse Konstanten sich bekundenden Entscheidungszentrum – als Gott oder Natur verstanden – unausweichlich stehen, vermag wohl mehr bewirken als all unser Bemühen um die Übereinstimmung. Allein an diesem Faktum ist die Weltsolidarität argumentativ zu knüpfen, die erwartet wird, um die Menschheit vor einem ungewissen Schicksal zu bewahren.

Gemeinsame Betroffenheit

Die zentrale theologische Frage „Warum Gott den Menschen erschaffen hat?“ wird im Islam häufig einfach mit dem Endziel aller Schöpfungsprozesse beantwortet, nämlich daß auch der Mensch deshalb erschaffen ist, damit er dem Schöpfer diene. Diese Erklärung des Verhältnisses Gott-Mensch vermag einen dogmatisch nicht beeinflußten Denker zwar nicht zu befriedigen, sie erweist sich aber als richtig, wenn man der existenziellen Betroffenheit des Menschen auf den Grund geht. Auch der Mensch ist, wie alles andere in der Natur, in ein Netz von unerbittlichen Gesetzen eingeschaltet, die seine Freiheit weitgehend einschränken.

In den sechziger Jahren, als im Sog der sogenannten Sexualrevolution die Jugend sich gegen das gesellschaftliche Establishment aufzulehnen begann – in der Vorperiode tauchten, wie erinnerlich, die „zornigen jungen Männer“ auf –, hat so manch ein Elternteil, der versucht hat, unter Berufung auf seine elterliche Autorität, die Jungen zur Raison zu bringen, als Antwort zu hören bekommen: „Was, du bist mein Zeuger!? Ich habe dich ja nicht um diese ‚Großtat‘ gebeten“.

Das Bewußtsein vom eigentlichen Stellenwert des Menschen im allgemeinen Lebenszusammenhang war schon damals weitgehend verlorengegangen. So pflegten sich die so angefahrenen Eltern meist geschlagen zu geben. Das Machbare hatte seinen Triumphzug angetreten. Das Gefühl der Kreatürlichkeit blieb mehr oder weniger auf die Dritte Welt beschränkt. Inzwischen haben uns die von Menschen herbeigeführten Katastrophen, wie jene von Tschernobyl, nachdenklich gemacht.

Es scheint, daß das Gefühl der Kreatürlichkeit heute am stärksten unter den Völkern des Islam verbreitet ist. Das bringt einen auf die Frage „Was eigentlich diese in ihrer Masse geistig noch im Mittelalter steckenden Menschen mit aufgeklärten Christen und Juden Gemeinsames aufzubieten haben?“

Meinen Versuch, diese Frage zu beantworten, werde ich mit einer Anekdote einleiten. *Algazel* (*al-Ġazālī*, gest. 1111), der große Denker des arabisch-persischen Mittelalters, sah eines Tages auf einer Feldflur einen Raben und eine Taube gemeinsam stehen. Über diese ungewöhnliche Gesellschaft der beiden verschiedenartigen Vögel verwundert, trat er an jene Flur näher heran, um dem Rätsel auf den Grund zu kommen. Die fremde, auf sie zukommende Gestalt scheuchte aber die beiden Vögel auf und setzte sie in Bewegung. Erst dann bemerkte der Philosoph, daß die beiden gefiederten Gesellen hinken. Nun war ihm das Gemeinsame und Verbindende klar geworden: Es war in diesem Fall ein körperlicher Defekt. Die Wurzeln der mittelalterlichen jüdischen, christlichen und islamischen Kultur sind gemeinsam.

Eine gemeinsame Betroffenheit in der heutigen, eng gewordenen Welt verbindet alle Menschen miteinander. Die Zwänge des Industrie-Zeitalters, der rapide Bevölkerungszuwachs in der Dritten Welt, die zunehmende Armut, die Unterdrückung der Menschenrechte, die Fragen der Freiheit, der Gerechtigkeit und des Friedens, der Umweltschutz und das Ringen um eine gesunde Zukunft sind Anliegen, an denen die Religionen nicht achtlos vorbeigehen können.

Freiheit, Gerechtigkeit, Versöhnung sind Vorstellungen, die die Menschheit seit Urzeiten bewegen. Niemand darf sich frei wähnen, der in einer ausgebeuteten und gespaltenen Welt lebt, wie wir heute. Umso mehr ist jeder auf die Botschaft unseres Glaubens am Ende der Neuzeit angewiesen. Nach der islamischen Philosophie ist der Mensch berechtigt, sich sein Glück zu suchen. Dabei ist sein persönlicher Einsatz von entscheidender Bedeutung.

Muḥammad al-Fārābī (gest. 950), einer der größten islamischen Staatstheoretiker und Philosophen, wertet das persönliche Glück des Staatsbürgers als die höchste Lebenserrungenschaft. Das Vorhandensein dieses Glücks sichere in entscheidendem Maße die Vollkommenheit der Gesellschaft. In seiner Abhandlung „Der Musterstaat" beschreibt *al-Fārābī*, das Glück als Zustand der Seele, in dem diese sich von der Materie befreit und nach reinen Substanzen strebt. Dieser Zustand könne am ehesten in einem Idealstaat erreicht werden.

Auch *Ibn Ruschd* (Averroes, gest. 1198) unterstreicht die Wichtigkeit der göttlichen Determinanten in der sozialpolitischen Ordnung, weil diese dem Menschen zum Glück verhelfen.

Das diesseitige Leben müsse daher ernst genommen und mit kreativem Optimismus erfüllt werden. Sein letzter Sinn sei aber in der übernatürlichen Perspektive zu suchen.

Das göttliche Gesetz gilt als unumstößliches Prinzip. Gott ist der eigentliche Urheber und Träger aller Macht. Die Gerechtigkeit ist die wesentliche Voraussetzung der Legalität jeglichen Machtanspruchs.

Der Mensch ist nach dem Qur'an, ebenso wie nach der jüdischen Tradition, Statthalter Gottes auf Erden. Als solcher ist er berechtigt, gemäß der Zeit neue Werte und Regelungen für sein Handeln zu setzen. Allerdings darf er dabei die in der Offenbarung festgelegten Grenzen nicht überschreiten.

Das in der Offenbarung verankerte Vikariatsdekret und eine ausdrückliche Ablehnung jeglichen Zwanges auf religiösem Gebiet durch den Qur'an (2:256) begründen die religiöse Freiheit im Islam. Dennoch ist der Islam eine Religion, die von allem Anfang an, gerade den Juden und Christen gegenüber, einen besonderen Versöhnungstrend an den Tag gelegt hat, wenn es auch an spannungsgeladenen Momenten nicht gefehlt hat.

Kardinal *Franz König* überträgt in seinem Buch „Glaube ist Freiheit" einen Bericht des Biographen *Ibn Hischām* über den Einzug einer Abordnung Christen aus Nadschran nach Medina zu Muhammads Zeiten. Der Erstlehrer des Islam empfing diese Abordnung herzlich und ließ sich in ein höfliches Gespräch mit ihr ein. Dann lud er die Gäste in die Moschee ein und billigte ihnen eine Charta zu, „durch die er ihnen, nachdem er Gottes Segen über alle Christen der Stadt Nadschran und ihrer Umgebung erbeten hatte, die Zusicherung gab, daß ihre Person, ihre Güter, die Ausübung ihres Kultes, ihre Heiligtümer, die Anwesenden und die Abwesenden, ihre Familien und alles, was sich groß oder klein, in ihrem Besitz befinde, geachtet würden."

„Die Christen können diesem ersten Versöhnungsversuch, der dreizehn Jahrhunderte zurückliegt", kommentiert Kardinal König das wichtigste Ereignis, „nicht gleichgültig gegenüberstehen".

In der Tat billigt der Qur'an den glaubenstreuen Juden und Christen einen Anteil an der Zufriedenheit Gottes zu oder – christlich gesprochen – am Heil. In bezug auf seine zentrale Glaubensbotschaft, nämlich auf das Gottverständnis, steht der Islam den Juden näher als den Christen.

In der Mystik begegnen sich Christentum und Islam häufiger als in der Theologie.

Die Mystik übt eine starke Ausstrahlungskraft auf die muslimischen Volksmassen aus. Toleranz, Nächstenliebe und Solidarität mit Mensch und Tier sind zu einem Gutteil ihr zu verdanken.

Die Schöpfungsverantwortung wurzelt im Bekenntnis zu dem Einen Gott. Die Liebe zu Gott andererseits bewegt die Gläubigen zum Respekt für die Schöpfung. Sie bestimmt die Handlungsweise der glaubenden Menschen. In ihrer höchsten Entfaltung führt diese Liebe zur Selbstaufgabe.

Im Religionsverständnis der Muʿtaziliten, einer freidenkerischen Schule des Islam, ist der Glaube an Gottes Gerechtigkeit einer der fünf grundlegenden Glaubensartikel. Alle Interpretationsschulen halten die Gerechtigkeit für einen der Wesenszüge Gottes.

Der sozialen Gerechtigkeit kommt in der islamischen Ethik eine annähernd ähnliche Rolle zu wie der Liebe im Christentum. Im Unterschied zur Liebe ist die Gerechtigkeit kalkulierbar, vorausschaubar und durchführbar. Insofern bildet sie eine erforschbare gesellschaftliche und moralische Kraft. Diese Kraft bedingt das gegenseitige Vertrauen der Menschen und stärkt die interhumane Solidarität.

Die Gerechtigkeit bedeutet nicht einfach, jedem das Seine zu geben; sie ist etwas mehr: Sie deckt sich mit dem Zustand moralischer Vollkommenheit und ist daher nicht leicht erreichbar, so nach dem Moralphilosophen und Staatstheoretiker *al-Māwardī* (gest. 1058). Für *Ibn Ruschd* besteht sie im Fernbleiben von großen Sünden und in der Bekämpfung der kleinen. „Die vollkommene Gerechtigkeit kann nur in der Gesellschaft der Heiligen verwirklicht werden“, kann man in ihren Schriften lesen. Dennoch ist der Gläubige angehalten, gerecht zu handeln. Der religiöse Ruf nach Gerechtigkeit gilt vor allem den Machthabern und den Richtern.

Der Islam hat eine Reihe von konkreten Maßnahmen vorgesehen, um die soziale Gerechtigkeit zu fördern. Dennoch hat auch die islamische Welt im Laufe der Geschichte nicht an Ungerechtigkeiten gelitten. Man denke alleine an die Sklaverei, die ja zu Muhammads Zeiten gang und gäbe war und selbst vom Qur'an als legitime Institution geduldet wird. Erst im 19. Jahrhundert hat sich die islamische Theologie gegen die Sklaverei in entschiedener Form ausgesprochen.

In der Tat war auch in der islamischen Welt das Recht immer sehr flexibel. Der Umfang und die Form seiner Anwendung hingen in beträchtlichem Maße von dem jeweiligen Herrscher und dem aktuellen Zustand der Gesellschaft ab.

Aber diese Zurückführung des Rechts auf die menschlichen Verhältnisse ist niemals so weit vorangetrieben worden, daß sie einer Befreiung des Menschen als Folge des vermehrten Wissens gleichgekommen wäre. Die gegenwärtig laufende Zurückbesinnung auf die Ursprünge des Islam setzt die Gläubigen eher einer Arabisierung aus. In der Tat bedeuten die fundamentalistischen Rückgriffe auf die Handlungsmuster der Erstzeit, an denen sich vielfach der Zustand einer noch im Beduinentum steckenden Gesellschaft reflektiert, eine religiöse Verflachung und eine Verfremdung in der konkreten Welt. Diese Rückgriffe werden von rigoristischen Kräften im Vorderen Orient in vielfacher Weise gefördert. Dabei spielt auch das Geld aus Erdöl-Einnahmen eine Rolle. Besonders förderlich für diese Rückbesinnung auf die älteste Zeit sind die sozialen Mißstände und die Sehnsucht der Völker nach einer heilen Welt, nach einer Rettung aus der Misere und aus der geistigen Abhängigkeit. Die beklagte religiöse Verflachung tritt immer ein, wenn die Religiosität auf eine von der Tradition diktierte Schablone – auf eine unreflektierte Nachfolge der Altvorderen – reduziert wird. Bei den Arabern führte das traditionalistische – ebenso wie das „fundamentalistische“ – Islamverständnis dazu, daß die breiten Volksmassen – und nicht nur sie – mit naiver Selbstverständlichkeit Islam und die arabische Sache gleichsetzen. *Al-'Urūba wa'l-islām*! (Arabertum und Islam!) ist ein Schlagwort, das sogar von führenden arabischen Schriftgelehrten – der *'Ulamā'* – gern in den Mund genommen wird. Im orthodoxen Islam ist die Gottesfurcht ein wichtiges Motiv des sittlichen Handelns; im mystischen Islam ist das hingegen die Gottesliebe.

Daß die Tradition so sehr auf der Gottesfurcht besteht, hat seinen guten Grund darin, daß nach dem Qur'an Gott ein strenger Richter ist. Mit der Gottesfurcht wächst auch die Verpflichtung zur Gerechtigkeit.

Da Gott seinen Geschöpfen nichts schuldig ist, gibt es in der islamischen Tradition auch Vorstellungen, die ihn als einen launischen Tyrannen erscheinen lassen. Dies widerspricht jedoch seinen grundlegenden Attributen *raḥmān* (aus Gnade Spendender) und *raḥīm* (aus Gnade Verzeihender), wie er wiederholt im Qur'an beschrieben wird. Freilich kann Gott nicht verklagt werden, tue er, was er wolle. Im orthodox-theologischen Sinne versteht man unter der Gerechtigkeit den tadellosen Vollzug aller von der Scharī'a, geforderten Pflichten. Die Gerechtigkeit der Gottsucher zersprengt aber diese Grenzen. Ihnen ist die buchstabenorientierte Frömmigkeit ebenso fremd wie den Philosophen. Die Gerechtigkeit verwirklicht sich nach der Auffassung der Mystiker erst in der Selbstaufgabe des Individuums in Gott. Ihre Gerechtigkeit hält, um mit dem katholischen Moraltheologen *O. von Nell-Breuning* zu sprechen, „jedes sozial unverzichtbare Verhalten für existenzberechtigt". Das islamische Konzept der Gerechtigkeit und der Harmonie erstreckt sich auf das ganze Weltall. *Ibn Ruschd* vertrat, im Gegensatz zu *al-Ġazālī* noch im besonderen den Standpunkt, daß es zwischen der Religion und der Wissenschaft eine Harmonie geben müsse. Sein „aktiver Verstand", mit Platos „Weltseele" identisch, führte ihn zu einem realen Weltbild. Dieses ist von der Mehrzahl der islamischen Gelehrten akzeptiert worden. Das hat dazu geführt, daß die Welt – wie sonst unter dem Einfluß der Askese – nicht mehr verteufelt wurde. *Ibn Ruschds* Weltverständnis schließt natürlich eo ipso jegliche Theologie der Wunder aus. Der Muslim glaubt ebenso wie der glaubensbewußte Jude und Christ, daß die Offenbarung ein Stück der ewigen göttlichen Weisheit sei. Dadurch sei die eigentliche Wahrheit gefunden worden. Im Islam ist die Frage, ob die ihm eigene Offenbarung, nämlich der Qur'an, eine Präexistenz habe oder erschaffen sei, unentschieden geblieben, obwohl die Mehrheit der Gläubigen den ersteren Standpunkt vertritt.

Die von Gott fixierte Botschaft könne zwar immer wieder neu studiert und ausgelegt werden. Sie aufzuheben, stehe aber keinem Menschen zu.

Die Ethik überragt das Recht in zweifacher Hinsicht: 1) Sie ergreift das Herz und fördert die seelische Wiedergeburt und 2) Ethische Bedenken tragen wesentlich zur Entschärfung der gesetzlichen Rigorosität bei. Sie humanisieren das Recht.

„Ich weiß nicht, wie sich das alte Christentum zu dieser Frage stellte", schildert *Adam Mez* die Einstellung der alten islamischen Gesellschaft zur Justiz, aber der Islam hielt sich an das ‚Richtet nicht' der Bergpredigt".

Der Qur'an als die einzige von allen Islambekennern anerkannte Orientierungsgrundlage im Glauben, die keinen Zweifel zuläßt, ist nicht die einzige Quelle des islamischen Rechts. Zwar sind im Qur'an die grundlegenden religiösen Lehrsätze und die Mehrzahl der juristischen Richtlinien festgelegt worden, doch sind darin gewisse gottesdienstliche Handlungen eher als Möglichkeit denn als detaillierte Vorschriften enthalten. So gründen die fünf täglichen Gebete nicht auf dem Wortlaut des Qur'an.

Der Einfluß des antiken und mittelalterlichen Rechtsdenkens auf die islamische Strafjustiz hat dazu geführt, daß dem Islam mangelnde Humanität vorgeworfen wird. Die juristische Praxis in einigen muslimischen Ländern Asiens und Afrikas gibt diesen Vorwürfen zusätzlich Nahrung.

Zur Zersprengung der gegenwärtig herrschenden Verkrustung der islamischen Theologie könnte ein Rückgriff auf die vielen guten Seiten der islamischen Philosophie beitragen. Diese fühlt sich bei all ihrer prinzipiellen Treue zur Religion der rational erfaßbaren Wahrheit ebenso verpflichtet.

Selten wurde der Islam – im Gegensatz zu der Zeit der islamischen Philosophen – als Aufgabe verstanden, als Aufgabe nämlich, das Leben bewußt und planvoll in Hinwendung zu Gott zu bewältigen. Von der Erkenntnis ausgehend, daß die Religion eine Lebenshilfe ist, meint Max Planck, daß man auf sie nicht verzichten könne. Der Mensch brauche die Religion zum Handeln. Er könne ja mit seinen Willensentscheidungen nicht solange warten, „bis die Erkenntnisse vollständig und bis wir allwissend geworden sind". Der Mensch allwissend! Wird er es wohl jemals werden?

Die Religion vermittelt ein System von zentralen Werten – darunter gehören Freiheit, Gerechtigkeit und Versöhnung –, das dem Menschen eine Orientierung im Leben erst möglich macht.

Im wissenschaftlichen Zeitalter muß die Religion einen Teil ihrer früheren Funktionen an die Wissenschaft abtreten. Sie ist heute aufgerufen, vor allem in ungebrochener Weise eine Wächterin über das Gewissen der Menschen zu bleiben. Ihre Rolle als völkerverbindende Kraft kann ihr keine Ideologie abnehmen. Vom interreligiösen Frieden hängt wesentlich der Friede unter den Nationen ab. Der Glaube am Ende der Neuzeit hat viele Möglichkeiten, zur Lösung der Weltprobleme beizutragen, den Hunger in der Dritten Welt zu bekämpfen und den Ungerechtigkeiten in aller Welt auf den Leib zu rücken. Die verdichteten interreligiösen Kontakte – Dialoge, gemeinsame Gebete und ein verstärkter Erfahrungsaustausch – signalisieren eine Versöhnung, die bereits im Gange ist. Es bleibt noch mehr zu tun.

Zum Religionsunterricht an staatlicher Schule

Vom Gegensatz staatlichen Curriculums und islamischer Glaubensunterweisung

Die Glaubensunterweisung im Islam ist schon in ihrem theoretischen Ansatz autoritär, weil sie eine Lehre vermittelt, deren Wahrheitsgehalt sich auf die göttliche Autorität stützt. Der sichtbare Ausdruck dieser Autorität ist bekanntlich für die Religion die Offenbarung.

Die patriarchalische Struktur der islamischen Gesellschaften bringt es mit sich, daß ihre Glaubensunterweisung ebenso autoritär ist, mag sie auch in der Regel die innere Überzeugungskraft anstreben. Ein unreflektierter Glaube (*taqlîdî îmân*) ist nicht vollwertig. Die meisten Interpretationsschulen des Islam gehen von der Annahme aus, daß die Glaubensinhalte dem gesunden Verstand nicht widersprechen dürfen. Muhammad wird der Spruch zugeschrieben *Ad-Dînu 'aqlun* (zu deutsch: *Die Religion ist Vernunft*). Dennoch sind die Forderungen des Islam nicht selten nur aufgrund der äußeren Machtverhältnisse durchsetzbar. Der ursprünglich auf der inneren und persönlichen Überzeugung beruhende Autoritätsanspruch ist inzwischen zu einem erheblichen Teil der Macht der Gesellschaftsnorm und dem sozialen Druck ausgeliefert worden.

Als Sachverwalter des Islam verstehen sich bei den Muslimen meist ihre jeweiligen Herrscher. Ihnen gebührt aufgrund qur'anischer Anweisungen die volle Loyalität, ja der Gehorsam der Beherrschten. An dieser Abhängigkeit ist so manche Eigeninitiative in der islamischen Welt jäh ins Wasser gefallen. In solchen Gesellschaftsstrukturen konnte sich ein freies, auf Erfahrungen des veränderten Alltags aufbauendes und folglich progressives Erziehungswesen kaum entfalten. Der Autoritätsglaube, begünstigt durch die konservative Mentalität der Massen, drückte ihm unaufhörlich den Stempel einer regelrechten Kontraproduktivität auf. Besonders schwerwiegend ist es, daß sich dieses System bis auf den heutigen Tag erhalten hat und daß ihm die einfachen Gläubigen nahezu einen sakralen Charakter zuschreiben. Unter diesen Umständen ist ein Spannungsverhältnis zwischen Erziehungserwartungen von Muslimen und dem bundesdeutschen Curriculum naheliegend. Je mehr sich allerdings die religiöse Unterweisung auf die Vermittlung von rein theologischen und ethischen Inhalten beschränkt, desto kleiner ist die Wahrscheinlichkeit einer direkten Konfrontation.

Ein kurzer Diskurs über die beiderseitigen Erziehungs- und Bildungsziele mag die Ausgangspositionen abstecken.

Die Schule in einer demokratischen Gesellschaft des Westens hat die Aufgabe, „an der Entwicklung der Anlagen der Jugend nach den sittlichen, religiösen und sozialen Werten sowie nach den Werten des Wahren, Guten und Schönen durch einen ihrer Entwicklungsstufe und ihrem Bildungsweg entsprechenden Unterricht mitzuwirken. Sie hat die Jugend mit dem für das Leben und den künftigen Beruf erforderlichen Wissen und Können auszustatten und zum selbständigen Bildungserwerb zu erziehen“[1].

Nach dem Wortlaut des „Zielparagraphen“ des österreichischen Religionsunterrichtsgesetzes sollen die jungen Menschen „zu selbständigem Urteil und sozialem Verhalten geführt, dem politischen und weltanschaulichen Denken anderer aufgeschlossen sowie befähigt werden, am Wirtschafts- und Kulturleben Österreichs, Europas und der Welt Anteil zu nehmen und in Freiheit- und Friedensliebe an den gemeinsamen Aufgaben der Menschheit mitzuwirken“[2].

Schon ein flüchtiger Blick auf die islamische Glaubensunterweisung in den Qur'an-Kursen in der Bundesrepublik läßt den Verdacht aufkommen, daß diese Unterweisung in einem antagonistischen Verhältnis zu bundesdeutschen Erziehungsprinzipien und Methoden steht.

Da der Religionsunterricht in der Bundesrepublik, mit Ausnahme Berlins und Bremens, – im Gegensatz zu etwa Österreich – inhaltlich und methodisch nicht in die freie Gestaltung der Religionsgemeinschaft gestellt ist, sondern der Aufsicht und der Überprüfung durch die zuständigen Landesministerien für Unterricht unterliegt, und da ferner das öffentliche Schulwesen in der Bundesrepublik dem Sinne der Gesetze gemäß christlich orientiert sein muß, liegt es auf der Hand, daß die islamische Glaubensunterweisung der Rechtslage nach eine Spannung zu gewärtigen hat. Für die Andersgläubigen beruhigend ist es jedoch, daß nach einer im Jahre 1975[3] vom Bundesverfassungsgericht getroffenen verbindlichen Auslegung der respektiven Gesetze die christliche Grundorientierung des öffentlichen Schulwesens nicht als missionarischer Auftrag und als Anspruch auf Verbindlichkeit der christlichen Weltsicht verstanden werden darf, weil so ein Verständnis dem Toleranz- und Neutralitätsgrundsatz des Grundgesetzes widersprechen würde[4].

---

1 Hier wird der sogenannte „Zielparagraph“ des Österreichischen Schulorganisationsgesetzes zitiert.

2 Hugo Schwendenwein, Religion in der Schule. Graz – Wien – Köln 1980, 117.

3 Vgl. N. Rixius: Synopse rechtlicher Regelungen zum Religionsunterricht, in: Rahmenbedingungen und Materialien zur religiösen Unterweisung für Schüler islamischen Glaubens. Berlin 1987, 19.

4 Ebd. 20.

„Die staatliche Schulaufsicht ist daher gehalten“, folgert daraus *Norbert Rixius,* „dem entgegenstehende Inhalte aus dem Unterricht auszugrenzen. Dies gilt nicht für vorhandene Unterrichtsinhalte und Richtlinien, sondern ggf. auch für eine islamische Unterweisung bzw. einen islamischen Religionsunterricht unter staatlicher Schulaufsicht“[5].

Hans-Peter Füssel und *Tilman Nagel* haben in einer gemeinsam erstellten Studie über den islamischen Religionsunterricht und das Grundgesetz auf die dem Grundgesetz und somit auch dem staatlichen Curriculum entgegenstehenden Inhalte der Scharī'a, d. h. des Gesamtkorpus der islamischen Lebensregeln, hingewiesen[6]. Ihre, im übrigen nicht immer ganz zutreffenden Ausführungen, wie jene, daß einem im Ausland lebenden Muslim erlaubt sei, mit Wein oder Schweinen Handel zu treiben, ergeben zunächst das Bild einer scharfen Gegensätzlichkeit von gezielt ausgesuchten islamischen Lehrinhalten zu der Werteordnung des Grundgesetzes. Die Autoren übergehen dabei nicht die Frage, die sich damit im Zusammenhang zwangsweise aufdrängt, nämlich die Frage, ob in einer ähnlichen Gegensätzlichkeit zum Grundgesetz und somit auch zum Curriculum gewisse Lehrinhalte der hebräischen Bibel, die ein Teil des christlichen Religionsunterrichts sind, stehen. Beide müßten nach ihrer Verfassungsmäßigkeit hinterfragt werden. Die Parallelität sei jedoch nach der Meinung der beiden Autoren nur vordergründig, so daß eine Gleichgewichtung nicht zu Recht bestände. *Füssel* und *Nagel* gehen in ihren Betrachtungen von einem rigoristischen, allumfassenden und zum Teil regressiven Islam aus, um den Widerspruch seiner Lehren zur Werteordnung des Grundgesetzes deutlich zu machen. Ihre Analyse lehnt sich allzu eng an die althergebrachten Meinungen von traditionalistischen Rechtsgelehrten und an ihr Scharī'a-Verständnis an. Daher wirkt sie distanziert, kabinettwissenschaftlich und wenig inventiv, wenn es gilt, die Perspektiven zur Überwindung der bestehenden Spannung theologisch fundiert aufzuzeigen. Wenn man vom Verhältnis der islamischen Glaubensunterweisung zum staatlichen Curriculum an den bundesdeutschen Schulen spricht, muß man m. E. vom institutionalisierten Real-Islam jener Länder ausgehen, die die erdrückende Mehrheit der muslimischen Mitbürger erstellt haben. Das sind die Türkei und die Balkanstaaten. In diesen Ländern ist das sogenannte islamische Strafsystem, das den eigentlichen Widerspruch und die Spannung hervorruft, nicht gültig und somit auch für die bundesdeutsche Islam-Szene ohne jegliche realpolitische Relevanz.

---

5 Ebd.

6 Erschienen in: „Rahmenbedingungen und Materialien zur religiösen Unterweisung für Schüler islamischen Glaubens“. Berlin 1987, 39-51.

Trotz aller gegenwärtig in einem Teil der islamischen Welt laufenden Restaurierungsversuche der Scharī'a in ihrem Gesamtumfang, darunter auch in jenen Bereichen, die das Strafrecht und die gesellschaftliche Stellung der Frau regulieren, bleibt die Tatsache bestehen, daß der Islam gerade durch das Überhandnehmen des alttestamentlichen (semitischen) und des antiken arabischen Rechtsgutes in seinem Lebenssystem – und das ist der Fall bei der Revitalisierung der erwähnten Teilbereiche der konventionellen Scharī'a! – der originären islamischen Substanz verlustig wird.

Der Islam in der Europäischen Schule

– dargestellt nach dem österreichischen und dem bosnischen Beispiel –

Österreich

Nicht anders als in den übrigen westlichen Ländern beruht das im österreichischen Schulbuch vermittelte Islambild weitgehend auf der Grundlage alter abendländischer Klischeevorstellungen von Muhammad (571–632) und seiner Lehre.

Im Mittelpunkt dieses Bildes steht die Person des Religionsverkünders, wodurch vom Ansatz her der Islam zum Muhammedanismus stilisiert wird. Der „letzte Prophet" in der Optik der Muslime gilt für die Schulbuchautoren als Stifter oder Begründer des Islam. Seine grüblerische Natur und die Bekanntschaft mit verschiedenen Religionen, denen er bei seinen weiten Geschäftsreisen begegnet sei, hätten schließlich in ihm das Gefühl entstehen lassen, zur „Verkündigung einer neuen Eingottlehre berufen" zu sein. Daß der Islam keine neue Eingottlehre ist und daß in dieser Lehre Muhammad nicht die alleinige Lehrautorität zukommt, scheinen die österreichischen Textautoren überhaupt nicht zu wissen. Unter Verkennung des vierten Artikels des islamischen Credos, der alle biblischen Glaubensboten in die Glaubenswelt der Muslime einbezieht, heißt es z. B. in einem Geschichtsbuch für die 2. Klasse der höheren allgemeinbildenden Schulen, daß ein frommer Muslim lediglich „an Allah und seinen Propheten Muhammed glauben" muß. In einem anderen Unterrichtsbuch für denselben Schultyp und für die Hauptschule ist zu lesen, daß die Lehre Muhammads heidnische, jüdische und christliche Elemente enthalte. Der Verfasser dieses Buches ist auch der Meinung, daß der Islam keine neue Religion im Sinne der islamischen Religionsgenese sei, sondern eine literarische Konstruktion aus bereits vorhandenen Elementen: „Heidnischen Ursprungs ist z. B. der Glaube, daß alles vorherbestimmt ist: *Kismet* (= Schicksalsglaube). Jüdischen bzw. christlichen Ursprungs ist der Glaube an einen einzigen Gott sowie die Verehrung von Abraham und Jesus als Propheten." Es ist Karl May'sche Kenntnis des Islam, die in diesen Feststellungen zum Ausdruck kommt. *Kismet* im Sinne des Fatums ist kein islamischer, sondern ein orientalischer (türkischer) Begriff. Das Wort kismet (*qisma*) kommt zwar einmal im Qur'an vor, doch mit einer völlig anderen Bedeutung, nämlich als arabische Entsprechung für das deutsche Wort *Auftei-lung* (etwa des Nachlasses)[1].

Im allgemeinen sind die Islamkenntnisse der Geschichtsschreiber, die im österreichischen Schulbuch zu Wort kommen, schwach. Um die Schüler zu einem gerechteren und komparativen Denken anzuregen, neigen sie dazu, das Gemeinsame unter den im Land gegenwärtigen Religionen herauszustreichen, wobei eine gewisse Hilflosigkeit zum Ausdruck kommt. Muß in aufklärerischer Weise eine negative Erscheinung im religiösen Verhalten aufgezeigt werden, so versucht der Autor gelegentlich, sie durch Hinweis auf eine ähnliche Haltung beim Gegenspieler zu relativieren. So steht dem Sündenerlaß, den Papst Urban II. (1035–1099) allen gläubigen Christen, „die gegen die Heiden die Waffen nehmen" und sich am Kreuzzug gegen die Muslime beteiligen, erteilt hat, die angebliche Verpflichtung der Muslime, „den Glauben mit allen Mitteln zu verbreiten" gegenüber. „All jenen", heißt es im Geschichtsbuch, „die im Kampf gegen die Ungläubigen fallen sollten, versprach er (Muhammad) höchsten Lohn im Paradies".

Aus einem solchen Islamverständnis wächst freilich eine ganze Reihe weiterer Irrtümer und Fehlannahmen. Über die Grundmaxime des Qur'an „Es gibt keinen Zwang im Glauben!" (2:256) wird glatt hinweggegangen. Wenn sie auch hie und da erwähnt wird, dann mit einem Kommentar verbunden wie: „Allerdings galt das nur für Christen und Juden. denn sie besaßen auch den Glauben an einen Gott." Nirgends steht aber, daß der Islam das Judentum und das Christentum (Qur'an 5:69) im Prinzip akzeptiert und die übrigen Glaubensbekenntnisse toleriert (109:6). Sehr fördernd für den Abbau von Feindbildern – und darauf legen offenkundig alle österreichischen Schulbücher großen Wert – wäre es z. B. anzuführen, daß das Motiv der berühmten Ringparabel im dramatischen Gedicht „Nathan der Weise" des großen deutschen Aufklärers und Dichters Gotthold Ephraim Lessing (1729–1791) qur'anischer Herkunft ist – gestützt auf die Sure 5 (Tafel) Vers 49. Aber wer von den österreichischen Didaktikern weiß das überhaupt?

Im großen und ganzen gesehen enthalten die islambezogenen Texte des österreichischen Schulbuchs trotz des sichtbaren Bemühens der Autoren um Sachlichkeit eine Reihe von schwerwiegenden Sach-, Übersetzungs- und Interpretationsfehlern. So ist für den einen Autor Muhammad ein federgewandter Literat, der die Offenbarungsfragmente, die er vom Erzengel Gabriel übermittelt bekommt, sofort niederschreibe und für den anderen Text-

1 Vgl. den Sachartikel Kisma in der Encyclopaedia of Islam, new edition. Bd. 5. Leiden 1986. S. 184.

buchautor ein Kaufmann, der seine Religionskenntnisse auf Geschäftsreisen zusammenklaube, um sie später zu einem eigenen Lehrsystem zusammenzustellen.

Die Anhänger des Islam werden vorwiegend *Muhammedaner* genannt, obwohl es sich bereits zu dieser Zeit der Abfassung der Texte – um etwa 1980 – weit und breit herumgesprochen hat, daß dieser Name seinem Begriffsinhalt nicht angemessen ist und dem Selbstverständnis des Islam widerspricht.

Ein Schlüsselereignis in der Geschichte des Islam – Muhammads Auszug aus Mekka nach Yathrib, dem heutigen Medina, im Jahre 622 – wird in nahezu allen Geschichtsbüchern für den Unterricht als „Flucht" bezeichnet. Die Flucht ist ja ein meist nicht geplanter Ausbruch aus einer bedrohlichen Situation. Das war Muhammads Auszug aus Mekka nicht. Er war vielmehr ein generalstabsmäßig gut vorbereiteter strategischer Zug, mit dem der Aufstieg des Islam beginnen sollte. *Hidschra*, das Fachwort dafür, bedeutet im Arabischen die Aufgabe eines unergiebigen Postens (um wohl einen ergiebigeren zu beziehen). Mit der *Hidschra* beginnt folglich die islamische Zeitrechnung, denn sie war ein großes Zeichen der Hoffnung.

Ein Autor unterstellt Muhammad den Glauben an die vielen Götter Arabiens – ähnlich Salman Rushdi, der die Zahl auf zwei Göttinnen reduziert; erst die Bekanntschaft mit den Glaubensbüchern der Juden und Christen bewirkt das Schwinden seines früheren Glaubens.

Aus der Vielfalt der von mir gesichteten Sachfehler seien einige angeführt: Die *Ka'ba*, bekanntlich ein schwarz verkleideter würfelartiger Bau, wird als Meteorit beschrieben. Das, was mit dem Wort gemeint ist – der „schwarze Stein" –, macht aber lediglich einen Teil des Bodens einer Wandvertiefung in der *Ka'ba* aus.

Die Fahne des Propheten war nicht, wie in diesen Schulbüchern zu lesen ist, grün, sondern schwarz. Nicht Medina heißt nach der *Hidschra* „Stadt des Propheten", sondern Yathrib. Medina ist *nomen regens* im Status constructus Madinat an-Nabiyy („Die Stadt des Propheten").

Eine Überlieferung (*Ḥadīṯ*) über Muhammads erstem Offenbarungserlebnis wird als Qur'antext ausgegeben. Den Begriff Dschihad (*ǧihād*) verstehen fast alle Autoren als „heiligen Krieg" und projizieren dadurch das althebräische (biblische) Denken in den Islam hinein. Dieses Denken ist allerdings in manchen anderen Zusammenhängen dem Islam nicht fremd. Dschihad ist primär eine erhöhte Kraftanstrengung, um zugunsten der Gemeinschaft oder der eigenen moralischen Integrität ein ethisch vertretbares Ziel zu erreichen. Es kann sich dabei zwar auch um Glaubensideale, jedoch niemals etwa um Zwangsbekehrungen zum Islam handeln.

Wie häufig im abendländischen Islambild, werden im österreichischen Schulbuch zwei voneinander verschiedene Prozesse miteinander vermengt: die Ausbreitung eines muslimisch geprägten Staates und die Verbreitung des Islam. Beim Prozeß der militärischen Expansion hat es allerdings auch einen Mißbrauch des Dschihad gegeben, wie es auch einen solchen in dem stark ideologisierten und politisierten Islam von heute gibt. Zu Schlagworten und Namen von Terrororganisationen sind die Termini *Dschihad, Takfir* (Exkommunikation) und *Hidschra* (im Sinne eines Exodus aus der „ungläubigen Gesellschaft") geworden. Als verzeihlich kann noch angesehen werden, wenn die islamische Weltgemeinschaft von einigen Autoren für „Kirche" gehalten wird. Weniger tolerierbar sind aber willkürliche Umstellungen von Versen in qur'anischen Texten, wie dies in einem Geschichtsbuch für die 2. Klasse der Hauptschulen mit der Sure 61 geschehen ist. Die Sure ist überdies falsch mit „Die Schlachtordnung" statt – wie es richtig wäre – mit „Reih und Glied" betitelt worden.

Gegenüberstellungen von biblischen und qur'anischen Aussagen sind manchmal unfair bis böswillig, wie im folgenden Fall:

„Die griechische Bibel: ‚Darum geht hin und machet alle Völker zu Jüngern und taufet sie auf den Namen des Vaters und des Sohnes und des Heiligen Geistes, und lehret sie alles halten, was ich euch aufgetragen habe.' (Matthäus 28:19/20)."

„Der Qur'an: ‚Euch ist vorgeschrieben, gegen die Ungläubigen zu kämpfen, obwohl es euch zuwider ist' (2. Sure, die Nummer des Verses ist nicht angegeben)."

Auf Grund des so zitierten Verses bekommt der Schüler den Eindruck, daß der Islam seinen Gläubigen sogar Dinge vorschreibt, die ihnen von Natur aus widerwärtig sind. Als eine faire Gegenüberstellung zum zitierten Text aus dem Matthäus-Evangelium hätte der Muslim den sonst vielzitierten qur'anischen Dialog-Vers erwartet, der da lautet:

„Rufe auf zum Weg deines Herrn mit Weisheit und freundlicher Ermahnung und disputiere mit ihnen auf denkbar nette Art!" (16:125)

Zum Zwecke der Gegenüberstellung von religiösen Zentralaussagen wird übrigens neben dem Qur'an oft nur die griechische Bibel herangezogen. Die hebräische Bibel, die ja auch im Christentum von religiöser Relevanz ist, bleibt hingegen in der Regel außer Acht.

Der Qur'an wird zuweilen völlig falsch zitiert. So wird ihm auf Grund eines Verses in der 4. Sure der Gedanke imputiert, der Ehemann habe das Recht, die eigene Gattin im Falle, daß er ihre Widerspenstigkeit befürchtet, einzusperren. In Wirklichkeit spricht der Qur'an in diesem Vers (4:35) von drei Alternativlösungen der Ehekonflikte, von denen die optimalste im dialektischen Vorgang der Ermahnung angesiedelt ist. Die zweite ist das

Meiden der „Widerspenstigen“ im Ehebett (nicht das „Sperren in ihre Gemächer“) und die dritte das Züchtigen durch den Ehemann. Die beiden letztgenannten Konfliktlösungen hören sich heute furchtbar rückständig an, auch wenn sie aus der modernen Lebenswirklichkeit nicht ganz verschwunden sind. Die qur'anischen Überlegungen gründen ganz eindeutig im Zustand der damaligen arabischen Gesellschaft. Einen rein indikativen Charakter hat der einleitende Satz des Verses: „Männer sind Beschützer der Frauen, indem Gott die einen vor den anderen mit Vorzügen ausgestattet hat und indem diese jene erhalten.“ Der Textbuchautor übersetzt den Satz normativ: „Männer sollen vor Frauen bevorzugt werden (weil sie für diese verantwortlich sind), weil Allah auch die einen vor den anderen mit Vorzügen begabte und auch weil jene diese erhalten“.

Der unbedachte Umgang mit Texten, besonders wenn diese, wie hier, auf dem Hintergrund alter Voreingenommenheiten ausgesucht worden sind, kann eher zur Desintegrierung als zur Zusammenführung der Gesellschaft führen, was doch ein wichtiges Anliegen der europäischen Schulpolitik ist.

Zur Zeit des Niederschreibens der hier analysierten Lehrbücher war in Österreich das Kopftuchtragen muslimischer Mädchen noch kein Thema. Daher findet sich in den Texten auch kein Bezug darauf. Dafür werden aber die politischen Ereignisse in der Welt des Islam vielfach mit der Religion in Verbindung gebracht: von Türkenkriegen bis zur Errichtung des Staates Israel auf dem palästinensischen Boden und der „Islamischen Revolution“ im Iran. Die Tendenz, alle Ereignisse in muslimischen Ländern mit dem Islam als der überragenden, manchmal auch der einzigen, Steuerungskraft zu erklären, ist zum Nachteil der Wahrheitsermittlung stark vertreten. Freilich tragen dazu auch viele politisch und sozial interessierte Muslime, die den Islam dauernd im Mund führen, bei.

Österreich: Islamischer Religionsunterricht in der Schule

Der islamische Religionsunterricht in der Schule wird von der seit 1979 bestehenden gesetzlich anerkannten Islamischen Gemeinschaft organisiert und beaufsichtigt. Sie sorgt für die Herstellung von Lehrbüchern und bestellt das Lehrpersonal. Beide werden vom österreichischen Staat finanziert.

Das didaktische Bild der Lehrbücher und des Lehrbetriebes – beide ohne Tradition im mitteleuropäischen Kulturkreis – sind mit Zügen einer Improvisierung behaftet. Als Bildungsziel gilt die „Verständlichmachung der islamischen religiösen und sittlichen Werte“. Gelehrt werden u. a. Glaubensartikel, Gebote, Verbote, das Gebetsritual, die Morallehre und die islamische Gesellschafts- und Staatsordnung. Ein tieferes Eingehen auf die Entstehungsgeschichte der einzelnen Lehrsätze und Bestimmungen ist nach dem Lehrplan nicht vorgesehen. Angestrebt wird vielmehr eine „voluntaristische Festigung“ der emotionalen und traditionellen Religiosität, was theoretisch eine Absage an den politischen Islam bedeutet.

Die im Lehrplan namentlich angeführten Unterrichtseinheiten und die darin vorkommenden „Bemerkungen zum didaktischen Aufbau“ lassen nicht erkennen, aus welchen Grundvorstellungen sich die islamischen Begriffe von Gott, Natur, Mensch und Religion ableiten. Alle an die Schüler und Schülerinnen zu vermittelnden Lehrinhalte haben nach dem Wortlaut des in allen mir zugänglichen Lehrbüchern abgedruckten gleichlautenden Vorworts der Glaubensgemeinschaft nach Möglichkeit die Ratio und die Tradition zusammen als dialektische Stütze aufzuweisen. Kommt es zwischen der Ratio und der Tradition zu einem Widerspruch, so ist der letzteren Vorzug zu geben. Hier entsteht dann freilich eine Reibungsfläche zwischen dem islamischen Religionsunterricht in Österreich und den Erfordernissen des modernen, weitgehend auf dem autonomen Denken des Menschen begründeten Leben.

Während die ersten von der Glaubensgemeinschaft herausgegebenen Lehrbücher in Sprache und Inhalt stark von der Tradition geprägt sind, ist in neueren Ausgaben eine gewisse Öffnung und Angleichung an das Umfeld festzustellen. Die Gemeinschaft will nicht mehr „deutsche Varianten der traditionellen Lehrbücher des islamischen Orients“ in den österreichischen Schulen gebrauchen. Das wird in einem im Jahre 1993 erschienenen Religionsbuch für die 3. und 4. Schulstufe offenbar eingeräumt[2]. Die Sprache dieses Buches hat z. B. stellenweise einen christlichen Klang: Darin ist von „liturgischen Texten“ des Islam die Rede. Das zentrale Kapitel „Allah“ wird mit einem in folgender Weise übersetzten Vers der 20. Sure eingeleitet: „Siehe, ich bin Allah. Es gibt keinen Gott außer mir, darum diene mir und verrichte das Gebet zu meinem Gedenken.“ Wer denkt nicht beim Vernehmen der beiden letzten Worte in diesem Text an den Gipfel der Eucharistie in der Kirche? Die gut islamische vollständige Übersetzung des letzten Satzes in diesem Vers wäre: „Darum diene mir und verrichte, meiner (in Ehrfurcht) gedenkend, das Gebet!“

Trotz all diesem Bemühen um die Akkulturation werden die Sprach- und Denkweise der Textbuchverfasser dem im rein österreichischen Kulturmilieu aufgewachsenen Schüler nicht ganz „heimelig“ vorkommen. Da-

---

2 Nebi Uysal: Islam in meinem Leben. Bearbeitet von Anas Schakfeh. Wien 1993, S. (X).

für sorgt schon alleine die ständige Verwendung des Namens *Allāh* für Gott, der ja auch nach dem Qur'ān derselbe ist wie bei den Juden und Christen[3].

Bedauerlicherweise wird der Islam in Österreich – wohl ungewollt und widerstrebend – auf eine „Gastarbeiter-Dimension" reduziert. Das kommt auch in diesem Religionslehrbuch zum Ausdruck: Sein letztes Kapitel ist mit „Heimatliebe" betitelt. Es enthält neben Illustrationen folgenden Text: „Der Muslim liebt seine Heimat und seine Familie. Unser Prophet sagt: ‚Heimatliebe ist mit dem Glauben verbunden.'" Im Kommentar dazu heißt es dann: „Hasan lebt hier in Österreich. Er liebt dieses Land sehr, aber er vergißt seine *Heimat* (im Text fett gedruckt!) nicht. Unsere Religion gebietet uns die Heimatliebe"[4].

Bosnien: Allgemeine Fächer

Aussagen über den Islam begegnet man in bosnischen Schulbüchern hauptsächlich dann, wenn sie die Geschichte und die Literatur behandeln. Die Autoren der Schulbücher gehören überwiegend der im Lande lebenden, wenn auch stark verblassenden islamischen Tradition an. Sie selbst verstehen sich in keinem einzigen Fall als *Muslime*, wie sie und ihr Volk in den Massenmedien in aller Welt präsentiert werden. In allen Schulbüchern ist als Volksname der Mehrheitsbevölkerung ausschließlich das Wort *Bosniaken* zu finden.

Beim Sichten des gegenständlichen Unterrichtsmaterials ist die Tendenz erkennbar, bei den Schülern und Schülerinnen das Verständnis und die Sympathie für ein multireligiöses und multikulturelles Leben zu wekken. Bei der Aufnahme von Probetextstellen aus heiligen Schriften in die schulischen Lesebücher ist man offenkundig nach einem Proporzschlüssel vorgegangen: Da die Mehrheitsbevölkerung muslimisch ist, so ist der Qur'an umfangmäßig stärker vertreten als die griechische und die hebräische Bibel.

Im Unterschied zu den Lehrbüchern des muslimischen Orientes ist im bosnischen Schulbuch, außer jenem, das in der Medrese – dem Theologieseminar – Verwendung findet, bei Erwähnung von religiösen Größen die übliche Eulogie wie „Gottes Friede sei mit ihm!" und Ähnliches nicht anzu-

---

3 Vgl. die Sure 29:46.

4 N. Uysal, a.a.O., S. 187.
Mehr über den Islamischen Religionsunterricht in meinem Buch: Der Islam – europakonform? Altenberge. Würzburg 1994. S. 137–146.

treffen. Die Darstellungsweise des Entstehungshergangs der Religionen ist eher positivistisch als religionsgebunden. Wenn es z. B. in einem Lehrbuch für Geschichte heißt, Muhammad habe häufig Handelskarawanen begleitet und so den größten Teil der Arabischen Halbinsel kennengelernt[5], so kann das auch auf den Widerspruch eines religiös empfindlichen Muslims stoßen.

Von den zwei Dutzend bosnischen Schulbüchern, die mir bei der Analyse zur Verfügung standen, habe ich – wie bereits angeführt – islambezogene Texte vornehmlich in Geschichts- und Lesebüchern höherer Stufen der achtjährigen Grundschulen und Gymnasien gefunden. Doch Tatsachen, Ereignisse und Geistig-Schaffende aus der islamischen Kulturgeschichte kommen auch in anderen Fächern, mit Ausnahme der physikalischen Geographie, der Naturwissenschaft und der Informatik, vor.

Als Beispiel sei die in zwei Büchern gegliederte Darstellung der bildenden Kunst von Zeljko Filipovic angeführt[6]. Hier kann man Namen zahlreicher Maler, Bildhauer, Graphiker und anderer Künstler islamischen Glaubens begegnen, die in dieser Fülle wohl kaum in einem islamischen Land vorkommen. Einen islamischen Einschlag findet man selbst in der Soziologie. Besonderer Beachtung der Autoren erfreuen sich hier der berühmte arabisch-berberische Denker Ibn Ḫaldūn (132–1406) und der Bosniake Hasan Kāfi Prusčak (1564–1616), der „bosnische Machiavelli", wie ihn Ludwig Thallóczy nennt.

Ibn Ḫaldūn ist Begründer einer neuen Lehre, deren Gegenstand die „Erkenntnis der Formen, der Gesetzlichkeit und der Entwicklung der menschlichen Gesellschaft" ist. Er hat diese Lehre „Wissenschaft der Kultur" (*'ilm al-'umran*) genannt. Den zentralen Platz darin nimmt eine Theorie sozialer Dynamik ein. Diese Dynamik äußere sich in einem „kontinuierlichen Zyklus von Wachstum, Stillstand und Verfall als dem Wesen aller menschlichen Geschichte"[7]. Der Gelehrte ging den inneren Ursachen des Niedergangs der arabisch-islamischen Kultur nach. Seine Kritik des statischen Wahrheitsbegriffes und des arabischen Konservatismus hat ihm den Vorwurf der Araberfeindlichkeit eingebracht. Ähnlich wie bei Ibn Ḫaldūn lehnte sich auch Hasan Prusčak gegen das Establishment auf; er war aber in erster Linie ein Moralist.

---

5 Enes Pelidija. Fahrudin Isakovic: Historija. 6. razred osnovne skole. 1. izdanje. Sarajevo 1994. S. 23.

6 Z. Filipovic: Likovna kultura. 5. i 6. razred osnovne skole. Sarajevo 1994: derselbe: Likovna kultura. 7. i 8. razred osnovne skole. Sarajevo 1994.

7 Stephan und Nandy Ronart: Lexikon der Arabischen Welt. (Überarb. Ausg.) Zürich, München 1972, S. 471/472.

Die Lesebücher für Gymnasien sind an Kostproben aus der Weltliteratur reich. Zum ersten Mal in der Geschichte dieser Schulen in Bosnien scheinen dort auch Texte von großen Schriftstellern der islamischen Welt auf. Selbst betont religiöse Dichter, hauptsächlich Mystiker, sind darunter – wie Ibn al-Fāriḍ (1182–1235), Sa'dī (1213–1292), 'Omar Ḫayyām (1030–1123), Rūmī (1207–1273) und Yūnus Emre (14. Jh.). Von den vielen einheimischen Lyrikern, Erzählern und Dramatikern, die mit Leseproben ihrer Werke im Unterrichtsmaterial vertreten sind, ragen durch gelegentliche islamisch-religiöse Besinnlichkeit hervor: Ḥusein Lāmekānī (gest. 1625), ein bosnischer Mystiker mit häretischen Neigungen, Musa Ćazim Ćatić (1878–1915), ein Dichter der Moderne[8], Meša Selimović (gest. 1982), Verfasser des zeitkritischen Romans „Der Derwisch und der Tod"[9], und Dževad Karahasan (geb. 1953). Das Werk gilt als „bedeutender Beitrag der sich in den letzten Jahren ausfächernden, auch islamisch inspirierten Literatur in Bosnien und setzt Zeichen nicht nur von einem ‚Land des Hasses' (Ivo Andrić), sondern von lebendiger Kulturvielfalt"[10].

Bosnien

Der Religionsunterricht in den bosnischen Grund- und höheren Schulen (Gymnasien) ist fakultativ. Den Eltern steht das Recht zu, ihre Kinder vom Religionsunterricht abzumelden. Ähnlich wie in Österreich ist die Durchführung des Religionsunterrichtes eine Sache der zuständigen Religionsgemeinschaft. Im Unterschied zu Österreich aber bekommen die Kirchen und die Glaubensgemeinschaften für die Drucklegung der benötigten Lehrbücher keinerlei staatliche Zuschüsse. Durch die gegenwärtigen kriegerischen Ereignisse ist die Islamische Glaubensgemeinschaft noch ärmer geworden als sie es in der kommunistischen Zeit war. Bei der Gestaltung

---

8 Proben seiner religiösen Dichtung in deutscher Übersetzung enthält das von mir herausgegebene Büchlein *Muhammed's Geburt*. Wien 1964.

9 Dieser Roman – bosnisch: Derviš i smrt – hat eine stark fühlbare religiös-besinnliche Dimension. Er geht in islamisch-mystischer Manier den tiefsten Daseinsproblemen nach. Besondere Aufmerksamkeit des Schriftstellers gilt dem Spannungsverhältnis Macht und Moral. Die deutsche Übersetzung des Romans erschien 1972 in Salzburg im Verlag Otto Müller.

10 Dževad Karahasan: Der östliche Divan. Übers. von Karin Becker. Klagenfurt 1993. (Das Zitat ist der Vorstellung durch den Verlag auf dem Schutzumschlag entnommen.) Andrić's historische Vorurteile und seine serbisch-nationalistische Voreingenommenheit sind kürzlich im Sammelband „Andrić i Bošnjaci" (Andrić und die Bosniaken) gründlich aufgedeckt worden.

des Religionsunterrichts muß daher häufig improvisiert werden. Anstelle von Lehrbüchern müssen zuweilen Scripta benutzt werden. Das didaktische Niveau des Unterrichtes hebt sich nicht wesentlich von jenem ab, das sich im Königreich Jugoslawien (1918–1941) eingespielt hatte.

Die Lehrpläne folgen dem damaligen Usus. An Lehrinhalten hat sich kaum etwas geändert, wenn auch in der Verteilung der Akzente und der Ausklammerung gewisser Rechtsbereiche (etwa in bezug auf die Bankzinsen oder die Behandlung der Frau) die Einwirkung der reformistischen Bestrebungen bosnischer Theologen sichtbar ist. Mehr über diese Bestrebungen in meinem Aufsatz *Bosnian Reformism*![11]

Während das in den Schulbüchern für allgemeine Fächer gebotene Islambild keinerlei mythologisch-magische, umso mehr aber mystische Züge aufweist, ist das Islambild der Religionslehrer weitgehend der allgemein verbreiteten orthodoxen Schablone angepaßt. In Geschichtsbüchern z. B. wird der zweite Glaubensartikel – jener, der den Glauben an die Engel verpflichtend macht – glatt übergangen; im Religionsbereich widmet man ihm anhaltend große Aufmerksamkeit. Auch in diesem Buch heißt der Schöpfer meist Gott (*Bog*), seltener *Allah*. Neu und ungewöhnlich ist die Einbeziehung nichthanafitischer Interpretationen in den Unterricht, allerdings nicht in der Hermeneutik (dem *fiqh*), sondern in der Morallehre und in der Philosophie. So kommen in einer Chrestomatie ethische Texte für die 2. Klasse der Medressen und anderer Mittelschulen Lehrautoritäten zu Wort wie Ibn Ḥazm al-Andalusī (994–1064), einer der Mitbegründer der zahiritischen (exoterischen) exegetischen Schule, der Hanbalit Ibn Qayyim al-Ǧawziyya (1292–1350), Ibn al-Muqaffaʿ (gest. 757), ein der Ketzerei beschuldigter und zum Tode verurteilter Schriftsteller persischer Herkunft, und Ibn Maskawayh (gest. 1030), der die ethische Philosophie Platos, Aristoteles' und Galens mit der islamischen Ethik versöhnt hat.

In der Folge der nahezu vierjährigen großserbischen Aggression häufen sich Versuche, die religiöse Identität der bosnischen Muslime auf diese oder jene Art zu unterminieren. Im Lande sind Akteure dieser Versuche gewisse arabische Hilfsorganisationen, die neben ihrer humanitären Tätigkeit noch Werbepropaganda für die eigenen Islaminterpretationen betreiben. So wird vielfach ein regressives Gedankengut ins Land eingeschleust. In den Moscheen taucht plötzlich ein neues, bis dahin unbekanntes Gebetsritual auf. Mittels eines aus dem Arabischen übersetzten, im Ausland gedruckten und durch diese Hilfsorganisationen eingeführten reichhaltigen religiösen Schrifttums entsteht zuweilen in Privatkreisen oder gar Moscheen ein außerschulischer Unterricht. Die Gefährlichkeit dieses Treibens

---

11 Erschienen in: TransState Islam (Washington, DC) 1/1995. Heft 2. S. 26–28.

kommt indessen den Bosniern langsam zum Bewußtsein. Sie ist aber in ihrem vollen Umfang noch nicht erkannt worden. Erst das Auftauchen von fremdem Gebetsritual hat die Islamische Glaubensgemeinschaft veranlaßt, in aller Form anzuordnen, in Bosnien nur die gewohnte, der Praxis der hanafitischen Rechtsschule angemessene Gebetsordnung einzuhalten. Ein kritisches Wort zu dem im Land kursierenden Schrifttum ist aber noch nicht angesagt[12].

Das Islambild des bosnischen Schulbuches unterscheidet sich von jenem im österreichischen Schulbuch durch eine stärkere Eingebundenheit in das gemeinsame monotheistische Glaubensspektrum und durch die Freiheit von Klischeevorstellungen. Es ist pädagogisch so angelegt, daß es bei den Schülern den Willen nach gegenseitigem Verständnis, nach Toleranz und nach zwischenmenschlicher Solidarität fördert. Das österreichische Schulbuch verfolgt zwar dasselbe Ziel, doch fehlen ihm, um ernstlich zu argumentieren, manchmal innere Einsichten in eine quasi nichteuropäische Religion. Es verkennt im besonderen die Universalität des Islam, aber auch die Tatsache, daß er, weltweit gesehen, verschiedene Facetten hat. Daran mag zum Teil auch der unvermeidliche Europazentrismus schuld sein. Gemeinsam dem österreichischen und dem bosnischen Schulbuch ist immerhin das Streben nach einem besseren Europa. Die bosnische Schulpolitik bekennt sich ganz eindeutig zu Menschenrechten, Demokratie und zu Europa.

---

12 Mehr zu diesem Thema in meinem Aufsatz „Die Vernichtung der landeseigenen Kultur durch den Feind und die Bedrohung des volkseigenen Geistes durch den Freund – zwei weniger beachtete Aspekte des Genozids in Bosnien". Der Aufsatz erschien 1996 in der von Ludwig Hagemann (Universität Mannheim) herausgegebenen Festschrift für Muhammad Salim Abdullah.

Bosnien: Paradigma eines europäischen Islam

Das allgemeine Bild

Die kontinuierliche Geschichte dieses Islam geht auf die Begegnung der Bosnier mit der osmanischen Militärmacht im 15. Jh. zurück. Ihr ging eine gewaltsam unterbrochene islamische Existenz in Teilen des ungarischen Königreiches, vorwiegend in Srijem, Nordostbosnien und Nordwestserbien, voraus. Sie währte vom beginnenden 8. bis zum ausgehenden 13. Jh. Länger als ein halbes Jahrtausend lebt die eigentliche bosnische Urbevölkerung im Islam der verhältnismäßig liberalen hanafitischen Interpretationsschule.

Anfangs war der bosnische Islam betont mystisch und wies darüber hinaus manche gnostische Züge auf. Darin bekundete sich der Charakter seiner Lehrmeister: Diese waren Mystiker und Frontkämpfer, die in ihrer religiösen Vorstellungswelt viele synkretistische Elemente mittrugen. Eine religiöse Exklusivität war ihnen in der Regel fremd. Sie verstanden sich als Sucher nach der göttlichen Wahrheit (*sālikūn fī sabīlillāh*). Muhammad wurde von Bosniern lediglich als ein Heiliger – ein neuer in der langen Kette der bereits vorhandenen – akzeptiert. Heute noch schwört der einfache bosnische Muslim: *Sveca mi moga Muhameda* (Bei meinem Heiligen, dem Muhammad!) Ähnlich wie die Bektaschi-Mystiker, die geistlichen Betreuer der Janitscharentruppe, sind die bosnischen Muslime eher lax denn rigoros in ihrer religiösen Praxis. Ihre Volksdichtung zeigt sie als weltoffene, fröhliche und dem Weingenuß nicht abgeneigte Menschen. Verwandtschaftliche Verbindungen mit den benachbarten Christen und Juden, wohl zunächst vornehmlich über die weibliche Linie, waren bei ihnen stets üblich. In diesem Jahrhundert gab es in den Städten bis zu 10 % Mischehen, wobei vereinzelt auch muslimische Frauen christliche Ehepartner hatten.

Vor ihrer Islamisierung waren die bosnischen Muslime (ihr nationaler Name ist Bosniaken!) vorwiegend Angehörige einer protestantisch anmutenden christlichen Sekte, die in der Wissenschaft unter dem Namen *Patarener* bekannt ist. Sie war mit den französischen Katharern und Albigensern verwandt. Ihr Christusbild war in etwa arianisch. Christus wurde als Gottes vornehmstes Geschöpf, überwiegend als Geist (*rūḥ*), empfunden. Das ergab eine Gemeinsamkeit mit dem Islam, zu der eine Reihe von weiteren gemeinsamen Lehrinhalten kamen.

Der von den beiden Großkirchen arg verfolgte Patarenismus, inkorrekterweise Bogomilentum genannt, sah im osmanischen Vorstoß gegen den Norden eine Chance, wenigstens etwas von seiner Wesensart zu retten. Er hatte sich bis dahin weitgehend auch als Wahrer der bosnischen staatlichen und kulturellen Eigenständigkeit verstanden. Die Gemeinsamkeit der Interessen in beiden Richtungen – religiös und staatlich – führte zu einem Zusammenschluß: Die Anhänger der „bosnischen Kirche" – ein anderer Name für die bosnische Häresie –, aber auch andere Bosniaken nahmen im 15. und 16. Jh. mehr oder weniger massenhaft den Islam an. Sie spielten fortan im Osmanischen Reich als Politiker (Wesire und Paschas), Militärs und Intellektuelle eine hervorragende Rolle. Ihr Heimatland Bosnien, worunter auch die Herzegowina als ihr südlicher, nach einem Lokalherzog benannter Teil zu verstehen ist, genoß bis 1831, als das kurzlebige selbständige *bosnische Eyalet* von den Truppen des Sultans zerschlagen wurde, eine weitreichende Autonomie.

Mit der österreichisch-ungarischen Okkupation ihres Landes im Jahre 1878 traten die Bosnier und somit auch die Muslime in einen engen Kontakt mit der westeuropäischen Kultur. Seither vollzog sich unter ihnen ein machtvoller Europäisierungsprozeß. Selbst das religiöse Denken wurde davon nicht unwesentlich erfaßt. Als wichtigste Reformer traten *Muhamed Nasih Pajić* (gest. 1918), *Mehmed Džemaludin Čaušević* (gest. 1938) und *Osman Nuri Hadžić* (gest. 1939) auf. Über ihre Person und ihre Bedeutung kann der interessierte Leser mehr aus meinem Buch „Das unbekannte Bosnien" (1992) erfahren.

Die Reflexion und die Kritik sind im bosnischen Islam stark gefragt. Zur Illustration hier zwei Beispiele aus der noch in der letzten Phase der kommunistischen Herrschaft in Ex-Jugoslawien betriebenen islamischen Publizistik:

Ein Imam mit Hochschulbildung, *Zijad Ljevaković*, äußert sein Unbehagen über die Tendenzen hin zu einer „Islamisierung der Wissenschaft" und schreibt: „Es gibt Bücher wie ‚Die Medizin im Qur'an', ‚Die Psychologie im Qur'an' und ähnliche. Sie erscheinen zu einer Zeit, in der sich die ganze islamische Welt mit Medikamenten westlicher Herkunft versorgen läßt. Beim Aufkommen von Krankheiten sucht man dort mit Vorzug nichtmuslimische Spitäler auf. Die gesamte medizinische Praxis ist auf fremden medizinischen Systemen aufgebaut. Dauernd redet man davon, alles sei schon im Qur'an vorhanden. Doch niemand findet sich, der imstande wäre, das angeblich Vorhandene in die Praxis umzusetzen. Zu behaupten, etwas sei im Qur'an verankert, was man in Europa erst durch viel Arbeit und Mühe erschlossen hat, ist unfair und zeugt von einer eigenartigen Verblendung"[1]

---

1 Organ der Islamischen Gemeinschaft in Bosnien „Preporod" (Sarajevo) vom 1. März 1991 (Nr. 492).

Eine andere scharfe kritische Stimme zu den Zuständen in der islamischen Welt (ihr Autor ist der bosnische Publizist *Amir Šehić*): „Wenn ich den Mißerfolg der heutigen Prediger des Islam Muhammads Erfolg gegenüberstelle, so wird mir klar, woher dieses Auseinanderklaffen. Unwillkürlich drängt sich mir die qur'anische Aussage auf (Vers 4:113), daß Muhammad neben der Offenbarung noch mit Weisheit und Wissen ausgestattet war. Was uns heute fehlt, um unseren Standort in der Welt zu finden und der neuentstandenen Situation angemessen zu handeln, sind eben die Weisheit und die Sachkenntnis“[2].

Allen Bosniern, ob Muslimen oder Christen, gilt der Schöpfer-Gott als *dragi Bog* („der liebe Gott“). So wird von ihm in der Umgangssprache gesprochen.

Genauso wie einst die Bosniaken als Angehörige der nach der Ankunft der Osmanen im Jahre 1463 vom Volk aufgegebenen ‚bosnischen Kirche‘ Jesus als ‚gutem Geist‘ Nachfolge geleistet haben, leben sie heute – als Muslime – vielfach in der *Imitatio Muhammadi.* Der muslimische Bosniake betet heute noch – wie seine Vorfahren einst – um das übersinnliche Brot, nicht um das alltägliche. Er versteht den Islam universalistisch, indem er die Offenbarung durch die ganze Geschichte – bis zum Religionsverkünder Muhammad – gehen sieht. Damit bekennt er sich zum gemeinsamen Ursprung allen Ein-Gott-Glaubens. Der Islam bedeutet für ihn eine Lebens- und Leidensbewältigung im Zeichen der Hingabe an Gott. Mit diesem Wollen begründet er seine religiöse Identität. Eine sinnbildliche Gebetsdeutung verhilft ihm, sich mit der zweiten islamischen Pflicht, den täglichen Pflichtgebeten, auseinanderzusetzen. „Stellt euch vor“, sprach der Prophet Muhammad, „an eurem Haus fließe ein kristallklarer Bach vorbei, in dem ihr fünfmal täglich badet. Wäre es möglich, daß dann an euren Körpern noch Schmutz bliebe?“ „Nein“, antworteten seine Gefährten, „das wäre undenkbar“. „So verhält es sich mit dem islamischen Gebet“, beendete Muhammad das Gespräch. Die muslimischen Bosnier sehen in den alltäglichen Gebetsabläufen in der Tat nur eine Möglichkeit der Herzensreinigung, benutzen sie aber nach Lust und Laune. Freiwillig – weil es im Glauben keinen Zwang geben darf (Qur'an 2:256).

Strenggläubig – unter Umständen scheinfromm – sind die Bosnier erst im Laufe ihrer vierjährigen Tragödie (1992–1995) geworden. *Xavier Bougarel*, ein guter Kenner des bosnischen Islam, war über die Äußerung eines frommen Bosniaken überrascht, als er ihm sagte: „Ich gehe jeden Tag in die Moschee außer am Freitag“. Verwundert fragte er ihn, warum gerade am Freitag nicht, wo doch das wöchentliche Kongregationsgebet an

2 *A. Šehić*, Interpretacija islama, in: Takvim (Sarajevo) 1975, 26.

diesem Tag abgehalten wird. „Am Freitag gehen heutzutage alle jene Leute, die scheingläubig sind. Ich finde es daher gottgefälliger, an diesem Tag zu Hause zu beten".

Die Religion sehen die Bosniaken heute als ihr wichtigstes und zuverlässigstes Refugium. Es halten sich unter ihnen – neben den bereits erwähnten Empfindungen des Sakralen – gewisse Verhaltensweisen, die auf die besondere historische Entwicklung in Bosnien zurückzuführen sind. Die Frauen spielen im religiösen Leben und in der Öffentlichkeit eine beachtliche Rolle. Zur Zeit gibt es z. B. drei muslimische Botschafterinnen im Ausland. Das Künstlerleben ist ohne die Beteiligung der Frau undenkbar. Es gibt namentlich einige Frauen- und Mädchenchöre, wie die *Arabeske* und *Behar* in Zagreb und das Mädchen-Ensemble *Gazi Husrewbeg* in Sarajevo, die bei religiösen Festen häufig auftreten. Die Polygamie ist in Bosnien unbekannt. Das Kopftuch-Tragen hat erst im Zuge der Revitalisierung des Islam, die seit etwa zwei Jahrzehnten zu beobachten ist, um sich zu greifen begonnen. Über den Charakter dieser Sitte herrschen allerdings verschiedene Meinungen.

Der bosnische Islam hat im Umgang mit Europa eine Erfahrung von mehr als 120 Jahren. Mehrere Reformtheologen – allen voran der *Re:îs ul-ulemâ* (arab. *ra'îs al-'ulamâ'*, d. h. der Präsident des Gelehrtenkollegiums, Oberhaupt der islamischen religiösen Gemeinschaft in Jugoslawien) *Džemaluddin Čaušević* (gest. 1938) und der ehemalige Kadi von Mostar *Osman Nuri Hadžić* (gest. 1937) – haben versucht, das Wesentliche und Echte aus der islamischen Lehre herauszufiltern. Eine Vergeistigung wurde eingeleitet, der schablonenhafte Ritualismus verdrängt. Gläubigkeit, Frömmigkeit und Lauterkeit des Herzens wurden neben dem Gewissen zu höchsten religiösen Werten. Das Unterrichtswesen in den *Mektebs* (arab. *maktab*, vorschulische Unterweisungskurse in Religion) und in den *Medressen* (arab. *madrasa*, höhere religiöse Bildungsanstalt) wurde modernisiert, der Hochschulbesuch für Mädchen erleichtert und die frommen Stiftungen *(awqâf*, Sg. *waqf*) den Prinzipien rationaler Bewirtschaftung unterworfen. Ein neues Lebensgefühl, erfüllt von Verantwortung und der Wertschätzung der Zeit, sollte der Gemeinschaft vermittelt werden. Diese sollte nach Möglichkeit aus der Politik herausgehalten werden, was schon aus ihrem Namen *Islamska vjerska zajednica* herauszulesen war. Inzwischen wurde diese Bezeichnung auf *Islamska zajednica* (Islamische Gemeinschaft) verringert, was wohl signifikant ist.

Unter dem *Re:îs ul-ulemâ Fehim Spaho* (gest. 1942) ging diese Laizisierung um eine Dimension weiter: Die Mufti-Ämter – offizielle Ausleger des islamischen Rechts und Erteiler von Rechtsgutachten – wurden abgeschafft. In der Tito-Ära trat als Reformer *Husein Djozo* (gest. 1982) ein führender Religionsgelehrter aus dem Kreis der Kairoer *Ulemâ,* auf. Seine freisinnigen Meinungen über die religiösen Fragen des Alltags brachten ihm unter seinen Gegnern den spöttischen Namen *mezheb-sâhibija,* d. h. Inhaber der eigenen Interpretationsschule ein. Dessen ungeachtet halten sich seine Ansichten, wenn auch etwas versteckt, aufrecht. Mehrere seiner Schüler sind am Werk. Einer der wichtigsten ist wohl *Enes Karić,* Professor an der Fakultät für islamische Wissenschaften in Sarajevo und ehemaliger Minister für Kultur und Kunst. Er setzt sich – nicht weniger lebhaft als Staatspräsident *Ali(ja) Izetbegović* – für die Multikulturalität, das Miteinander der Religionen, die Demokratie und Menschenrechte, mit einem Wort für ein europäisch konzipiertes Bosnien, ein. „Es ist gefährlich", schreibt er jüngst in einem Aufsatz, „den vergangenen antibosnischen Krieg als Ausrede für unsere Untätigkeit, Faulheit und das stumpfe Nebeneinander von Institutionen zu benutzen. Europa ist nach wie vor geeignet, uns die Wirksamkeit, die effektbezogene Bildung, die Gesetzlichkeit und die Wertschätzung der Arbeitszeit zu lehren".

Die islamische Kultur pflegen zur Zeit sechs *Medressen* (religiöse Sekundarschulen), zwei islamische Pädagogik-Akademien (in Zenica und Bihac) und eine Fakultät der islamischen Wissenschaften (in Sarajevo). Der Religionsunterricht an den sonstigen bosnischen Schulen ist wahlfrei. Der Staat ist von der Kirche und den Glaubensgemeinschaften getrennt.

Nach der letzten Volkszählung vom Jahre 1991 gab es in ganz Jugoslawien 2.229.328 „Muslime im nationalen Sinne", womit die Bosniaken gemeint sind. Rund 92 % dieser Bürger bezeichneten die von ihnen gesprochene Sprache als *Bosnisch.* Das ist heute der amtliche Name der Sprache. Die Bezeichnung „Serbo-Kroatisch" ist in bezug auf Bosnien unangemessen, weil sie das ausschließliche Recht der Serben und Kroaten auf das Land unterstellt.

Außerordentlich groß sind die Verheerungen, die die serbo-kroatische Aggression nach sich gezogen hat. Die Nationalbibliothek, das Orientalische Institut mit seinen einmaligen Urkunden- und Handschriftensammlungen, beide in Sarajevo, zahlreiche Museen, Schulen, Moscheen und Kirchen wurden in Schutt und Asche gelegt. Die Todesopfer unter der muslimischen Bevölkerung werden auf rund 200.000 geschätzt. Europas Politik hat angesichts der bosnischen Tragödie versagt. Aber die europäischen Völker sind nicht untätig geblieben. Viele Vereinigungen haben sich hingebungsvoll an der humanitären Arbeit in Bosnien beteiligt Diese Arbeit ist noch nicht zu Ende. Beachtlich war vor allem der Anteil brüderlicher muslimischer Nationen am Rettungswerk für das bosniakische Volk. So sehr dieses verbittert ist über den täglichen Mißbrauch des Islam zu terroristischen Zwecken, so sehr weiß es die Solidarität der islamischen Länder zu schätzen.

Kulturell haben die Bosniaken schon längst den Gleichschritt mit ihren serbischen und kroatischen Nachbarn erlangt. Ja, moralisch-kulturell haben sie diese – wie die Ereignisse in der jüngsten Vergangenheit es noch einmal gezeigt haben – weit übertroffen. Einen guten Namen haben im ganzen südslawischem Raum die Schriftsteller *Mak-Mehmedalija Dizdar, Meša-Mehmed Selimović, Zuko Džumhur, Dževad Karahasan* und *Ćamil Sijarić*. Unter ihnen gibt es sogar Nobelpreis-Kandidaten. In der Wissenschaft haben *Asim Kurjak*, ein Gynäkologe, *Abdulah Šarčević,* ein Philosoph, *Hazim Šabanović,* ein Historiker u.a.m. Spitzenstellungen erreicht. Zahlreich sind die Künstler (Maler, Bildhauer, Komponisten, Schauspieler, Sänger/innen) aus Bosnien, wie *Ismet Mujezinović, Mersad Berber, Dževad Hozo, Emir Kusturica, Avdo Smajlović* u. a.

Die Bosniaken haben zweifellos trotz der schweren Schläge, die ihnen ihre Geschichte beigebracht hat, an National-, Kultur- und Religionsbewußtsein gewonnen. Sie haben durch ihr gemeinsames korrektes Verhalten während des zweiten europäischen Holocaust ihre hohen moralischen Qualitäten bewiesen. Bosnien unter der legalen Regierung von Sarajevo ist – trotz allen gegenteiligen Erwartungen – ein Gebiet geblieben, in dem zivilisierte Zustände herrschen. Dort sind – was im serbischen und im kroatischen Teil von Bosnien-Herzegowina nicht der Fall ist – alle Kulturgüter ohne Rücksicht auf ihre Provenienz erhalten geblieben, eine multinationale Gesellschaft besteht, die Deliquenten werden ohne Rücksicht auf nationale Unterschiede verfolgt; die Menschenrechte sind – wenigstens im Prinzip – gesichert. Einem solchen Staat gebührt zweifellos ein ehrenvoller Platz in der Staatengemeinschaft Europas. Jegliche fundamentalistische Gesinnung ist den durchschnitlichen bosnisch-herzegowinischen Muslimen zuwider, was vor allem in der Verwendung der Musik (Gesänge, Mawlid-Melodien, Lieder) und Theateraufführungen sichtbar ist. „Wohl gibt es auch in Bosnien Spinner", meint ein Zeitungskommentar aus Sarajevo, „die ihr Leben im Wege der Schaffung einer islamischen Republik gemäß den religiösen Normen organisieren möchten, doch jeder ist sich in Bosnien dessen bewußt, daß das völlig illusorisch und unmöglich wäre. Ein bloßer Versuch, derartige Ideen zu verwirklichen, käme einem Gewaltakt gegen die bosnischen Muslime selbst gleich, weil diese als europäisches Volk tief in der politischen Tradition des Westens verwurzelt sind. Sie wollen daher unbeirrbar am europäischen politischen und zivilisatorischen Lebensmodell festhalten"[3]. Nach der Verabschiedung der bosnisch-muslimischen Bekennt-

---

3 *E. Hećimović*, Kako zavaditi Bosanske Muslimane (Wie sollte unter den bosnischen Muslimen Zwietracht gesät werden?), in: Ljiljan (Sarajevo, Ljubljana) vom 15. Dez. 1993, 4.

niserklärung zu Demokratie und zu Europa – der sogenannten Proklamation vom 10. Juli 1991 – dürfte daran niemand zweifeln[4].

Aggression statt Dialog

Der Dialog hat im ehemaligen Jugoslawien zu Anfang der neunziger Jahre einen schweren Rückschlag erlitten. Im Zuge der zunächst aus politischen Gründen von serbischer Seite betriebenen Verteufelung des Islam, die etwa ein Jahrzehnt zuvor ihren Anfang in den Massenmedien genommen hatte, war es natürlich, daß langsam jegliches Interesse am Dialog versiegen würde. Unter dem Einfluß der europäischen Öffentlichkeit haben zwar einige Begegnungen zwischen dem Patriarchen *Pavle,* dem Kardinal *Franjo Kuharić* und dem ehemaligen Reis ul-ulema *Jakub Selimoski* stattgefunden, auch wurde ein gemeinsames Friedensbekenntnis bekundet, doch ohne jegliche Auswirkung auf die tägliche Wirklichkeit. Die Texte der Abschlußdokumente des auf Veranlassung des Weltkirchenrates in Genf 1992 abgehaltenen Trialogs sind z. B. in bezug auf den Versöhnungs- und Friedenswillen beeindruckend, doch blieben sie von den Massen der Gläubigen ungehört. Charakteristisch ist besonders für die Serbisch-orthodoxe Kirche die ungenügend ausbalancierte, ja zweideutige Haltung. Der Patriarch *Pavle* gibt sich zwar vor dem ausländischen Publikum versöhnungs- und friedenswillig, in der Praxis aber unterstützt er den extremistischen Standpunkt der bosnischen Serben. Zu Anfang der blutigen Auseinandersetzungen richtete er an die Katholische Kirche und die Islamische Gemeinschaft einen Friedensappell, der – trotz gegenteiliger Evidenz – diesen den mangelnden Friedenswillen unterstellt. Der Appell zeigt im übrigen eine erschreckende Unkenntnis des Patriarchen hinsichtlich der inneren Struktur des Islam. Zu dieser Zeit ging *Pavle* etwa mit dem bekannten Kriegsverbrecher *Arkan* alias *Željko Ražnjatouić* liebevoll um. „Die Kirche begrüßt die Reue und Umkehr“, äußerte er sich in einem Gespräch mit *Duga* vom 4.12.1992. „Jener ist von Sünde frei, der begriffen hat, wie verhängnisvoll die Sünde für ihn und seine Seelenreinigung ist ... Schließlich haben wir Serben die Gewalttaten selbst dann gemieden, wenn Bemühungen liefen, uns zu Türken, Katholiken und Uniaten zu machen“[5].

---

4 Veröffentlicht in deutscher Sprache in meinem Buch „Das unbekannte Bosnien“ (Köln/Weimar/Wien 1992), 371–373.

5 Duga (Belgrad) vom 4. Dezember 1992.

Für den Patriarchen sind, wie man hier sieht, die Muslime *Türken*. Sein lässiger Umgang mit der Wahrheit zeigt sich ferner in einer Reihe von Vorstellungen, wie der „Zwangstürkisierung“ von Serben, dem Bluttribut, die die zwangsweise Knabenaushebung für die Janischarentruppe bedeutet habe, von Muslimen als Neuankömmlingen im serbischen Volkstumsraum des 15. und 16. Jahrhunderts und von der serbischen Herkunft der zum Islam Bekehrten.

In Wirklichkeit war die Annahme des Islam in Bosnien freiwillig. Die Knabenaushebung wurde nur in der Erstzeit des Osmanischen Reiches durchgeführt, und auch nur in Vierjahreszyklen. In Bosnien hat sich diesem Prozeß auch die muslimische Bevölkerung freiwillig gestellt. Die Neubekehrten waren nicht – und hier handelt es sich um einen weitverbreiteten Irrtum der Serben – Serben, sondern *Bosniaken*. Die bei der orthodoxen Bevölkerung begreiflicherweise in schlechter Erinnerung gebliebene, jedoch im historischen Bewußtsein entstellte Knabenaushebung hat – wie die neuesten Forschungen zeigen – ganz anders ausgesehen als sie in der Volksdichtung und Literatur erscheint. Es wurde u. a. nachgewiesen, daß praktisch auf 100.000 Einwohner nur ein einziger Knabe rekrutiert wurde[6].

Zuviel Geschichte und Vorurteile beherrschten die Sicht der Serbisch-orthodoxen Kirche, mit wenigen Ausnahmen, wenn sie auf die muslimischen Bürger zuging und den Dialog suchte. Kirchenkräfte, die den Ökumenismus als Koketterie mit den Feinden „der Wahrheit Christi“ betrachten und „Katholizismus wie auch Protestantismus als antichristliche Bewegungen“ einstufen, sind immer noch stark[7]. „Es scheint mir“, bemerkt *Radovan Bigović*, einer der seltenen Ökumeniker der Kirche, selbstkritisch, „daß wir unsere Mentalität, unsere Denk- und Verhaltensweise, ändern müssen. Eine Menge von Stereotypen und Klischeevorstellungen, die wir aus der Geschichte geerbt haben, gehört aus unserer Gedankenwelt ausgemerzt“[8].

---

6 *M. Kiel*, A Janissary Recruitment-Register from the end of the 15th century. A newly discovered tool to confront a long-standing historiographical myth, in: VII. Internationaler Kongreß für osmanische Wirtschafts- und Sozialgeschichte (1300–1920), Abstrakt der Referate. Heidelberg 1995, 61.

7 *G. Denzler*, Der orthodoxe Streit um den Ökumenismus, in: Frankfurter Allgemeine Zeitung vom 1. Juni 1994.

8 *R. Bigović*, Theologija oslobodjenja (Theologie der Befreiung), in: Iskra (Birmingham) vom 1. Januar 1992.
Vom enorm großen Einfluß der Mythen auf das Denken der Serben siehe *R. Lauer*, Aus Mördern werden Helden. Ober die heroische Dichtung der Serben, in: Frankfurter Allgemeine Zeitung vom 6. März 1993 Nr. 55, und *R. Durić*, Mißbrauch des Mythos in der serbischen Literatur und zeitgenössischen Politik, in: Österreichische Zeitschrift für Volkskunde 49/93, Wien 1995, 397–422.

Die Katholische Kirche bei den Kroaten, zumindest was ihre Führung in Zagreb anbelangt, ist frei von diesen Belastungen. Sie ist bemüht, die Direktiven der Enzyklika *Nostra aetate* und der Konzilsdokumente zu befolgen. Anders jedoch ist die Lage in der tiefen Provinz. Besonders in der Herzegowina geht man eigene Wege. Die Erfindung der Wundererscheinungen in Medjugorje bei Mostar war das erste Zeichen dieser autonomen Entwicklung. Die herzegowinischen Kroaten, zusammen mit ihrer Priesterschaft, wollen zunehmend die Rolle des *Antemurale christianitatis* spielen, so wie schon in der Vergangenheit ihre Vorfahren. Die Muslime werden von den kroatischen Massenmedien als „islamische Fundamentalisten" diffamiert. Es wird alles unternommen, um die bosnische Regierung zu schwächen. Gemeinsam bemühen sich Serben und Kroaten, Bosnien als multikulturellen und multireligiösen Staat zu vernichten.

Die Islamische Gemeinschaft hat im Sinne der bewährten Landestradition und in Befolgung des qur'anischen Disputationsgebots (3:64) lange Zeit am Dialog festgehalten. Sie hat an allen Dialogbegegnungen, die inzwischen stattgefunden haben (in Genf, Ermatingen, Basel, Maribor, Wien, im ungarischen Pecs und in New York) teilgenommen. Allerdings weigerte sich der *Reis ul-ulema Mustafa Cerić,* mitten im bosnischen Holocaust den Patriarchen *Pavle* zu treffen und nach dem Friedensschluß von Dayton eine vom Metropoliten *Mrdja* von Sarajevo geleitete serbisch-orthodoxe Liturgie zu besuchen. Trotzdem hält Sarajevo an dem vom Franziskaner *Marko Oršolić* gegründeten Dialogzentrum *Zajedno* (Gemeinsam) fest. Die von den beiden amerikanischen Professoren *Leopold Swidler* und *Michael Sells* ergriffene Initiative zur Gründung einer interreligiösen Dialoguniversität wird ernstlich diskutiert, und es wird nach Finanzierungsmöglichkeiten gesucht. Zur Zeit macht ein vom deutschen evangelischen Pfarrer *Christof Ziemer* initiierter und geleiteter interreligiöser Kreis, *Abraham*, in Sarajevo von sich sprechen. Der Kreis leistet eine wertvolle Versöhnungs- und Friedensarbeit. Seine bescheidene gleichnamige Zeitschrift hat sich zu einem ökumenischen Organ von großer Bedeutung entwickelt.

In Bosnien-Herzegowina lebten spätestens seit dem Ende des 15. und Anfang des 16. Jahrhunderts vier verschiedene Volksgruppen, deren vorherrschendes Unterscheidungsmerkmal die Religion war: die Bosniaken (Bošnjaci, Bošnjani), die „Lateiner" (Latini) – diese definieren sich heute als Kroaten –, die „Walachen" (Vlasi) – heute Serben – und die Juden. Die Bosniaken definierten sich religiös vielfach als „Türken", was soviel bedeutete wie Angehörige jenes Zivilisationskreises, dem die Türken angehörten. Das spätere Bekenntnis der einstigen „Lateiner" zum Kroatentum und der „Walachen" zum Serbentum haben die muslimischen Bosnier zur Kenntnis genommen und respektieren es. Demgegenüber werden die Bosniaken in unfairer Weise heute noch als „Türken" bezeichnet, was sie weder der Herkunft noch der Sprache nach sind. Durch diese Etikettierung sollen sie, gemäß einer alten antitürkischen Tradition der Serben, zum Gegenstand von Angriffen und Haß gemacht werden. Ein beachtlicher Teil des Volkes nahm im 15. und 16. Jahrhundert freiwillig den Islam an. Ähnlich wie später in Albanien diente der Islam fortan auch als eine Barriere gegen die nach wie vor latent drohende Entfremdung: in Bosnien gegen die Latinisierung und Gräzisierung (im religiösen und kulturellen Sinne) und in Albanien gegen die Gräzisierung und Slawisierung (im religiösen und nationalen Sinne).

Der neue Geist, der mit der österreichisch-ungarischen Verwaltung in das Land kam, war den an universale Denkkategorien gewohnten Muslimen am wenigsten zugänglich. Einer anfänglichen Desorientiertheit folgte ein latenter Entfremdungsprozeß. Als die Moderne auch die islamischen Bosniaken zu erfassen begann, waren der serbische und der kroatische Nationalismus bereits weitgehend ausgebildet. Das traditionsreiche Bosniakentum, bezeugt in unzähligen Dokumenten und Schriften, war dem draufgängerischen Anprall dieser Nationalismen nicht gewachsen.

Zum einen sollte es mit gezielter Einflußnahme aus dem Volksbewußtsein verdrängt werden. Gleichzeitig warb man auf serbischer und kroatischer Seite um die Gunst der Bosniaken, die mit dem muslimischen Bevölkerungselement gleichgesetzt wurden. Es entstanden großangelegte und oft pseudo-wissenschaftliche Theorien über die kroatische bzw. serbische Herkunft der bosnisch-herzegowinischen Muslime. Diese Theorien, nicht selten verbunden mit sanftem bis starkem politischen Druck, blieben nicht ohne Folgen: Zeitweise, wenn auch begrenzt, gab es Zulauf zum einen oder anderen nationalen Lager. Da es aber im Kroatentum und im Serbentum des 19. und 20. Jahrhunderts an Solidarität und geistiger Aufgeschlossenheit fehlte, um die muslimischen Zuläufer zu integrieren, blieb die Identifikation der Neuankömmlinge meistens nur oberflächlich. Sie fühlten sich existentiell verunsichert, wenn sie etwa dem Schlagwort *Antemurale christianitatis*[9] im politischen Vokabular der Kroaten oder von der „himmlischen Berufung des Serbenvolkes im Kampf gegen den Antichrist" begegneten. Diese Unsicherheit brachte den entfremdeten Bosniaken den Vorwurf der Unzuverlässigkeit ein. Sie wurden zu Wendehälsen, Chamäleons oder – im feineren Jargon – zu „Sonnenblumen" (*suncokreti*) abgestempelt.

---

9 Ein den Kroaten vom Papst Leo X. (1513–1521) verliehener Ehrentitel, weil sie in der vordersten Front gegen die Türken kämpften.

Im September 1993 beschloß eine nach Sarajevo einberufene Allbosniakische Volksversammlung angesichts dieser Lage einhellig, zum historischen Namen der Nation zurückzukehren. Der Beschluß wurde am nächsten Tag vom Parlament bestätigt. Die ehemaligen „Muslime im nationalen Sinne“ heißen seither offiziell *Bosniaken.* Obwohl der Name im Lande gefördert wird, nimmt die Weltöffentlichkeit merkwürdigerweise von ihm kaum Notiz. Immer noch wird in Massenmedien von Muslimen geredet, gerade noch läßt man den Ausdruck „muslimisch dominierte bosnische Regierung“ gelten. So spukt dieser Irrtum weiter durch die Köpfe, und das Unheil vermehrt sich – im Sinne des berühmten Wortes Albert Camus': „Mal nommer les choses, c'est ajouter au malheur du monde“.

Die Islamische Gemeinschaft am Vorabend der Aggression

Der Zusammenbruch der kommunistischen Machtstrukturen hat die Islamische Gemeinschaft in Jugoslawien unvorbereitet, organisatorisch unentwickelt, verarmt und in einem abhängigen Verhältnis zur Regierung angetroffen. Seit 1988 gab es eine sogenannte Imamenbewegung, die zwar ein neues Bewußtsein hervorgebracht und die Möglichkeit einer Demokratisierung innerhalb der Entscheidungsorgane der Gemeinschaft geöffnet hat, die aber ihre Denkweise nicht wesentlich geändert hat. Noch immer war ein Gefühl der Minderwertigkeit vorherrschend, mußten Rücksichten auf die säkularisierte, ja atheisierte, Gesellschaft genommen werden.

Im Jahre 1990 wurde das neue Oberhaupt der Gemeinschaft (*Reis ul-ulema*) gewählt. Obwohl auf Grund der allgemeinen Lage jedem klar war, daß Jugoslawien vor dem Ende steht, fiel die Wahl auf einen Mazedonier, *Jakub Selimoski*, also auf einen Mann, der nichtbosnischem Milieu entstammt. Durch diese Wahl haben die bosnischen Muslime ihre Chance verspielt, eine Institution zu schaffen, die ihre Identität als Grundlage der Eigenständigkeit wahren könnte. Es ging ihnen vorrangig darum, die islamische Solidarität und Verbundenheit zu erhalten. In dieser Zeit bedeutete das aber, die Treue zum jugoslawischen Staat unter Beweis zu stellen. *Selimoski* hat später durch seine Haltung und in seinen Äußerungen tatsächlich deutlich zu verstehen gegeben, daß er die Zerschlagung Jugoslawiens nicht wünsche.

Eine Ankündigung der Feindseligkeiten dem Islam gegenüber erfolgte Mitte 1979, als Tito in einer Rede bei Bugojno die angebliche unkorrekte Haltung eines Teils der muslimischen Geistlichkeit beklagte. Kurze Zeit vorher war in der Sarajevoer Tageszeitung „Oslobodjenje“ in Fortsetzungen das Werk *Parergon* des Schriftstellers *Derviš Sušić* erschienen. Darin wird die Rolle der Hodschas (der muslimischen Geistlichen) als global gefährlich und staatsbedrohend dargestellt. Gleichzeitig wurden in der Belgrader Presse zahlreiche Attacken gegen den „Fundamentalismus", „Panislamismus" und „islamischen Nationalismus" geführt. Den Muslimen wurde die Absicht zur Schaffung eines „ethnisch reinen" Bosnien unterschoben, die sich später in das Gegenteil einer grausamen „ethnischen Säuberung", umkehren sollte. Nach diesen Belgrader Pamphleten ist Bosnien ein „dunkles Land" (*tamni vilajet*) ohne jegliche Kultur. In Belgrad erschien auch das Buch „Dschihad als moderner Krieg" von *Miroljub Jevtić*, das den Islam als Bedrohung für Europa hinstellt. *Dschihad* – von ihm fälschlich als „Heiliger Krieg" übersetzt – sei die Grundpflicht des Muslims. *Jevtić* interpretiert ihn als Religionskrieg zum Zwecke der Verbreitung des Islam. All diese Vorfälle veranlaßten die Führung des Islam in Bosnien, 1989 ein Symposium einzuberufen, um diese Beschuldigungen zu entkräften. Die Referate des Symposiums wurden unter dem Titel „Der islamische Fundamentalismus – was ist das?" veröffentlicht[10].

Den Höhepunkt der Anfeindungen des Staates gegen die Islamische Gemeinschaft bildete die Verhaftung des *Reis ul-ulema Selimoski* am 22. September 1991. Damals befand sich das religiöse Oberhaupt zu Besuch bei den Albanern von Kosovo. Die Verhaftung dauerte glücklicherweise nicht länger als einen Tag.

Die Islamische Gemeinschaft und der Krieg

Von Anfang an ist die Islamische Gemeinschaft als Fürsprecherin des Friedens und des Dialogs aufgetreten. Den Gläubigen wurde empfohlen, mit den Nachbarn anderen Glaubens korrekte Beziehungen aufrechtzuerhalten und das Prinzip des *Komšiluk,* der „guten Nachbarschaft", zu respektieren. Nach Ausbruch der offenen Feindseligkeiten wurden die Prediger des Islam, aber auch die ihm nahestehende Presse, nicht müde, die Regeln (*ādāb*) der Kriegsführung im Sinne der islamischen Morallehre zu erklären. In den Zeitungen „Ljiljan", „Preporod", „Muslimanski glas", „Bosna-Ekspress", „Nova Bosna", „Večernje novosti" und „Behar" erschien eine ganze Reihe von Aufsätzen, die diese Thematik behandeln. Schon im August 1992 veröffentlichte der Imam *Sejjid Mevlić* im Wochenblatt „Muslimanski glas" den vielbeachteten Aufsatz „Überschreitet

10 Islamski fundamentalizam – šta je to? Uredili: Nusret Čančar, Enes Karić. Sarajevo 1990.

nicht die Grenzen!“, wo er Maßhalten anmahnt. Um den Geist dieses Aufsatzes zu vergegenwärtigen, seien hier einige Sätze zitiert:

„Den Muslimen hat ihre Religion die Einhaltung der Vergeltungsgrenzen vorgeschrieben. Sie verbietet das Töten des alten Mannes, der Frau und des Kindes. Ferner verbietet sie die Schändung der Gebetshäuser und anderer Heiligtümer fremder Religionen. Wenn der Aggressor Waffenstillstand anbietet, so soll er angenommen werden. Der Friede ist ja ‚die bessere Solution‘ (Qur'an). Die Kriegsverbrecher werden vors Gericht gestellt. Wenn sich ihre Schuld erweist, dann wird das Urteil gesprochen gemäß dem Grundsatz ‚Leben um Leben, Zahn um Zahn‘. Ist die Schuldfrage nicht eindeutig geklärt, dann wird die Untersuchung fortgesetzt oder der Gefangene wird ausgetauscht. Die Gefangenen dürfen nicht inhuman behandelt werden.“

Die Rolle der bosnisch-muslimischen Geistlichkeit hinsichtlich einer Humanisierung des Krieges kann nicht hoch genug eingeschätzt werden.

Dialogoffen und ökumenisch

Die Islamische Gemeinschaft ist dialogoffen und ökumenisch. Das war sie zur Zeit der Leitung durch *Selimoski*; das ist sie auch heute. Der *Reis ulema Cerić* allerdings lehnt die Begegnung mit jenen Vertretern der Serbisch-orthodoxen Kirche ab, die mit dem Aggressor direkt zusammengearbeitet haben. Sonst kommt die Gemeinschaft jeder Dialogeinladung nach.

Der Serbisch-orthodoxen Kirche ist vorzuwerfen, daß sie trotz ihrer deklarativen Ablehnung der Gewaltakte gegen die Trennung von Ethnien nichts einzuwenden hat. Der Patriarch *Pavle* war lange Zeit Beschützer der beiden Kriegsverbrecher Radovan Karadžić und Ratko Mladić, die überzeugte Gegner jeder Ökumene sind. Der Patriarch hat dadurch zur Verlängerung des Krieges in Bosnien beigetragen. Dennoch wurde er vom Ökumenischen Rat der Kirchen äußerst nachsichtig behandelt. Wiederholte Vorstellungen bei diesem Gremium, dieser politisierten Kirche die Mitgliedschaft zu kündigen, blieben ohne Erfolg. Dies hat die Glaubwürdigkeit der ökumenischen Bewegung arg erschüttert, so daß es – was die Muslime anbelangt – Jahre dauern wird, sie wieder herzustellen. Der Vatikan hat die Klagen wegen nichtökumenischer Haltung der Katholischen Priesterschaft in der Westherzegowina und wegen Zerstörung der dortigen islamischen Infrastruktur mit dem Hinweis, dies sei innere Angelegenheit der Katholischen Kirche in Bosnien, abgelehnt.

Gegenwärtig sieht sich der bosnische Islam einer neuen Bedrohung ausgesetzt, die seine Identität in Frage stellt: in den Versuchen arabischer Kreise, das religiöse Leben mit neuen, der einheimischen Tradition widersprechenden Inhalten zu füllen. Die arabischen humanitären Organisationen haben auch fremde Riten und Auffassungen im Land verbreitet, und das Sendungsbewußtsein der Vertreter dieser Organisationen erlaubt es ihnen nicht, die vorgefundene geistige Situation im Lande zu respektieren: Sie versuchen, den Menschen ihren meist rigoristischen und engherzigen Islam beizubringen. Dadurch ist viel Unfrieden entstanden. Inseln von wahhabitischem Islam breiten sich aus, die konsequent ihre Lehre als den „echten Islam" verkaufen, was die Einheit der Gemeinschaft erschüttert hat. So mußte eine Moschee geschlossen werden, weil es zu tätlichen Auseinandersetzungen zwischen den traditionellen und den „neuen" Gläubigen gekommen war. Die Leitung der Gemeinschaft hat zuletzt einen Erlaß beschlossen, wonach es Angehörigen fremder Interpretationsschulen des Islam, außer der hanefitischen, nicht erlaubt ist, das Amt eines Imam auszuüben. Die hanefitische Schule ist bekanntlich relativ liberal, sie beruft sich auf die bessere Einsicht oder die Vernunft; daher heißen ihre Anhänger *Ahl ar-ra'y* (Leute der eigenen Ansicht). Merkwürdigerweise versuchen die Iraner keinerlei religiöse Beeinflussung des bosnischen Islam. Sie sind offensichtlich bei all ihrer Hilfsbereitschaft am ausgebluteten Land lediglich in erster Linie politisch interessiert.

Die Glaubwürdigkeit der bosnisch-muslimischen Dialogbereitschaft und der Ökumene läßt sich am besten an der Rechtslage in jenem Landesteil ablesen, der sich dem Zugriff des Aggressors entziehen konnte, wo also die legale bosnische Regierung noch das Sagen hat. In diesem Gebiet können sich der Islam, genauso wie andere Religionen, frei entwickeln. Als Religion der Mehrheit hat der Islam auch einigen Einfluß auf die Gestaltung des politischen Lebens. Es gibt keine systembedingten Übergriffe wie anderswo. Der Unterschied zum serbischen Landesteil und zum „Herzeg-Bosna", einem Staatsgebilde der kroatischen Extremisten, ist frappant: Während hier neben den Moscheen orthodoxe und katholische Kirchen (in Sarajevo auch Synagogen) intakt und von niemandem behelligt stehen, sind in der „Serbischen Republik" und im „Herzeg-Bosna" alle Moscheen von der Bildfläche verschwunden. Die muslimische Bevölkerung ist so gut wie ausradiert: ausgesiedelt oder umgebracht. In dem malerischen Städtchen Počitelj ist auf dem muslimischen Uhrturm, der die Gebetszeiten anzeigt, ein riesengroßes Kreuz aus Holz angebracht worden. Typisch muslimische Städte wie Stolac, Počitelj und Dubrave im kroatischen Teil und Trebinje, Foča, Zvornik, Brčko, Rogatica usw. im serbischen Teil Bosniens gibt es nicht mehr. Kein Wunder, daß die Muslime das Geschehen um sich als einen Kreuzzug empfinden. Dabei ist ihnen klar, daß nicht religiöse, sondern machtpolitische Interessen das barbarische Treiben ausgelöst haben.

Der Frieden von Dayton hat verhindert, daß das Mittelalter folgerichtig und bis zum bitteren Ende durchgegriffen hat.

Islam und Nationalismus

Das Stammesdenken wird überwunden

Die arabische Umwelt, in der sich die Erstgeschichte des Islam gestaltet hat, kannte keinerlei nationale Gesinnung. Die am weitest reichende Solidarität galt dem eigenen Stamm. In diesem Stamm fand der Araber jener Zeit seinen wichtigsten sozialen und moralischen Rückhalt. Sonst herrschte unter seinen Landsleuten damals wie heute das arabische Übel der Uneinigkeit. Der Islam lehrte sie indessen, daß sie als Gläubige sich wie Brüder zueinander zu verhalten haben. Ein neues Solidaritätsgefühl entstand. Die flammenden Predigten des Religionsverkünders machten Eindruck. Aus einer Stammesgesellschaft wurde langsam eine religiös motivierte Nation.

Der Qur'an schreibt dem Umstand, daß die Menschen in Völker und Stämme auseinanderfallen, keinerlei ideologische Bedeutung zu. Die Vielfalt der Rassen, Hautfarben und Sprachen dient lediglich der Differenzierung: „Wir haben euch zu Völkern und Stämmen gemacht, damit ihr euch auseinanderkennt. Der Edelste bei Gott ist der Enthaltsamste" (49:13).

Trotz dieser universalistischen Ausrichtung hat der Qur'an eine arabische Dimension: Er ist, vor allem, in arabischer Sprache gehalten. Verständlich, weil es sonst unmöglich gewesen wäre, auch nur eine einzige islamische Gemeinde im Wirkungskreis des Gottesboten zu gründen. Einige Qur'anverse – konkret die Verse 12:2, 12:103, 13:38, 20:113, 26:195, 39:28, 41:3, 41:44, 42:7, 43:3 und 46:12 – scheinen einen arabischen patriotischen Unterton mitschwingen zu lassen. Damit ist aber in Wirklichkeit einem Bedürfnis nach zielgerechter Kommunikation Rechnung getragen worden, sonst hätte die qur'anische Botschaft kaum wirksam werden können.

Muhammad wird vom Qur'an als ein des Schreibens unkundiger Gottesbote (*nabî ummî*) bezeichnet. Das Beiwort *ummî* übersetzt der italienische Orientalist *Carlo A. Nallino* mit dem Wort *national.* Für ihn ist folglich Muhammad ein „nationaler arabischer Prophet" – ein Gedanke, den die Muslime vehement ablehnen.

Der Islam hat zugegebenermaßen einige altarabische Kultformen, wie die Mekka-Pilgerfahrt, übernommen. Er hat aber ihnen einen neuen Sinninhalt gegeben. Die Jahresversammlung in Mekka hat eine lange Tradition. Im Islam wird sie der prophetischen Wirksamkeit und der Familiengeschichte des Patriarchen *Ibrâhîm* zugeschrieben.

Im Rahmen der alljährlichen Zusammenkünfte in Mekka spielte sich in der vorislamischen Zeit ein Teil des arabischen Wirtschafts- und Kulturlebens ab. Daneben wurden dort heidnische Kultübungen und Bräuche gepflegt. Diese wurden vom Islam freilich sofort abgeschafft oder umfunktioniert.

Der Islam war ein wichtiger identitätsbildender Faktor im Werden von Nationen. Nicht alleine die Araber halten ihn für einen wesentlichen Bestandteil ihrer nationalen Eigenart, was er bei ihnen in seiner kulturellen Dimension auch wirklich ist. Aber auch z. B. die Türken und die Pakistaner sind mit und durch den Islam zu ihrer nationalen Identität gekommen.

Die Geschichte des Islam kennt einige Bewegungen von ausgesprochen nationaler Ausrichtung, die verstanden haben, sich als religiöse Phänomene zu präsentieren. Das war besonders innerhalb des Schi'itentums der Fall. Das Schi'itentum verdankt seine Entstehung zu einem Gutteil dem besonderen politischen und sozialen Klima, das im Omaijaden-Kalifat (661–749) geherrscht hat. Unter diesen arabischen Herrschern hat es nämlich eine verdeckte Diskriminierung von Neumuslimen gegeben. Zu diesen haben vor allem die Perser gehört. Nur als Klienten (*mawâlî)* einer arabischen Familie konnten nichtarabische Muslime in die damalige islamische Gesellschaft integriert werden. Die Staats- und Kulturpolitik waren proarabisch. In dieser Situation fanden die benachteiligten Nichtaraber in der oppositionellen Partei der Anhänger von 'Alī (*šî'at 'Alî*) einen willkommenen Freiraum, in dem sie auch ihre nationalen Erwartungen anmelden konnten.

Ein Jahrhundert später ist in der Literatur die sogenannte *šu'ûbiyya*-Bewegung aufgekommen. Das war ein literarischer Durchbruch der nichtarabischen Völker. Es ging darum, die Ebenbürtigkeit, ja die Überlegenheit, der neuen muslimischen Völker den Arabern gegenüber zu bekunden. Erst die Abbasiden haben der national-arabischen Politik des Kalifats ein Ende gesetzt. Abhandlungen und Gedichte zu Ehren der neu hinzu gekommenen Völker haben in vermehrter Zahl den Büchermarkt erreicht. Der Polyhistor *al-Ǧâḥiẓ* (gest. 869) und *Ibn al-Ḥassûl* (gest. 1063) schrieben über die edlen Seiten der Türken. Der Dichter *Ḥabîb aṣ-Ṣaqlabî* aus Spanien des 10. Jahrhunderts pries die slawischen Prätorianer, die im militärischen Dienst der omaijadischen Kalifen von Cordoba, welche eine andere Politik als ihre inzwischen ausgelöschten Vetter im Osten betrieben haben, standen. Im Osmanischen Reich verfaßte der Dichter *Fâḍil* (gest. 1810) eine ganze Völker-Charakterologie.

Das politische Ideal des Gesetzes stellt sich im Islam der Bildung jeglichen Nationalismus entgegen. Dennoch hat es in der Geschichte des Islam zeitweise auch nationalen Antagonismus gegeben. Die Gründe dafür lagen in der Regel in politischen und ideologischen Meinungsverschiedenheiten oder in Wirtschaftsinteressen, nicht aber in einem Gefühl der nationalen

Überheblichkeit. Auf dieser Ebene haben sich z. B. zwischen den Osmanen und den Persern mehrere Kriege zugetragen.

Nationale Eifersüchteleien in der islamischen Welt

Nationale Eifersüchteleien haben in zahlreichen Sprichwörtern ihren Niederschlag gefunden. Den Türken z. B. galt das geflügelte Wort *Etrâk biedrâk* („Die Türken ohne Verstand"). Die Iraker wurden als Menschen der Zwietracht verschrien: *Ahl al-'Irâq ahl an-nifâq* („Die Bewohner des Irak – die Säer der Zwietracht"). Vom Bosniaken sprach man: *Bošnağın 'aqlı sonradan gelir* („Der Bosnier kommt zur Vernunft, wenn die Sache gelaufen ist").

Auch an wissenschaftlichen Sachurteilen über die Mentalität einzelner Nationalitäten hat es nicht gefehlt. So hat der Historiker und Sozialforscher *Ibn Ḫaldûn* (gest. 1406) gemeint, die Araber hätten sich in ruhelosem Kreislauf entwickelt, der primär von religiösen Impulsen beherrscht wurde. Jedem zivilisatorischen Höhenflug der Araber pflege ein Gegenstoß nomadischer Frömmler zu folgen. Die interventionistische Sprungbereitschaft dieser wüstengeprägten Vereinfacher habe dem Islam den Ruf eingebracht, eine regressive Religion zu sein.

Der Islam versteht sich als eine Religion der Mitte (2:143), die von einem besonderen Sendungsbewußtsein getragen werden sollte. Solange die Gemeinschaft ihren Sendungsauftrag erfüllt, gilt sie als das beste Mitglied der Völkerfamilie (3:110). Darauf beruht ihre Auserwähltheit. Die islamische Vorstellung von der Erwählung gründet also auf der Voraussetzung, daß die Religionsgemeinschaft das Gute in der Welt fördert und sich dem Bösen widersetzt (3:110).

Die vorrangige Rolle des Glaubensbewußtseins im Leben der muslimischen Völker erschwert die Pflege von nationalen Gefühlen. Die von den Religionsgelehrten der Erstzeit entwickelte islamische Staatstheorie baut auf der fiktiven Vorstellung von der Existenz eines „muslimischen Volkes".

In konservativen und fundamentalistischen Kreisen wird von einer *umma islâmiyya* im Sinne einer „islamischen Nation" gesprochen. „Zunächst ist gewiß zuzugeben", kommentiert dieses Phänomen *Richard Hartmann*, „daß jene Lehre von dem einen muslimischen Volk Theorie ist. Aber sie ist doch nicht nur Theorie. Wie das islamische Gesetz in seiner Kasuistik ein gut Teil der Zivilisaton seiner Entstehungszeit, d. h. eben der frühen 'Abbassidenzeit, voraussetzt, damit sanktioniert und gewissermaßen verewigt, so hat auch jene Theorie von dem einen Volk immerhin Ansatzpunkte in der Wirklichkeit. Denn in dem gewaltigen Chalifenreich setzte von Beginn an der Prozeß einer An- und Ausgleichung der Zivilisation ein, der ein zunehmend festeres Band der Gemeinschaft um seine Völker schlang"[1].

Der Nationalismus – ein Import aus dem Ausland

In der genuinen islamischen Zivilisation konnte sich kein Nationalismus herausbilden. Es blieb dem im 19. Jh. erfolgten Durchbruch der europäischen Zivilisation in den muslimischen Raum vorbehalten, die Entstehung nationalistischer Bewegungen unter den Muslimen vorzubereiten. Den stärksten Vorstoß in dieser Richtung unternahmen die in Syrien lebenden Christen. Diese hatten sich in französischen Missionsschulen sowie im Zuge ihrer Auslandsaufenthalte mit dem abendländischen Geist vertraut gemacht. In Ägypten hatte die napoleonische Expedition einen ähnlichen Umschwung hervorgerufen. In der Türkei stellten sich als Begleiterscheinungen militärischer, politischer und kultureller Reformen unter *Maḥmûd II* (1808–1839) europäische Denkweisen ein. Sie kamen in Literatur und Politik immer stärker zur Geltung. Die Entstehungsgeschichte der *Jungtürken,* der Vorbereiter der nationalistischen Ära von *Kemal Atatürk* ist zum Teil eine Geschichte der Europäisierung. Gewaltige Einschnitte in das Leben der Nation wurden vorgenommen. Die dem kemalistischen Laizismus zugrundeliegende positivistische Philosophie des *Auguste Comte* (gest. 1857) traf den Islam hart. Es begann ein Kulturkampf, der bis in unsere Tage hinein ausgetragen wird.

Es gibt heute ein Dutzend mehrheitlich muslimische Staaten, in denen nach nationalistischen Vorstellungen regiert wird. Dennoch ist der Nationalismus dem Islam zuwider. In den Staatsverfassungen dieser Staaten wird daher, meist formhalber, auf den Islam oder die Religion im allgemeinen als die wichtigste Regierungsgrundlage hingewiesen. Als Beispiel mag die indonesische Staatsverfassung angeführt werden. In der *Pancasila*, „der fünfsäuligen Seele", dieser Verfassung, ist der erste Grundsatz der Glaube an den alleinigen Gott. Aber Indonesien ist eine säkulare Republik.

Der Begriff der *Nationalität* fällt vielfach mit dem Glaubensbekenntnis zusammen. Aus diesem Grunde sind die arabischen Christen skeptisch, wenn die arabische Komponente in ihrem Nationalgedanken mit dem Islam in einen Topf geworfen wird. Spaltungsneigungen haben hier ihren

1 *Richard Hartmann*, Islam und Nationalismus. Berlin 1948, S. 13/14.

Ursprung. Unter den libanesischen Christen gibt es bekanntlich Tendenzen nach eigenen nationalistischen Wegen. Sogar ein sprachlicher Abfall von der muslimischen Mehrheit wird von einigen Kräften unter ihnen angestrebt.

Im Zuge der Auseinandersetzung mit den modernen, aus dem Westen kommenden Ideen ist es in der 2. Hälfte des 19. Jahrhunderts zu einer Wiederbesinnung auf die islamischen Werte gekommen. Die Panislamistische Bewegung ist in Erscheinung getreten. Ihr geistiger Vater, *Ǧamâladdîn al-Afġânî* (gest. 1897) ein flammender Geist, Redner und Dialektiker, verstand, die nationalen und religiösen Gefühle muslimischer Völker aufzuwühlen, um sie gegen den Kolonialismus einzusetzen. Er plädierte für eine Reform der stagnierenden bis verfallenen islamischen Gesellschaft und legte dadurch den Grundstein des islamischen Modernismus. Sein ägyptischer Schüler *Muḥammad 'Abduh* (gest. 1905) und dessen syrischer Nachfolger *Muḥammad Rašîd Riḍâ* (gest. 1935) begründeten diesen Modernismus theologisch. *Al-Afġânî's* Panislamismus erneuerte zwar das traditionelle islamische Staatsideal, führte aber zu gleicher Zeit zur Entstehung von islamisch verbrämten Nationalismen.

Dem inzwischen in der Welt eingetretenen theologischen Umdenken nachfolgend bekam die Frage nach der Identität des Muslims eine wichtige Bedeutung. Sie ist bis heute nicht endgültig gelöst worden. *Muḥammad 'Abduh* hat durch seine Forderung nach der Rückkehr zu den materiellen Quellen des Islam – zum Qur'an und zur authentischen Tradition – einen brauchbaren Ausgangspunkt für einen von der gesetzlichen Kasuistik nicht behinderten „Neubau der gesellschaftlichen Verhältnisse" aufgezeigt.

Die qur'anischen Aussagen über die Ordnung der zwischenmenschlichen Beziehungen sind eindeutig: Der nationalen Überheblichkeit und einem darauf aufgebauten Nationalismus wird Absage erteilt.

Der Nationalismus dient bekanntlich häufig als Legitimationsträger bestimmter gesellschaftlicher Interessen. Er ist die ideologische Souveränitätsgrundlage national orientierter Staaten. Er kann sehr leicht zur Hauptstütze hegemonistischer Bestrebungen werden. Unter dem Deckmantel der Nation drängt die Bourgeoisie gelegentlich ihre Sonderinteressen der ganzen Gesellschaft auf. Der Nationalismus bedroht andere Nationen. Die Wurzel des Nationalismus liegt immer in antagonistischen sozialen Verhältnissen. Dennoch muß man zwischen dem Nationalismus hegemonistischer Kräfte und dem Nationalismus der unterdrückten oder versklavten Völker unterscheiden. Im allgemeinen aber hat der Nationalismus negative Tendenzen. Er ist seinem Wesen nach so beschaffen, daß ihm der gebührliche Respekt für die Interessen anderer Nationen abgeht und daß er der nationalen Überheblichkeit und der Intoleranz Tür und Tor öffnet.

Ein gesundes Selbstwertgefühl widerspricht nicht der islamischen Lehre. Der Mensch ist von Natur aus Träger einer Würde (17:70). Er ist nach dem Qur'an sogar Statthalter Gottes auf Erden (2:30, 38:26). Der Patriotismus gehört nach einer auf Muhammad zurückgehenden Überlieferung zu den Forderungen des Glaubens. *Ḥubb al-waṭan min al-îmân* (Die Heimatliebe ist ein Element des Glaubens) lautet im arabischen Original diese denkwürdige Überlieferung.

Göttliche Wahrheit und menschlicher Glaube im Islam

1. Vom Begriff der göttlichen Wahrheit und der Reichweite der Hermeneutik im Islam

Die Hermeneutik hat im Islam trotz des scheinbaren Übergewichtes der Buchstabengläubigkeit die Glaubenspraxis immer schon maßgeblich beeinflußt. Das gilt für die Gegenwart ebenso wie für die Vergangenheit. Vom Verfahren der Auslegung und Erklärung der religiösen Grundtexte hängt letzten Endes ja das jeweilige Glaubensverständnis ab. Bereits der arabische Name dieses Verfahrens – *al-fiqh* – weist auf die Bedeutung des vergleichenden und prüfenden Denkens für den Glauben hin. Als Wissenschaft verstanden vermittelt *al-fiqh* die geistig gefilterte, für den täglichen Gebrauch bestimmte Glaubenslehre. In dieser Hinsicht ist der Islam freilich nicht völlig einheitlich, obwohl das Verfahren an die gleichen Grundquellen anknüpft: Im sunnitischen Islam gibt es beispielsweise vier anerkannte Deutungsschulen der Lehre; das schiitische Glaubensverständnis, obwohl außerhalb entstanden, bildet den fünften Block der Rechtgläubigkeit.

Wie in allen monotheistischen Religionen ist auch im Islam die Offenbarung oder Selbstmitteilung Gottes konstitutiv für die Lehre. Unter den sechs Glaubensartikeln bezieht sich der dritte auf das Bekenntnis zu allen Bibelschriften, einschließlich des Qur'an, dem dabei die Rolle eines hermeneutischen Filters zugedacht ist. In allen diesen Schriften ist die Offenbarung verzeichnet. Aber wie im Christentum das Leben Jesu Christi als weitere Quelle der Lehre und Inspiration gilt, so ist der Religionsverkünder Muḥammad im Islam zum Leitbild und zur obersten Instanz stilisiert worden. Dies ist jedoch nicht die ursprüngliche Intention des Islam. Die abendländische Islamforschung hat herausgefunden, daß sich die Bedeutung der *Sunna* an die christliche Maxime der *Imitatio Christi* weitgehend angenähert hat[1]. Die *Sunna*, d. h. das Lebensbeispiel und die Worte des Propheten, bilden die zweite Quelle des Islam. In ihr ist praktisch, zumindest im sunnitischen Islam, der islamische Logos zu sehen. Das ist an sich absolut qur'anwidrig. Sie wird jedoch im rigoristischen Islam tatsächlich auf die gleiche Stufe gestellt wie der Qur'an; ihr wird also der Charakter der Offenbarung zugeschrieben. Deshalb gibt es auch eine Hermeneutik

---

1 Siehe Carl H. Becker, *Islamstudien,* Bd. 1, Hildesheim 1967, 411.

der Sunna (*fiqh as-sunna*)[2]. Reformtheologen wollen aber die *Sunna* lediglich als ein *iǧtihād,* d. h., als persönliches Bemühen um die Ergründung des Zutreffenden verstehen.

1.1 Eine Wahrheit – mehrere Entwicklungswege des Glaubens

Im fünften Kapitel des Qur'an gibt es einen Vers, den neunundvierzigsten, der besagt, daß die Verschiedenheit der drei monotheistischen Religionen für die Menschen lediglich eine Probe sei, durch die sie geprüft werden. Entscheidend sei bei dieser Prüfung das Ausmaß der guten Werke. Das ganze Geheimnis dieser Verschiedenheit sei Gott bekannt, und er werde die Menschen darüber unterrichten, wenn sie zu ihm zurückgekehrt sind.

Das Bewußtsein von der Absolutheit göttlicher Wahrheit kommt in besonderer Weise im Selbstverständnis des Islam als universaler Botschaft, die die ganze Geschichte durchzieht, zum Ausdruck. Danach ist schon die erste Form des monotheistischen Glaubens der Islam gewesen, d. h. eine Lebens- und Leidensbewältigung im Zeichen der Hingabe an Gott. Die Relativität der Religion dagegen ist in der Geschichte und im Raum bzw. in der Kultur begründet. So ist z. B. das Glaubenssystem Noahs geschichtlich überwunden. Gott habe jedem Volk, jeder Kulturgemeinschaft einen eigenen Boten *(rasūl)* geschickt. Die Geschichte und der Raum bestimmen also die Partikularität der Religion. Die Absolutheit ist daher mehr im Abstrakten, die Partikularität mehr im Konkreten angesiedelt.

Im Islam sind der Qur'an und die Tradition die zwei Hauptquellen der Lehre. In der Tradition kommt die menschliche Komponente besonders stark zum Tragen. An die Stelle des universellen Islam tritt der Muhammedanismus, in dem sich die Persönlichkeit und die Taten des Lehrmeisters und damit die arabische Kultur deutlich bekunden. Die absoluten Inhalte des Islam werden dabei mehr oder weniger flexibel interpretiert. Auf diese Weise sind verschiedene Interpretationsschulen entstanden. Die Auslegung hat eine große Bandbreite, sie ist buchstabengetreu bis freidenkerisch oder esoterisch. Die Exegese kann sogar solche Formen annehmen, daß sie zur Aufgabe der wesentlichen Kultvorschriften des Islam führt. Das ist z. B. bei der großen Gruppe der Ismailiten mit etwa 25 Millionen Anhängern der Fall. In der Haltung dieser Gruppe kommt vor allem das selbstlose Wohlwollen gegenüber den Nächsten zum Ausdruck. Dadurch bekommt das äußere Werk erst seinen Wert. Ohne dieses selbstlose Wol-

2 Als Beispiel dafür sei hier das zweibändige Werk von As-Sayyid Sabiq, *Fiqh as-sunna,* Beirut 1969–1971, erwähnt.

len ist das Wesen des wahren Islam, wie *Max Horten* feststellt, unverstanden[3].

Doch die Religion identifiziert sich nicht mit dem spezifischen Handeln. Sie versteht sich vielmehr als moralische Anleitung (*hudā*) und als Gnade (*raḥma*), deren Ursprünge im göttlichen Wesen liegen. Die Religion ist nach einer qur'anischen Metapher „Medizin des Herzens" (*šifā' li-mā fi 'ṣ-ṣudūr*). Sie beantwortet vor allem die Frage nach dem Sinn des Lebens und des Leidens. Die Politik gehört nicht zwangsweise zur Religion, weil sie weit davon entfernt ist, das Absolute zu implementieren. Sie war daher nicht die vorherrschende Aufgabe der Glaubensboten. „Der Glaube ist auf keine Machtpolitik angelegt", meint der ägyptische Denker *Ḥusayn Aḥmad Amīn*, „noch steht es ihm zu, sich politisch zu betätigen. Der Mensch ist frei und befugt, seine gesellschaftliche Ordnung selbst zu gestalten, eben so, wie es ihm sein gesunder Verstand, seine wissenschaftlichen Einsichten und seine konkreten Bedürfnisse gebieten"[4]. Weder bei *al-Buḫārī* (gest. 870) noch bei *al-Ġazālī* (gest. 1111), den beiden wichtigsten Theoretikern des Islam, finden sich Kapitel über den Staat.

Muḥammad (571–632) wollte keine neue Religion gründen. Er hat sich lediglich als Wiederhersteller des biblischen Glaubenserbes verstanden. So sehr der einzelne Gläubige unter Inanspruchnahme des religiösen Angebots zur Überwindung seiner Abhängigkeiten und persönlichen Krisen eine seelische Befreiung erlangen kann, so sehr ist der heutige Islam, als Lebenssystem gesehen, ein Gefangener der Zeit. Dieser Zustand hängt vor allem mit dem orthodoxen Offenbarungsverständnis des Islam zusammen. Demzufolge sind die Offenbarungsinhalte nicht nur als Teil der göttlichen Weisheit, sondern auch als unverrückbar feststehende Wahrheiten verstanden.

Die Neigung, von der „äußeren Hülle" abzurücken und sich dem inneren Sinn zuzuwenden, eine beliebte Methode säkularen Denkens, die auch von islamischen Mystikern gerne in Anspruch genommen wird, ist schon für die Frühzeit des Islam bezeugt. So hat der zweite *Kalif 'Omar* (gest. 644) eine Rechtsprechung gepflegt, die nicht immer mit dem Wortlaut des Qu'ran und der Überlieferung konform gegangen ist. Die *šarī'a* ist in ihrem vollen Umfang nie zur Geltung gekommen. Ihr Verständnis, wie es sich in der Hermeneutik des Islam (*fiqh*) niederschlägt, ist im übrigen auch nie einheitlich gewesen. Die šarī'a hat in ihrer praktischen Erscheinungsform

---

3 Max Horten, *Entwicklungsfähigkeit des Islam auf ethischem Gebiet, in: 'Agabnāmeh,* Cambridge 1922, 213.

4 H. A. Amīn, *Dalīl al-muslim al-ḥazīn* [Vademecum des betrübten Muslims], Kairo 1986, 282.

stets auch eine säkulare Dimension gehabt. Spätestens seit der Zeit des Sultans *Sulaimān al-Qānūnī* (gest. 1566) hat es im Osmanischen Reich neben den šarī'a-Regeln noch weltliche Gesetze (*qānūn*) gegeben, denen sich die Untertanen unterwerfen mußten.

Daneben ist seit altersher in der islamischen Machtsphäre das *Gewohnheitsrecht* verschiedener unterworfener Völker in Gebrauch gewesen.

Was den Islam dem aufgeklärten Menschen fremd macht, ist weniger seine Lehre als sein Verhältnis zum sakralen Wissen, dem sich seine traditionalistischen und fundamentalistischen Anhänger zutiefst verpflichtet fühlen. Das erkennen sogar einzelne intellektuelle Prediger des Traditionalismus wie *Muḥammad al-Ġazālī* (gest. 1997) von der Azhar-Universität. Er sieht darin eine Folge der Ignoranz. Die mißverständliche Benutzung der Überlieferung führt er auf die Loslösung vom sozialen Kontext, in dem sie entstanden ist, auf das Nichtbegreifen ihres eigentlichen Inhalts, auf mangelnde Kenntnis der *Sunna* (Tradition) und/oder den niedrigen Bildungsgrad ihrer Benutzer zurück[5].

Die Traditionsgebundenheit konserviert das Leben; der Fundamentalismus sucht vermeintliche Urformen, um dem Leben eine neue Dynamik zu verleihen. Beide Denkrichtungen weisen jedoch dank des betonten Pragmatismus des Islam eine gewisse Offenheit und Aufnahmebereitschaft für andere Kulturen auf. Die Grenzen dieser Aufnahmebereitschaft sind hauptsächlich durch den Qu'ran gesetzt. Dennoch steht der Islam in einem dauernden dialektischen Verhältnis zu Judentum und Christentum. Er ist so ein jahrhundertealter stiller Partner dieser Religionen geworden.

Der grundlegende Anstoß, der im Abendland eine neue Hermeneutik ausgelöst hat, fehlt allerdings im islamischen Orient: die Aufklärung ist dort ausgeblieben. Der religiöse Gedanke ist daher heute noch vorwiegend scholastisch und kasuistisch. Die Autoritäten haben das letzte Wort. Kritische Anfragen werden möglichst gemieden. Die Scheu vor der Wahrheit ist offenkundig. Die Argumentationsweise der Ausleger der Religion ist eher einem vorwissenschaftlichen Menschen- und Weltbild angepaßt. Sie ist archaisch und kann letztlich die Ratio nicht befriedigen. Dadurch verstößt sie gegen den eigentlichen Charakter des Islam, von dem es heißt, er sei ein Abbild des gesunden Verstands.

Den ersten Versuch einer rationalen Qur'an-Exegese in strikt theologischer Weise hat der ägyptische Islam-Gelehrte *Muḥammad 'Abduh* (gest. 1905) gestartet. Zum Wertkriterium der Hermeneutik machte er die Über-

---

5 Muḥammad al-Ġazālī, *As-Sunna an-nabawiyya bayna ahl al-fiqh wa ahl al-ḥadīṯ* [Die prophetische Tradition zwischen Hermeneutikern und Traditionalisten], 4. Aufl., Kairo 1989, 22f.

einstimmung des Welt- und Menschenbildes der Hermeneutiker mit jenem der Wissenschaft.

Seinem Beispiel folgend, verlangt der bereits zitierte *Ḥusein Aḥmad Amīn* die Eliminierung aller jener Interpolationen, die sich in die Exegese der Altvorderen eingeschlichen haben, weil sie dem Islam widersprechen. Solches Gedankengut habe Eingang gefunden „durch Aberglauben und Ignoranz, durch Anbiederung an die Machthaber, durch falsche Qur'an-Exegese und Hermeneutik, durch Abrücken vom eigentlichen Text, durch Zunahme von zweifelhaften Interpretationen, durch frei erfundene Worte des Propheten, durch Überhöhung des Religionsverkünders als Ansatzpunkt für die Einführung des Heiligenkultes, durch Prophetenbiographien, die den Propheten auf dem Hintergrund der regressivsten Vorstellungen zeigen, durch Lügen, die ihre Schöpfer für ‚islamfördernd', hielten usw."[6]

1.2 Der gesellschaftliche Wandel formt die Hermeneutik

Nach der islamischen Lehre ist die Begegnung zwischen Gott und Mensch nur in der Offenbarung möglich. Zur Begegnung in der menschlichen Person reicht es wegen der Schwäche des Menschen, aber auch wegen der Erhabenheit Gottes, nicht aus. Das göttliche Wort unter den Menschen ist daher der größte Wert, mit dem nicht leichtsinnig umgegangen werden darf. Die Meinung der Mehrheit der Gläubigen ist, daß dieses Wort präexistent und folglich ewig, überzeitlich und unveränderlich sei. Die Minderheit hält es jedoch für erschaffen. Sie sieht es von einer bestimmten Zeit und einem bestimmten Raum geprägt. Die hauptsächlichen Vertreter dieser zweiten Theorie sind die freidenkerischen Theologen aus der Schule der *Mu'taziliten* (8. bis 10. Jh.). Aber auch die orthodoxe Mehrheitsmeinung hat ihre Risse: So kennt die Orthodoxie seit jeher eine Disziplin, die den äußeren Veranlassungen der einzelnen Qur'an-Passagen nachgeht. Diese führt den Namen *'ilm asbāb an-nuzūl.* Hiermit wird indirekt zugegeben, daß der Qur'an, wenigstens teilweise, ein Produkt der Zeitumstände ist. Im Qur'an finden wir auch menschliche Worte, wie die Gebete, die an Gott gerichtet sind. Einigen Passagen ist ihr geschichtlicher Charakter an die Stirn geschrieben. Man hat auf Grund des Qur'an sogar die Geschichte des 7. Jahrhunderts im arabischen Raum schreiben können. Dennoch gehen die Gläubigen davon aus, daß diese *scriptura sacra* ewige Werte und zeitlose Grundsätze offenbare, indem sie auf historische Fragen spezifische Antworten erteile. Es gilt nun, daraus diejenigen Richtlinien heraus-

6 H. A. Amīn, *Dalīl al-muslim al-ḥazīn*, 6.

zufiltern, die für heute Geltung haben. Gott spricht im Qur'an im übrigen häufig in Parabeln, Metaphern und Symbolen. Auch Mythen, die Vorzugssprache der heiligen Texte, werden herangezogen. Aus diesem Grunde ist es nicht ratsam, am Wort kleben zu bleiben. Diese Art der Lektüre würde bedeuten, wie *Roger Garaudy* es ausdrückt, nicht die Flamme, „sondern die Asche der Urgemeinde“ zu schöpfen[7].

2. Zur Geschichtlichkeit menschlichen Glaubens am Beispiel einer „Theologie für die säkulare Zeit“

Die als zweite Quelle der Religion geltende Tradition, unter der die Taten, die Worte und die stillschweigenden Äußerungen des Verkünders zu verstehen sind, wird von Reformern zum Bereich des *iğtihād* gerechnet. D. h., sie sind Elemente der Persönlichkeit und gehören in erster Linie zur eigenen Artikulationsweise. Religiös relevant werden sie nur dann, wenn sie durch den Konsensus als verhaltensbestimmend anerkannt werden. Dem *iğtihād* steht in keiner Weise die Eigenschaft der Offenbarung zu. Von der Absolutheit des Glaubens sind sie ganz entfernt.

2.1 Praxisorientierte Theologie

Muḥammads Anwendung der islamischen Grundsätze war durch Zeit- und Ortsumstände mitbestimmt. Gerade darin liegt das Geheimnis seines Erfolges. „Er kannte außerordentlich gut den Entwicklungslauf der Gesellschaft und deren Gesetze und verstand, sich in sie einzuschalten. Geleitet von einem gesunden Realismus, war er sich dessen bewußt, daß er auf der Erde lebt und ihre Gesetze zu beachten hat. Sein Lebensbezug und sein Allgemeinverhalten bestätigen am klarsten seine menschliche Natur.“ So schreibt *Husein Djozo*, der führende Vertreter einer islamischen Theologie für das säkulare Zeitalter in Südosteuropa[8].

---

7 Vgl. Al-Islam, Heft 5, München 1967, 30f.

8 Husein Djozo, *Islam u vremenu* [Der Islam in der Zeit], Sarajevo 1976, 28. Djozo (gest. 1982) war ein langjähriger Berater des Oberhauptes der Islamischen Gemeinschaft in Jugoslawien. Er absolvierte die Universität Al-Azhar in Kairo und war Schüler des bekannten Religionsgelehrten *Maḥmūd Šalṭūt*. Siehe hierzu auch: M. Akhtar Saeed Siddiqui, *A critical Study of the views of jurists of the early and medieval Islamic period and the question of the Prophet's Ijtihad,* in: Hamdard islamicus 9 (1986) Heft 3, 51–57.

Das islamische Menschenbild ist ein betont egalitäres: „Muhammad hat immer wieder betont, daß nicht alleine die Muslime, sondern alle Menschen untereinander gleich sind. Alle stammen von einem Vater und einer Mutter; alle sind aus demselben Stoff erschaffen. Demnach sollen unter ihnen Brüderlichkeit und volle menschliche Solidarität herrschen“[9]. Die praxisorientierte Theologie findet immer einen gesunden Zugang zum Leben. Muhammads Beispiel ist nach *Djozo* diesbezüglich wegweisend. Dieser Zugang nimmt verschiedene Formen an, je nach den Erfordernissen der Zeit und des Raumes. Von diesen Veränderungen bleiben lediglich die beiden Bereiche des Kultes und des Credo ausgenommen. Aber auch den Kultus will *Djozo* mit neuen Inhalten gefüllt wissen. Die Frömmigkeit müsse einen Selbstwert haben. Dieser werde nach dem Grad der Lauterkeit gemessen. Das Gewissen sei gefragt. Er plädiert für einen sinnvollen Vollzug von religiösen Pflichten: Die vorgeschriebene jährliche Sozialsteuer solle der schwerbedrängten und verarmten Gemeinschaft zugute kommen; die Pilgerfahrt nach Mekka sollte mit mehr Sinn und mit programmatischer Sanierungsarbeit am Weltislam ausgefüllt werden. Das *Gebet* hat für *Djozo* in seinem Wesen keine unveränderliche Form und keine feste Gestalt. „Das sind die tiefsten, die intimsten und die subtilsten Gefühle und Erlebnisse des ebenso Subtilen, Erhabenen und Schönen, was sich nicht leicht in Worte zusammendrängen läßt“[10]. Solche Gedanken über das Gebet vernimmt man sonst höchstens in der islamischen Mystik; für das Empfinden des orthodoxen Muslims klingen sie fremd und „europäisch“. *Djozo* rüttelt allerdings nicht an der Struktur des islamischen Pflichtgebetes, die nicht im Qur'an, sondern in der Tradition begründet ist. Umso schärfer geht er mit frauendiskriminierenden Praktiken in orientalischen Gesellschaften ins Gericht. Für ihn ist es theologisch keine Frage, daß die Frau selbst über ihr Schicksal entscheidet. Sie, nicht ihre Eltern, entscheidet, welchen Mann sie zu ihrem Gatten wählen will. Bei der Eheschließung kann sie sich das Recht auf die Scheidung vertraglich zusichern lassen, ebenso die vielweiberischen Neigungen des Mannes durch entsprechende Vertragsklausel von vornherein ausschließen. Sonst interessieren ihn die rein rechtlichen Bestimmungen der *šarīʿa* auffallend wenig. Das ist wohl darauf zurückzuführen, daß die *šarīʿa* in ihrem gesetzgeberischen Bereich in gemischten Gesellschaften, namentlich aber in einer Diaspora-Situation, aufgebbar ist. Der zum Schreckensgespenst des Abendlandes hochstilisierte schariatsrechtliche Begriff *ǧihād* (Dschihad) ist für *Djozo* ganz einfach religiös motiviertes soziales Engagement. Dieses müsse im-

9 Djozo, *Islam u vremenu* (vgl.Anm. 8), 29.
10 Ebd. 91.

mer zivilisiert ablaufen und niedere Instinkte meiden. In diesem Zusammenhang ruft er die qur'anische Anweisung in Erinnerung: „Wehrt euch nach der Maßgabe des Angriffes! Übertretet jedoch nicht die Grenzen der Verteidigung, denn Gott liebt nicht die Übertreter. (2:190).

2.2 Die Vielfalt des Offenbarungsverständnisses

Da die Offenbarung geistiges Eigentum Gottes ist, kann sie nicht auf die Vervollkommnung durch den Menschen angewiesen sein. Das lehrt jede der monotheistischen Religionen. Dennoch sucht man seit Menschengedenken in heiligen Schriften verborgene Hinweise und Andeutungen auf das Leben und die Zeit danach. Auch ganz konkrete Aussagen im Sinne der eigenen Erwartungen werden darin gesucht. Für den Qur'an wie für die Bibel gilt daher das klassische Wort von *Peter Werenfels*: „Dies ist das Buch, in dem jedermann findet, zumal was er gesuchet darin.“ Die Suche im Qur'an kann zweierlei Grundrichtungen annehmen: die textgetreue (*ẓāhirī*) und die verschlüsselte, esoterische (*bāṭinī*). Im Buch über grundlegende Richtungen der islamischen Koranauslegung von *Ignaz Goldziher* ist die Rede von einer buchstabengetreuen (grammatikalischen), einer rationalistischen, einer mystischen und einer Tendenzexegese[11]. Die ergiebigste für uns ist die rationalistische Auslegung, deren wichtigster Vertreter *az-Zamaḫšarī* (gest. 1144) ist. Sein vierbändiger Qur'an-Kommentar, der auch philologisch eine gute Leistung darstellt, lehnt sich an die freidenkerische Theologie der *Mu'taziliten* an.

Die Auslegung kann im Islam zum einen historische Exegese (*tafsīr*), d. h. Erklärung des trockenen Inhalts und der näheren Umstände, unter denen er entstanden ist, sein. Geht es aber bei der Auslegung um den inneren Sinn, dann sprechen wir von *ta'wīl* (Hermeneutik). Da der Qur'an selbst seine Verse im *muḥkamāt* (feste, klare Aussagen) und *mutašābihāt* (allegorische Schilderungen) einteilt, muß jeder Exeget gleichzeitig Hermeneutiker sein.

Da die erste schriftliche Fixierung des Qur'an ohne Vokalisierung vorgenommen worden ist, ergeben sich im Urtext Möglichkeiten verschiedener Lesarten, wobei Abweichungen vom kanonischen Text zutage treten. Die inzwischen so gut wie allgemein akzeptierte vokalisierte Form des Qur'an macht jegliche Hermeneutik der Urschrift ungebräuchlich.

Gemeinsam ist allen Auslegungen der heiligen Texte, daß sie eine anthropologische Dimension haben. Sie ist in der christlichen Hermeneutik

---

11 Ignaz Goldziher, *Die Richtungen der islamischen Koranauslegung,* Leiden 1920. Eine gute Darstellung bietet auch Helmut Gätje, *Koran und Koranexegese,* Zürich 1971.

ausschlaggebend. Am Ende aller Hermeneutik steht der Mensch. So bewahrheitet sich das Wort, daß durch die Theologie Gott gesucht, der Mensch aber gefunden wird.

Die Menschen sind dann die Gestalter ihrer ureigenen Glaubenswelt. So hat in der *exoterischen Exegese* eines *Ibn Ḥazm al-Andalusī* (gest. 1064) die Vernunft den Vorzug vor der Autorität. Ausgehend von einem empiristischen Wissenschaftsverständnis entwickelt er eine Kritik der Metaphysik und unterscheidet streng zwischen Wissen und Glauben. Die einfachen Gläubigen haben jedoch seine Exegese zu einem philosophisch unerträglichen kasuistischen Anthropomorphismus herabsinken lassen. In ihrer kurzen Herrschaftsperiode haben die spanischen *Almohaden* (1133–1269) nur eine solche Islam-Deutung zugelassen.

Das esoterische Quellenverständnis hat, unterstützt auch durch die *Mystik,* andererseits dazu geführt, daß sich der orientalische Mensch vielfach mit irrationalen Erklärungen von Naturphänomenen zufriedengibt und auf die Einsicht in das innere Weltordnungssystem verzichtet. So durchdringen kindliches Vertrauen auf die Meinungen der Altvorderen und Angst vor Abweichungen sein ganzes Wesen. Auf diese Weise sucht er sich vor dem Risiko des Wagnisses zu retten und das Gefühl der Geborgenheit zu genießen. Wo allerdings realistisches Denken und sachliche Maßstäbe zur Geltung gebracht werden, hebt sich diese Situation sofort auf.

2.3 Glaube im Lebensbezug

Wegen der expansiven Bestrebungen mancher muslimischer Staaten in der Vergangenheit und wegen der gegenwärtigen Einbeziehung des Islam in die Terrorszene wird heute im Westen dem Islam eine humanistische Gesinnung häufig nicht zugetraut. Dabei weiß sich doch der Islam solidarisch mit dem Judentum, aus welchem die Formulierung stammt: „Wer auch nur einen einzigen Menschen umbringt, ohne daß dieser einen Mord begangen oder sich schwerer Gewalttaten auf der Erde schuldig gemacht hat, dem wird angerechnet, als hätte er die ganze Menschheit umgebracht; wer aber einem Menschen das Leben rettet, dem wird angerechnet, als hätte er die ganze Menschheit vor dem Untergang bewahrt“ (5:32). Hinter dem Schlagwort von der *typischen Gesetzesreligion*, das dem Islam häufig angehängt wird, verbirgt sich meistens die Absicht, ihm einen Mangel an Menschlichkeit nachzusagen. Aber auch der Islam ist, wie andere Religionen, in der Regel das, was die Menschen aus ihm machen. Er hat allezeit, damals wie heute, verschiedene Gesichter gehabt. Vergleicht man etwa das rigoristische Glaubensverständnis einiger traditionalistischer Schulen mit der Gedankenwelt der Esoteriker wie *Farīdaddīn ʿAṭṭār* (gest. 1190) oder *Ǧalāladdīn Rūmī* (gest. 1273), so kann man sich nur über die gewaltige Kluft zwischen den beiden Seiten wundern.

Die Geschichte ist im Islam insofern bestimmend, als die Ursprungszeit der Glaubensgemeinschaft auch theologisch zur unerreichbaren Glanzzeit verklärt worden ist. Dadurch werden aber umgekehrt die Vorstellungen von der Zukunft klein gehalten. Freilich hat sich dieses idealisierende Bild von der Erstzeit der *'aṣr as-sa'āda* (der „Epoche der Glückseligkeit") erst in der späteren Zeit herausgebildet. Bei den Schiiten ist die Wirkung dieser Vorstellung allerdings insofern eingeschränkt, als sie in der Erwartung des *Mahdī,* des Messias, eine Hoffnungsquelle, eine Vision von einer besseren Welt haben. Der Fundamentalismus hat mit seiner Weltdeutung die Rückwärtsgewandtheit des Islam nur noch gesteigert. Das muß aber nicht immer ein Hemmschuh sein, wie das Leben zeigt. Auch der Vergangenheit können brauchbare Ideen und Triebkräfte abgewonnen werden. Nicht zuletzt deshalb findet der Fundamentalismus ja einen so fruchtbaren Nährboden. Auf diese Weise wird der längst fällige historisch-kritische Zugang zum Qur'an, obwohl er, wie wir gesehen haben, ansatzweise immer schon vorhanden war, weiterhin verhindert. Dabei scheint der Qur'an selbst auf die Notwendigkeit der Erforschung des Vorausgegangenen hinzuweisen: „So fraget die mit dem Vergangenen Vertrauten, wenn ihr es nicht wißt!" (16:43; 21:7).

Der Islam als die Religion der Mitte, wie er sich selbst versteht (2:143), hat ein Konzept des multireligiösen und multikulturellen Lebens auf der Grundlage der gemeinsamen monotheistischen Weltsicht entwickelt. Mit den Juden, Christen und allen gottgläubigen Menschen ist eine Koexistenz auf Dauer vorgesehen. In diesem Konzept ist das Humane geschützt. Die drei Religionen haben ein gemeinsames Dach gefunden – im Sinne der Lessing'schen Ringparabel. Aber die Rechtsgelehrten haben zwischen ihnen wieder Wände aufgerichtet, die das Gleichheitsprinzip verletzen. Heute gilt es, diese Wände abzutragen. Ein wesentlicher Beitrag dazu wird von einer Hermeneutik der Quellen erwartet. Zur Zeit ist es vor allem der ideologisierte Islam, der die fundamentalistischen Köpfe beherrscht, der sich gegen eine solche Hermeneutik stemmt. Um so größer ist die Bedeutung jener Gelehrten, die den Islam in einer anderen Perspektive sehen. Sie sind die Vorboten einer *Säkularisierung* der islamischen Welt.

Die Anliegen der gegenwärtigen Entwicklung hat ein Verfechter des *politikfreien Islam,* der Ägypter *Muḥammad Sa'īd al-'Ašmawī,* in seinem Buch „Der politische Islam" dargelegt[12]. Seinen Ausführungen folgend

---

12 Muḥammad Sa'īd al-'Ašmawī, *Al-Islām as-siyāsī* [Der politische Islam], Kairo 3. Aufl. 1987. Zur Frage der Eheschließung zwischen einem Christen und einer

will ich abschließend diese Anliegen, die in der Tat Aspekte des richtig verstandenen Islam sind, zusammenfassen: Die *šarī'a* schließt 90 % ihres Inhaltes als „göttliches Gesetz“ aus. Das in der Sprache der Fundamentalisten häufig zitierte Wort *al-ḥukm* heißt nicht Regierung, sondern *Urteil,* Entscheidung. In der Exegese und Hermeneutik des Islam ist es nicht zulässig, einzelne Verse nur auf Grund ihrer wörtlichen Bedeutung zu zitieren; diese müssen vielmehr in ihrem Kontext verstanden werden, damit ihre wahre Bedeutung erkennbar wird. Auch dem Terminus *ǧihād* muß seine echte Bedeutung wieder zurückgegeben werden. Er meint die Bemühung, das eigene *Ich* moralisch zu konstituieren und für das Gute und Gerechte in der Welt einzutreten. Der *ǧihād* kann unter Umständen „Selbstverteidigung“ bedeuten, nichts mehr. Jede selbstmörderische Tat gegen Unschuldige ist Selbstmord, keinesfalls ein Martyrium. Der Glaube muß von der Politik streng getrennt werden. Die Ideologisierung des Glaubens bedeutet seine Instrumentalisierung zur Erlangung der Macht oder gar zur Entstehung des Faschismus. Jegliche politische Tätigkeiten sind reines Menschenwerk und genießen weder das Privileg der Immunität noch der Unfehlbarkeit. Die Demokratie ist ein Weg zur Sicherung des Volkswillens. Die Regierung ist für ihr Tun und Unterlassen verantwortlich. Autarkes Regieren ist unislamisch. Es muß die Möglichkeit geschaffen werden, die Regierung friedlich und ohne Blutvergießen aus dem Amt zu entlassen. Die Frau ist dem Mann islamrechtlich gleichgestellt. Sie darf nicht stigmatisiert werden. Die gesellschaftlichen Bräuche der Altvorderen sind nicht mit religiösen Normen zu verwechseln. Das Kopftuch kommt im Koran nicht vor. „Doch das Schutzkleid des Selbstbewahrens ist das beste“ (7:26). Andersgläubigen gegenüber ist Akzeptanz oder wenigstens *Toleranz* entgegenzubringen. Niemand hat das Recht, andere der Ketzerei, des Atheismus oder der Ungläubigkeit zu beschuldigen oder gar zu exkommunizieren. Hier sind zwei qur'anische Grundsätze zu beachten: „Es gibt keinen Zwang im Glauben“ (2:256) und „Siehe, sie, die da glauben, und die Juden und die Nazarener und die Sabäer – wer immer an Allah glaubt, und an den Jüngsten Tag, und das Rechte tut, die haben ihren Lohn bei ihrem Herrn, und Furcht kommt nicht über sie und nicht werden sie traurig sein“ (2:62; 5:69).

Anhängerin des Islam hat *Beyza Bilgin*, Professorin an der Theologischen Fakultät in Ankara, kürzlich ein interessantes Votum erstellt. Im Qur'an befinde sich kein ausdrückliches Verbot dieser Ehen; vgl. B. Bilgin, *Gutachten zur Eheschließung zwischen einem Christen und einer Muslimin,* in: CIBEDO (Frankfurt) 10 (1996) Nr. 2, 64–68. Ergänzende Erklärung dazu in: CIBEDO 10 (1996) Nr. 3, 114–116.

Zu ergänzen wäre, daß der Islam seinen Gläubigen viele Möglichkeiten gewährt, sich in einer säkularisierten Gesellschaft zurechtzufinden. Erinnert sei an das Fehlen von Sakramenten, Priesterschaft und Taufe, an den zivilrechtlichen Charakter der Ehe, an das unbelastete Verhältnis zur Sexualität, an die Ablehnung des Zölibats und des Exkommunikationsgedankens, die positive Einstellung zur Naturforschung und zum Wissen, an die Duldung von Mischehen, wobei allerdings der Frau diese „Ausflüge in die nichtislamische Gesellschaft" nicht erlaubt sind, und an die uralte Dialogbereitschaft gegenüber den monotheistischen Religionen[13].

Die modernen theologischen Überlegungen bezweifeln die Richtigkeit der Bestrafung des ehemals muslimischen Apostaten mit dem Tode, lehnen die Abwertung der nichtmuslimischen Bürger als Schutzbefohlene ab und sind mit der Einteilung der Welt in die Zone des Islam und die Zone des Krieges nicht einverstanden. Ebenso wird die Tilgung der Steinigung als Strafart für Ehebruch im hanbalitischen *fiqh*, einer Entlehnung aus dem levitischen Recht, angestrebt. Der Konsens und der Analogieschluß der Vergangenheit werden also der Sichtung und der Korrektur unterworfen[14].

Die Überlieferung, die in ihrer Gesamtheit die *Sunna* als zweite Quelle des Islam bildet, ist zunehmend Gegenstand einer strengen Hermeneutik. Übrigens haben viele hervorragende Lehrinterpreten, wie *Abū Ḥanīfa* (gest. 767), nur eine äußerst geringe Anzahl dieser Überlieferungen als echt und verpflichtend angesehen.

Zwei zeitgenössische Denker gehen in ihren Reformbestrebungen wesentlich weiter: *Naṣr Ḥāmid Abū Zayd*, ehemaliger Professor an der Kairoer Universität, und *'Abdolkarīm Soruš* (Sorusch) von der Universität Teheran. Der erstere ist zwar kein Theologe, sondern Literaturwissenschaftler, doch seine Qur'an-Kritik findet selbst in religiösen Kreisen starken Widerhall. Er plädiert für einen wissenschaftlichen Umgang mit dem qur'anischen Text, der all jene Methoden der Textanalyse über sich ergehen lassen müsse, die auch sonst in solchen Fällen in Anwendung stehen. Daß der Qur'an in menschlicher Sprache verfaßt ist, gehört zu den Standardvorstellungen auch der traditionellen Qur'an-Wissenschaft. Entstanden in einem Zeitraum von zweiundzwanzig Jahren, kann er nicht aus seinem kulturellen und historischen Zusammenhang herausgelöst werden. *Abū Zayd* will, daß der Qur'an aus sich selbst erklärt wird, und zwar mit Hilfe der Anwendung einer induktiven Verstehensmethode. Das deduktive Lesen dieses Textes erbringe nichts anderes, als die Bestätigung der vorge-

---

13 Ebd.

14 Smail Balic, *Der Islam – europakonform?* Würzburg, Altenberge 1994, 101.

faßten Meinungen. Zum Schluß verkomme solches Lesen überhaupt zu einer schablonenhaften Predigt.

Abū Zayd wirft den Muslimen vor, mit dem Qur'an eine Art Inkarnationsvorstellung zu verbinden. Dabei folgten sie dem Beispiel der Christen, die Ähnliches mit der Person Christi täten. Der Qur'an sei präexistent und habe dadurch göttliche Natur angenommen. Der mutige Gelehrte vergißt dabei aber, daß die Muslime die gleiche Qualifikation allen anderen heiligen Schriften zuschreiben. Der Qur'an ist also nicht genau das für die Muslime, was Christus für die Christen ist. Im ganzen gesehen ist *Abū Zayd's* Exegese eine Entsprechung zur historisch-kritischen Auslegung der Bibel[15]. Im Endeffekt wird auch hier der heilige Text als Kulturprodukt behandelt, was auf lange Sicht den Widerspruch der traditionalistisch-fundamentalistischen Kräfte hervorrufen wird. Theologischer geht der Iraner *Soruš* vor, soweit man von einer Theologie im Islam überhaupt reden kann. Seine Kritik richtet sich vor allem gegen die *šarī'a*, also gegen jenes Raster, der alle Lebensvorgänge der glaubensbewußten Muslime bestimmt. Für ihn ist die *šarī'a* nicht heilig. Sie enthalte menschliches Wissen und müßte daher ihre Wahrheit und Gültigkeit jederzeit aufs Neue vor dem Verstand bewähren. Die Deutung von Gottes Wort wird erst im Austausch der Wissenschaften möglich. Die *šarī'a* dürfe nicht statisch verstanden werden. Sie müsse vielmehr nach dem Prinzip der veränderlichen Wahrheit den Zeit- und Kulturerfordernissen angepaßt werden. Die geistigen Väter von *Soruš* sind die *Mu'taziliten,* die erwähnten Bekenner der Freigeistigkeit im Islam. Für sie war Gott die abstrakte Idee des Einen und des Absoluten. Alles andere ist relativ, im Fluß, an Bedingungen geknüpft und dem Verfall preisgegeben.

Im Mittelpunkt des hermeneutischen Interesses islamischer Philosophen und Denker standen seit jeher der Stellenwert des Verstandes im Gegenüber zur Offenbarung, die zeitlose Natur der religiösen Grundtexte und Sinn oder Unsinn herkömmlicher theologischer Definitionen. Herausragend waren die Ansichten der freidenkerischen *Mu'taziliten,* die vom Anfang des 8. bis Ende des 10. Jahrhunderts die Szene beherrschten. Ihre Grundthese war, daß der Qur'an in Zeit und Raum erschaffen worden sei. Heutige Denker knüpfen gerne an jene Zeit an. Ihre Auffassungen sind freilich sehr kontrovers, doch finden ihre Lehren heute wieder zunehmend Beachtung. Zu nennen sind außerdem die Gelehrten aus dem arabischen Raum, an dem der Weltislam sich immer noch orientiert: *Muḥammad al-*

---

15 Vgl. Naṣr Ḥāmid Abū Zayd, *Naqd al-ḫitâb ad-dīnī* [Kritik des religiösen Diskurses), Al-Qāhira 1992. Deutsch: Nasr Hamin Abu Zaid, *Islam und Politik. Kritik des religiösen Diskurses,* Frankfurt am Main 1992.

Ṭālbī, 'Abdallāhi an-Na'īm, Abū Zayd Naṣr, Muḥammad Arkoun, Maḥmūd Ṭāhā (hingerichtet 1985), *Ḥasan al-Ḥanafī* und der Südafrikaner *Farid Esack*. Die drei letztgenannten Männer vertreten eine Art islamischer Befreiungstheologie, wobei *Maḥmūd Ṭāhā* seine Wurzeln in der Mystik des Islam hat.

Interessante Beiträge zur Qur'an-Exegese haben, teilweise indirekt, zwei Europäer geliefert: Jacques Berque, der gezeigt hat, wie sich die „überzeitliche Botschaft des Absoluten in eine zeitliche Dimension übersetzt" und *Heinz Rothenbühler*, der unter Verzicht auf ein indo-europäisches Denkmonopol versucht hat, Abraham als Vordenker des Monotheismus semitisch zu erklären[16].

Das Bewußtsein letztgültiger Verantwortlichkeit hat im Islam offensichtlich eine größere Reichweite als im nachkonziliaren Christentum. Das macht ihn dem Wertrelativismus und der Beliebigkeit gegenüber relativ immun. Die Ursache dafür liegt, wie bereits ausgeführt, im Offenbarungsverständnis. Ein gewisser Konservativismus in den Wertvorstellungen und in der Denkweise der islamischen Gläubigen hängt außerdem auch mit der mangelnden Vertrautheit mit den Errungenschaften der Aufklärung und dem durch sie ausgelösten neuen theologischen Denken zusammen. Dies bedeutet jedoch nicht, das der Islam gegen die Gewissensfreiheit und Gedankenfreiheit wäre, heißt es doch im Qur'an: „Geh nicht einer Sache nach, von der du kein Wissen hast! Gehör, Gesicht und Verstand – für all das gilt es, sich einmal zu verantworten" (17:36). Ganz im Sinne der von *Abū Zayd Naṣr* geforderten Hermeneutik, wonach sich der heilige Text am besten durch sich selbst erklären läßt, bezeugt der Qur'an die Absolutheit der göttlichen Wahrheit, indem er das Gemeinsame unterstreicht: „O Leute der Schrift, kommt herbei zu einem Wort, das gemeinsam ist zwischen uns und euch: das wir nur Gott anbeten und ihm keinen Nebenbuhler zur Seite stellen und das nicht die einen unter uns die anderen zu Herren nehmen statt Gott" (3:64).

Abū Zayd ist Sprachwissenschaftler. So kann es sein; das ihm die Zuständigkeit in religiösen Dingen abgesprochen wird. Aber seine Ansichten werden heute von nicht wenigen Vertretern der 'Ulamā', der Schriftgelehrten, geteilt, sogar im gegenwärtigen, von der Religion geprägten Iran. *Moḥammad Modjtahid Schabestāri*, ein *šarī'a*-Professor an der Teheraner Universität, scheint sich z. B. durchaus in seiner geistigen Verwandtschaft zu befinden. Anläßlich einer in Wien abgehaltenen Islam-Konferenz im Mai

---

16 Jacques Berque, *Der Koran neu gelesen, aus dem Französischen von Monika Gronke,* Frankfurt am Main 1996; Heinz Rothenbühler, *Abraham inkognito. Einführung in das althebräische Denken,* Rothenburg 1995.

1997 erklärte er: „Daß der Qur'an seit ewig da ist, ist eine transzendentale Vorstellung, die nicht der Tatsache widerspricht, daß das, was wir in Händen haben, ein historisches Dokument ist. Er ist in menschlicher Sprache ausgedrückt, und Sprache kann nicht ohne Raum und Zeit sein"[17].

Der Islam ist offenkundig auch geistig in Bewegung geraten – und zwar stärker als wir es wahrhaben wollen.

17 Seine Ansichten über den Qur'an und die Sunna hat *Schabestāri* im Buch: *Hermanōtik: Kitāb wa ṣonnat* [Hermeneutik: der Qur'an und die Sunna], Teheran 1996, ausführlich erörtert. Einen guten Überblick über die Entwicklung der islamischen Hermeneutik bietet in kurzgefaßter Form *Badman 'Lanre Yusuf* in seinem Aufsatz „Evolution and Development of Tafsir", in: *Hamdard Islamicus* (Karachi) 17 (1994), No.2, 77–89.

Ein Euro-Muslim wie er leibt und lebt

Erfahrungen im und aus dem Dialog

Im schulischen Religionsunterricht habe ich gelernt, der Islam sei eine auf der Offenbarung beruhende Religion. In ihrem Kern unverändert, ziehe sich diese Selbstmitteilung Gottes durch die ganze Geschichte hin. Ihre Verkünder seien biblische und außerbiblische Prophetengestalten gewesen. Der Sinn und der wesentliche Inhalt der Offenbarung sei die Aufforderung an die Menschen, ihr Leben gemäß dem göttlichen Willen zu gestalten. In die Praxis umgesetzt, ergebe sie ein Leben der Hingabe an Gott. Das sei der geschichtswirksame Islam. Schon der erste bewußte Mensch, Adam, sei vom Geist dieser Religion durchdrungen gewesen. Ihm seien viele dynamische Persönlichkeiten, wie Abraham, Moses und Jesus, gefolgt ... Sie predigten machtvoll und konsequent die von Gott gestiftete Religion.

Der letzte in der langen Reihe der Gottesboten sei Muhammad (570–632) gewesen. Er habe das vorhandene religiöse Gedankengut in einem erneuerten Offenbarungsvorgang ungetrübt rein empfangen, „versiegelt" und weitergegeben. Nach seinem Ableben sei eine neue Zeit angebrochen. In dieser Zeit haben die Gelehrten als Verwalter des Offenbarungserbes das Sagen. Der Islam sei die von Gott gestiftete Religion *sui generis.*

Das alles leuchtete mir ein, zumal der Qur'an – die mündliche und später schriftlich fixierte Offenbarung, die von Muhammad verkündet worden ist – allen Monotheisten, namentlich aber den Juden, den Christen und den Sabiern[1], Anteil an Gottes Zufriedenheit bzw. am Heil zubilligt. Dieses Selbstverständnis macht den Islam zu einer dialogoffenen Religion. Der Qur'an wendet sich häufig in ökumenischer Absicht an die Juden und Christen. Er fordert die Muslime in unmißverständlicher Weise auf, einen freundschaftlichen Dialog zu pflegen.

Dennoch war ich in meiner Jugend – wie alle meine muslimischen Altersgenossen, die einen ähnlichen Bildungsweg gegangen sind – den anderen Glaubensgemeinschaften gegenüber zugeknöpft und mißtrauisch. Allein deshalb, weil wir uns zum Islam bekannten, hielten wir uns für bessere Menschen. Zwar störten uns einige plumpe Glaubensvorstellungen der Volksmasse, doch waren wir weit davon entfernt, wirklich tolerant zu sein.

---

1 Stellvertretender qur'anischer Ausdruck für Monotheisten außerhalb der drei großen Offenbarungsreligionen (Judentum, Christentum und Islam).

Ein Beispiel einer solchen intoleranten Haltung enthält eine damals unter meinen bosnischen Landsleuten islamischen Glaubens beliebte Lehrdichtung mit dem Titel „*Avdija*“[2]. In dieser, gedanklichen Tiefgang entbehrenden, jedoch rhythmisch ansprechenden Dichtung erteilt ein besorgter Vater seinem minderjährigen Sohn religiöse und ethische Ratschläge. Eine Strophe daraus lautet in der Urfassung:

U džehennem će svaki vlah,
Pa će vriti kano grah:
Muka vlaška, Avdija!

Zu Deutsch:
In die Hölle geht der „Wlach“;
Wie die Bohne gärt er, ach:
Wehe dem „Wlachen“; Avdija!

Unter dem Ausdruck „Wlach“ (vom Volksnamen „Walache“) verstand damals der einfache bosnische Muslim jeden nicht- und andersgläubigen Menschen, der zudem dem Islam feindlich gesinnt war. Zuweilen wurde darunter ein Nichtmuslim im allgemeinen verstanden. „Es ist einfach“, sprach man in jenem geistigen Umfeld, „ein ‚Wlach‘ zu sein: Bete nicht, faste nicht, laß’ die Armen links liegen, meide den Weg nach Mekka; da bist du schon ein ausgemachter ‚Wlach‘“. An dieser Haltung widerspiegelten sich ebenso sehr Selbstgerechtigkeit wie enggezogene Konfessionalität.

Die Ereignisse während des Zweiten Weltkrieges in meiner engeren Heimat Bosnien und Umgebung liefen anfangs darauf hinaus, diese Glaubensvorstellungen des Volkes zu stärken. Eine Woge unfaßbarer religiöser Intoleranz überflutete den ganzen damals entstandenen „Unabhängigen Staat Kroatien“, von dem Bosnien ein Teil war. Es waren Christen, die gegen Christen und Juden vorgingen. Wir erlebten im 20. Jahrhundert eine Inquisition! Daß der Islam abseits dieses beschämenden Treibens stand, erfüllt uns mit Stolz. Bald aber wurde uns – Muslimen – klar, daß wir auch nicht von Schuld frei sind: Nicht wenige Muslime haben nämlich aus anderen Gründen mit dem exzessiven Regime, das die orthodoxen Mitbürger außerhalb des Gesetzes gestellt hatte, gemeinsame Sache gemacht. Die Besinnung begann. Es setzten schwer bezahlte Lehrjahre 1941–45 ein.

---

2 *Avdija* ist die slawisierte Form des arab. Namens *'Abdī* (eine Variante des Namens *'Abdallāb,* zu Deutsch: Gottes Knecht).

Erst das neue Leben im demokratischen Exil, in dem ich mich nach 1945 als freier, kulturell weitgehend integrierter Mitbürger einfand, bewirkte in mir einen wirklichen Sinneswandel. Aber noch Jahre hindurch hielt mich die Totalität der vermeintlichen Wahrheit in ihrem Bann. Die ersten Gespräche mit Christen waren nicht konfliktfrei. Überschwenglich und von einem gewissen missionarischen Eifer getrieben, sprach ich von meiner Religion. Apologetische Allüren beeinträchtigten die Qualität der Aussagen. Ich kann mich noch gut erinnern, wie ich in einem in der Berliner Evangelischen Akademie geführten Gespräch – mein Dialogpartner war ein hoher Amtsträger des Weltkirchenrates in Genf – für Entschärfung der Dreifaltigkeitslehre und für Aufgabe gewisser christlicher Lehrinhalte, die für die Juden und Muslime nicht akzeptabel sind, eingetreten bin. Prompt wurde mir geantwortet, daß dieses Lehrgebiet nicht Gegenstand gemeinsamer Überlegungen sein könne.

Jahre später – inzwischen moderat geworden – bin ich im Rahmen der *Weltkonferenz der Religionen für den Frieden* zu einem der Mitstreiter dieses Herrn geworden. Das Gemeinsame im Glauben und die gemeinsame Betroffenheit in der bedrohten Umwelt hat uns einander näher gebracht. Damals in Berlin habe ich mir den qur'anischen Rat, auf eine denkbar umsichtige Art zu diskutieren (16:125), ein für alle Mal zu Herzen genommen.

Die angesprochene Begegnung in Berlin war vom damaligen Studienleiter der Evangelischen Akademie in der Stadt, Pfarrer Winfried Maechler, veranlaßt worden. Maechler ist inzwischen zum Präsidenten der *Ständigen Konferenz der europäischen Juden, Christen und Muslime* – ihr Sitz ist in London, Berlin und Bendorf am Rhein – gewählt worden. Auch mir ist die Ehre zuteil geworden, diesem Gremium des Trialogs anzugehören.

Pfarrer Maechler ist inzwischen ein hervorragender Förderer des Dialogs geworden. Um die Akademie, in der er viele Jahre Studienleiter war, scharen sich Christen, Juden, Muslime, Agnostiker und Gottsucher verschiedener Schattierungen. Ein kritischer Geist und eine progressive Theologie – diese stützen, wie ein Religionskritiker meint, am besten die Kirche! – sind dort zu Hause. Auch ein progressiver Theologe wird immer wieder von seinem angestammten religiösen Erbe übermannt. Das ist mir anläßlich eines Besuches der Pfarrerfamilie Maechler in unserem kleinen, nicht weit von Wien gelegenen Dorf im Sommer 1983 deutlich geworden. Damals trug der Vater Maechler in unser Erinnerungsbuch folgendes vielsagendes Gedicht – eine Apotheose des gelebten Dialogs – ein:

Dreihundert Jahre her ist's schon,
daß eine Türken-Invasion

das christlich brave Wien bedroht;
doch schlug man alle Türken tot.
Sonst hätt' der große Stefansdom
gehört zu Mekka, nicht zu Rom.

Drei Tage nur ist's her schon,
daß eine Christen-Invasion,
per Auto kommend aus Berlin,
bedrohte Zwerndorf dicht bei Wien.

Doch ließ man diese Christen leben,
tat sogar Obdach ihnen geben,
verpflegte sie im Garten schön,
ließ Störche sie und Löwen seh'n
und führte sie als Privileg
bis in die Nationale Bibliothek.

Da sieht man doch, welch Edelmut
sich in der Muslim Herzen tut.

Und außerdem ist es passiert,
daß einige sympathisiert,
den Fremden schenkten gar sie ein -
man staune nur – ein Gläschen Wein ...

Der Ober-Mufti ließ's geschehn,
und daraus könnt Ihr klar ersehn:
Vorbei die bösen Türkenkriege,
vorbei die blutgen Christensiege!

Die Freundschaft heute triumphiert,
wir haben's gerne ausprobiert.
Dank sei dem ganzen Balić-Clan.
Wir stoßen auf sein Wohl nun an,
daß er in Zwerndorf lange blühe,
ob noch so heiß die Sonne glühe.

Der Petersquell geb' neue Kraft,
erneuere euren Lebenssaft!
Dies wünschen Euch mit Freundschaftssinn
die Invasoren aus Berlin.

Der Dialog trägt zweifellos zum Abbau von Begegnungsschwierigkeiten und zur interreligiösen und zwischenmenschlichen Verständigung bei. Demgegenüber steckt in einem blinden, unreflektierten Bezug auf die eigene Religion stets eine latente Gefahr, die zu Mißtrauen, Diskriminierung, Verfolgung und anderem Fehlverhalten führt. Entsprechend unliebsame Reaktionen auf der anderen Seite sind die Folge.

Die Stätten des Dialogs und der Begegnung haben sich in unseren Tagen zu einer Art von Paralleluniversitäten entwickelt. Ich konnte dort manche Bildungslücke schließen und viel vom Anderen, dem ich bisher nur täglich stumm begegnet bin, erfahren.

Bei meinen Dialogbegegnungen, die mich von Berlin über London, Paris, Cordoba, Casablanca, Algier, Tunis, Tripolis, Kairo, Istanbul und Islamabad bis nach Tokio und Nordamerika führten, durfte ich viele berühmte Professoren und hochstehende religiöse Persönlichkeiten zu Gesicht bekommen. Darunter waren der frühverstorbene Papst Johannes Paul I., der Kardinal Sergio Pignedoli, mehrere Großimame der Universität Al-Azhar, der erste Rektor der Islamischen Universität in Islamabad Khoda Bukhsh Brohi, der evangelische Systematiker Helmut Gollwitzer, ferner die Islamwissenschaftler W. Montgomery Watt, Rudi Paret, Fritz Steppan, mehrere Professoren vom Leo-Beck-College in London, Frau Professor Annemarie Schimmel und die Soziologen und Denker Roger Garaudy und Maxime Rodinson.

Viele befruchtende Worte sind bei diesen Tagungen, Begegnungen und Empfängen gesprochen worden. Manche werden lange nachwirken. Treffend schildert der arabische Polyhistor *al-Ǧāḥiẓ* (776–869) den Vorgang: „Das Hören von Worten ist nur von Nutzen, wenn sie in den Ohren kreisen, sich im Herzen verbergen und in der Brust ihr Zelt aufschlagen; nach längerem Verweilen vermählen sie sich miteinander und befruchten sich gegenseitig, und ihr Erzeugnis ist das edelste und die Frucht die wohlschmeckendste, denn sie gehen dann hervor, ohne gestohlen, geraubt und widerrechtlich weggenommen worden zu sein"[3].

In der Zeit der zunehmenden Pervertierung des Islam zum Politikum hat es der muslimische Dialogpartner nicht immer leicht. Peinliche Fragen werden an ihn gestellt. Auch kann der Zeitpunkt seines Erscheinens zum Gespräch denkbar ungünstig sein. So mußte ich nach einem abscheulichen Mordanschlag, den eine quasi-islamische politische Gruppierung für sich reklamierte, vor christlichen Lehrern und Lehrerinnen sprechen. Die Massenmedien hatten im Anschluß an jenen Anschlag die Atmosphäre ange-

---

3 Zitiert nach: Charles Pellat: Arabische Geisteswelt. Ausgewählte und übersetzte Texte von al-Ǧāḥiẓ (777–869). Zürich, Stuttgart (1967). S. 183 f.

heizt. Sie war ausgesprochen anti-islamisch. Der einfache Mensch von der Straße weiß in der Regel wenig zu differenzieren. Er ist geneigt, in einer solchen Atmosphäre jeden Muslim als potentiellen Attentäter zu sehen. Ich war der Lehrergemeinschaft, die mich zum Vortrag eingeladen hatte, von früher her bekannt. Als ich nun wieder in den Vortragssaal ihres Hauses eintrat, meinte ich ironisch: „Meine Damen und Herren, wollen Sie mich zuerst nach Waffen untersuchen?" Ich schaue nicht gerade wie ein Terrorist aus. So beklatschte das Publikum verständnisvoll diesen einführenden Satz meines Vortrags.

„Abscheulich und unislamisch ist die geschehene Untat", fuhr ich fort. Dann zitierte ich den Qur'an-Vers: „Wer über die strafrechtlichen Bestimmungen hinaus oder in einer Situation abseits der Unheilbekämpfung auf der Erde einen Menschen tötet, so wird ihm angerechnet, als hätte er die ganze Menschheit ausgelöscht. Wer aber auch nur einen einzigen Menschen am Leben erhält, so wird ihm angerechnet, als hätte er die ganze Menschheit gerettet" (5.32). Das war für die Anwesenden eine willkommene neue Information.

Ergänzend belehrte ich meine Hörer darüber, daß dieser Gedanke eigentlich biblischen Ursprungs ist und vom Qur'an in der Form eines Zitats vorgebracht wird[4]. Damit wurde wieder einmal eine gemeinsame Anschauungsebene sichtbar. Die Dialoglandschaft ist der Ort anhaltender Entdeckungen dieser Art.

Nach einem anderen Vortrag, den ich vor etwa fünfzehn Jahren in der Bundesrepublik Deutschland gehalten habe, meldete sich in der Diskussionsrunde eine kultivierte Dame zu Wort. Ihr Anliegen waren die Südmolukken. Es beunruhigte sie das terroristische Treiben einiger ihrer Gruppen, die in Holland eine Bleibe gefunden hatten. Die Dame ordnete diesen Unruheherd dem Islam zu. Als ich sie aufklärte, daß die Südmolukken (Ambonesen) keine Muslime, sondern Christen seien, fiel sie aus allen Wolken. Sie glaubte eben, der Terrorismus sei etwas spezifisch Muslimisches.

Damals steckte der Dialog noch in seinen Anfängen. Man hat voneinander wenig gewußt. Die vorhandenen Kenntnisse waren zwar besser als zur Zeit der kriegerischen Auseinandersetzungen zwischen dem Kreuz und dem Halbmond, doch waren sie in manchem ergänzungs- und korrekturbedürftig. Es war nicht so wie etwa in dem von den Osmanen bedrohten Österreich kurz nach der ersten Belagerung von Wien im Jahre 1529. Angeblich hat man damals im Lande herumerzählt, die Türken schärften sich

---

4 Diese Aussage kommt in der Mischna Sanhedrin vor.

jeden Morgen ihre Zähne, damit sie bei Bedarf den Christen auch ohne Waffen an die Gurgel gehen können. Die Stadtverteidiger hatten nämlich aus ihren Festungslöchern allmorgendlich beobachten können, wie die im Feld kampierenden feindlichen Soldaten sich im Rahmen der vorgeschriebenen Waschungen vor dem Gebet mit einem fasrigen Holzstengel (*miswāk*) ihre Zähne putzen. So entstand die Mär vom Zähneschleifen.

Eine der greifbarsten Möglichkeiten der interreligiösen Kommunikation ist der Dialog. Die Dialogtagungen sind gute Gelegenheiten, sich durch Selbstzeugnis gegenseitig kennenzulernen. Am Rande der Gespräche wird gelegentlich die eigene Gebetspraxis gezeigt. Dabei werden immer wieder erstaunlich tiefe Gemeinsamkeiten zutage gefördert. In mancherlei Details der Glaubens- und Gebetspraxis des Anderen, in seinen heiligen Texten, in der Art, wie er sich dem Mysterium des Lebens nähert, in seiner Erklärung der Todesdramatik, in den psalmodierenden Klängen seines religiösen Gesangs, in seinem Umgang mit dem sakralen Wissen, in seinem synagogalen oder kirchlichen Brauch und in seinen religiös motivierten Gemütslagen erkennt man sich selbst wieder. Mit dem Dialog geht ein Lernprozeß Hand in Hand. Er hat in Westeuropa bereits beachtenswerte Bewußtseinsänderungen bewirkt. Heute ist selten ein seriöser Wissenschaftler, Theologe oder Journalist anzutreffen, der die archaische Bezeichnung „Muhammedaner“ für die Anhänger des Islam verwendet. Dazu haben diverse Dialogtagungen wesentlich beigetragen. Es zeigte sich nämlich bei solchen Tagungen immer wieder, daß die Mitte des Islam nicht Muhammad, sondern ausschließlich Gott ist. Muhammad ersetzt also in keiner Weise Jesus oder Buddha. Auch der Qur'an ist nicht, wie manche christliche Theologen annehmen, die islamische Lebensmitte. Das ist höchstens die Offenbarung im allgemeinen. Nur in der Offenbarung begegnen sich nach dem islamischen Glaubenskonzept Gott und Mensch. Würde ein Muslim auf den Gedanken verfallen, sich ein Bildnis oder eine Statue von Muhammad anzulegen und davor zu beten, so wäre das ein glatter Abfall vom Islam. Die Verehrung des Qur'an führte zu demselben negativen Ergebnis.

Der korrekte Name der von Muhammad gepredigten Religion ist *islam;* ihre Anhänger heißen *Muslime* (in indo-iranischer Aussprache: *Moslems*). *Islam* bedeutet: *die Hingabe an Gott.* Im weiteren Sinn ist das „die Lebens- und Leidensbewältigung im Zeichen der Hingabe an Gott“. Das ist im Grunde genommen jede monotheistische Religion. Also hat die Bezeichnung *Muslim* etwas Interreligiöses und Ökumenisches in sich.

Gute Auswirkungen hat der Dialog in Westeuropa auch auf der muslimischen Seite gezeitigt. Auf besonderes Interesse der muslimischen Dialogpartner stoßen jene Dialogsegmente, die darauf hinauslaufen, den monotheistischen Charakter des Christentums eindeutig festzuhalten. Ich habe das Gefühl, daß diesbezüglich moderne Theologen vom Schlage eines *Hans Küng* Außerordentliches geleistet haben.

Nicht direkt seine Folge, doch mit dem Dialog zusammenhängend ist ein gewisses Umdenken in der muslimischen Diaspora. Vor allem die Berührungsängste verschwinden allmählich. Ich kann mich erinnern, wie es bei den ersten Dialogtreffen konservative Muslime peinlich vermieden, an gemeinsamen Mahlzeiten teilzunehmen. Sie glaubten damals, daß jedes Fleisch, das einem Muslim zum Verzehr angeboten wird, in rituell vorgeschriebener Weise gewonnen sein müsse.

Inzwischen hat man auch in ihren Kreisen diesen harten Standpunkt aufgegeben. Dazu hat auch eine religiös verbindliche Entscheidung (*fatwā*) der Gelehrten um die Islamische Weltliga in Mekka beigetragen. Nach diesem *fatwā* sei jedes für menschlichen Konsum geeignete Fleisch (mit Ausnahme freilich von Schweinefleisch, Blutwurst und anderen religiös oder sanitär bedenklichen Tierprodukten) erlaubt, vorausgesetzt, daß der Gläubige vor dem Verzehr Gottes Namen erwähnt.

Wie bei jeder zwischenmenschlichen Kommunikation, so können auch beim Dialog neben den ernsten, die gemeinsame Betroffenheit reflektierenden, Fragen heitere Angelegenheiten vom Interesse der Beteiligten sein. Besonders in lockeren Nachgesprächen in kleinen Gruppen werden mitunter heitere Begebenheiten, Kurzkommentare, Anekdoten, Sprichwörter und Witze an den Mann gebracht. Kitzlige Fragen werden vorgetragen. So wurde ich einmal gefragt, welche Leiter eigentlich Muhammad bei seiner legendenhaften Himmelfahrt – dem berühmten *mi'rāǧ* – benutzt habe. Auf diese Frage gefaßt, antwortete ich: „Er benutzte eben jene Leiter, die Jesus Christus bei seiner Himmelfahrt zur Verfügung stand und die er wohlweislich zur weiteren Verwendung dem heiligen Geist hinterlassen hatte."

Unter den Witzen, die man bei Dialogtagungen hören kann, sind erfahrungsgemäß die sogenannten „Pfaffenwitze" besonders beliebt. Neuerdings gesellten sich zu ihnen jene, die aus dem Hodscha-Milieu stammen. Der Hodscha ist ein muslimischer Geistlicher. Köstlich sind vor allem die Witze und Erzählungen von und über *Nasreddin Hodscha*, einen türkischen Witzbold und Volksphilosphen des 14. Jahrhunderts.

Hier eine Kostprobe: *Nasreddin Hodscha* kauft auf dem Bazar von Akschehir gemeinsam mit zwei Kumpanen einen Hammel und zwei Schafe. Als die Zeit der Teilung des günstig gekauften Kleinviehs kommt, entsteht ein Streit. Keiner der Kaufpartner weiß, wem was von den Tieren zufallen soll. Da entscheidet Hodscha: „Freunde, wozu der Streit? Die Sache ist denkbar einfach: Ihr beide bekommt dieses eine Schaf; der Hammel und ich – wir beide bekommen das andere Schaf, und die Sache hat sich."

Erfrischend ist auch der christlich-orthodoxe Witz vom arbeitslosen Popen, der in seiner Langweile nichts anderes anzufangen weiß, als die Schafe des Dorfes zu taufen.

Bekir Sitki Kunt, ein moderner türkischer Autor, hat in seiner Kurzerzählung „Ein neuer Hodscha kommt ins Dorf" einen Witz neueren Datums fesselnd nacherzählt. Die Rede ist von einem Hodscha, der sich vor den Gebeten drückt[5]. Auch das gibt es im Islam.

Der Dialog dient dazu, die Beteiligten nicht nur akademisch, sondern auch menschlich einander näher zu bringen. Sie werden immer mehr bereit, sich in die „Karten schauen zu lassen". Die Öffnung und die Aufrichtigkeit sind Freunde der Wahrheit. Vielleicht werden gerade deshalb die Faschingsfeste im Abendland so offen und ungeniert gefeiert. „Fasching, was ist das?", fragte kürzlich einer meiner Glaubensgenossen und antwortete selbst: „Das sind die Wochen, in denen die Christenmenschen verrückt spielen." Ja, solcherart sind tatsächlich die närrischen Wochen. Aber die Narren sprechen noch am ehesten die Wahrheit. Auch in der islamischen Geschichte waren es Narren, die sich in den kaum endenden, sich einander ablösenden, meist religiös gedeckten Autokratien als die einzigen getraut haben, über noch so brisante Sachverhalte die Wahrheit zu sagen. Das gehört auch zur Gesamtpalette der menschlichen Verhaltensweisen. Und einem ehrlichen Dialog ist nichts Menschliches fremd.

5 Abgedruckt in der von mir herausgegebenen Zeitschrift „Islam und der Westen" 5/1985, H. 4, S. 19.

In Eigenverantwortung glauben

In Österreich zu leben, bedeutet für einen Muslim vor allem die Religionsfreiheit („Es gibt keinen Zwang im Glauben", Qur'an, Sure 2 und 256), das Fehlen von jeglichem sozialen Druck. Dadurch bleibt die Glaubensheuchelei ausgeschlossen und wird das autonome Handeln jedes einzelnen Menschen begründet, wodurch die religiöse Tat erst ihren Selbstwert erhält. In Österreich ist Gläubigkeit in Eigenverantwortung möglich.

Bei der Sichtung der Schari'a kommt man zur Erkenntnis, daß ein Großteil der Schari'a Entlehnungen aus dem Talmud und anderen jüdischen und christlichen Quellen oder Konstruktionen der 'Ulema' sind. Die 'Ulamā' („die Wissenden") sind Schriftgelehrte, die im Laufe der Zeit zu einer Art islamischen Priesterschaft wurden – im Prinzip kennt der Islam keinen Klerus.

Viele Sitten und Gewohnheiten, die als islamische gelten, sind spätere Einfügungen. So lehnt sich etwa die barbarische Sitte der Mädchenbeschneidung, die Scheich al-Badri und andere „'Ulamā'" in Ägypten für den Islam reklamieren, an eine alte afrikanische Praxis an. Der Rechtsgelehrte aš-Šāfi'ī (gest. 820) hat sie für „schön" und *mukarrama* (großmütig) gefunden, und so konnte sie sich in Afrika (hauptsächlich dort) erhalten.

Stellung der Frau

Ebenso sind muslimische Ansichten über Frau und Sexualität weitgehend vom syrischen Mönchschristentum beeinflußt worden. Das leidige Kopftuch, um das so verbissen gekämpft wurde, ist gar nicht qur'anisch begründet. Es heißt dort vielmehr: „Doch das Schutzkleid des Selbstbewahrens ist das beste" (Sure 7, Vers 26). Die Bärte der jungen Muslime und die langen Röcke der Frauen, die man auf Österreichs Straßen sehen kann, wecken die Erinnerung an die Bibel-Worte: „Der Mann trägt einen Bart, die Frau hat lange Haartracht zu tragen" (1 Kor. 11,14).

Ich kenne in diesem Land manche Muslime, die von ihren Frauen durch das Leben getragen werden. Die Frauen verschaffen ihnen die Staatsbürgerschaft, die soziale Stellung und sorgen häufig für den Familienunterhalt. Deshalb kann die zentrale qur'anische Aussage „Die Männer überragen die Frauen, weil Gott die einen vor den anderen ausgezeichnet hat und weil sie von ihren Vermögenswerteu für die Familie beisteuern" (Sure 4, Vers 34) nicht normativ sein. Sie hat vielmehr einen indikativischen Charakter und bezieht sich wohl auf die Zeit von Muhammad (571–632). Daß der Koran geschichtlich geprägt ist, sieht man leicht an vielen anderen Aussagen. Die Offenbarung ist erschaffen worden, wie die alten Freidenker im Islam, die Mu'taziliten, vom 8. bis 10. Jahrhundert behauptet haben. Der Qur'an ist nicht präexistent und ist nicht etwa ein Ersatz, der im Islam die Stelle Jesu Christi in der Trinitätslehre vertritt, wie das gelegentlich gesehen wird. Die im Zusammenspiel von Tatsachen beleuchtete Natur des Qur'an als Grundurkunde der islamischen Lehre erlaubt die Entwicklung einer neuen Hermeneutik, in der die Fragen nach Zeit und Raum der Offenbarung Aktualität bekommen. Von ihrer Beantwortung hängt die Gestaltung der islamischen Identität ab.

Im Mittelpunkt: die Offenbarung

Einstweilen steht es fest, daß der Religionsverkünder Muhammad keine neue Religion lehren – schon gar nicht stiften – wollte. Im Mittelpunkt seiner Lehre stand die Offenbarung, die die ganze Geschichte durchzieht. Schon die ersten sich selbst bewußten Menschen, Adam und Eva (*Adem* und *Havva*), waren Muslime, weil sie einen richtigen Begriff von Gott, dem Schöpfer und Erhalter, hatten. Zu dieser Erkenntnis half ihnen die Offenbarung. Ihr Veranlasser, Gott, ist der eigentliche Stifter der Religion. In dieser Deutung ist die gesamte Entstehungsgeschichte des Monotheismus die Geschichte des Islam. Dieser bedeutet eine Lebens- und Leidensbewältigung im Zeichen der Hingabe an Gott. Allein das Bekenntnis zu einem Gott gründet die islamische Identität. Abraham, Mose, Jesus und andere biblische Gestalten gelten als Rechtgläubige, deren Leben und Handeln nachahmenswert sind.

So universalistisch verstanden, ist der Islam völkerverbindend, ökumenisch, tolerant, multireligiös und offen. Die meisten religiös interessierten Muslime in Europa sind diesem Glaubensverständnis verpflichtet.

Nun, der Islam ist wie alle anderen Religionen historisch gewachsen und hat sich zu einer eigenen Religion entwickelt, in der von Anfang an die Tradition eine bestimmende Rolle gespielt hat. Sie wurde zur zweiten Quelle des Islam erklärt. Gott als der eigentliche Religionsstifter kommt in ihr wenig zu Wort. Das rein Menschliche gewann in der langen Zeit enorm an Bedeutung. Schon in der Frühzeit des Islam haben sich Interpretationsschulen der Lehre etabliert, die allesamt als Wahrerinnen der Rechtgläubigkeit gelten. Im sunnitischen Islam sind es vier Schulen, die diesen Status genießen. Die verhältnismäßig liberalste unter ihnen ist die hanafitische Interpretations- oder Rechtsschule.

Vorurteil: Gewalt als Markenzeichen

Die österreichische Informationslandschaft ist vielseitig und recht objektiv. Allerdings kann sie in bezug auf den Islam leicht gewissen Stereotypen zum Opfer fallen. So gilt zur Zeit – nicht ganz zu Unrecht – die Gewalt als Markenzeichen des Islam. Der schweigenden Mehrheit der Muslime, die die Gewalt im Sinne des koranischen Gebotes „Seid nicht gewalttätig, denn Gott liebt nicht die Gewalttäter!“ (Sure 2, Vers 190) ablehnen, gelingt es kaum, in österreichischen Medien ihre Stimme zur Geltung zu bringen.

Sorge bereitet den Muslimen und Musliminnen der Umstand, daß ein einflußreicher Bischof in einer vermeintlichen Islamisierung das Problem für Österreich sieht (so in einer Fernseh-Diskussion Mitte April 1995). Sonst profiliert sich die Kirche als Vorkämpferin der Menschenrechte (ich denke an Kardinal Dr. Franz König, den ehemaligen Caritas-Direktor Mag. Helmut Schüller, den Grazer Bischof Johann Weber). Österreich hat sich auch als Veranstalter von zwei Islam-Konferenzen (im März/April 1993 und im Mai 1997) auf höchster Ebene einen Namen gemacht.

Das Verhältnis zum Islam läßt sich leicht an der täglichen Sprache ablesen. Wenn die zunehmende Überwindung der früheren falschen und kränkenden Bezeichnungen wie Mohammedaner, Kameltreiber, Kümmeltürke u. ä. ein Anzeiger der Toleranz ist, so kann man damit zufrieden sein. Aber der Weltislam selbst ist heute von solchen Krebsgeschwüren befallen, daß man kaum damit leben kann. Vor allem sein Mißbrauch zu politischen Zwecken und der in seinem Namen agierende Terrorismus machen das Muslim-Sein heute schwer.

Vor der Zukunft stehend

Eine wohl aus der griechischen Philosophie stammende, in einem arabischen Sprichwort zusammengefaßte Weisheit will die Vergangenheit vergangen sein lassen, die Zukunft in den Bereich der Geheimnisse verweisen und der Gegenwart die allein bestimmende Bedeutung beimessen. Aber im Islam hat es, nicht weniger als in anderen Religionen, stets Zukunftserwartungen, Träume vom Kommenden, Prophezeiungen, Hoffnungen, ja Versuche genauer Ermittlung des Zukünftigen gegeben. Das Wesen der Religion ist bekanntlich so angelegt, daß es mehr vom Jenseits als vom Diesseits an Kraft und Hoffnung schöpft.

Im Islam gilt die Tradition als die zweite Lehr- und Inspirationsquelle des Glaubens. In ihr befangen zu sein heißt, sich mit übernommenen Werten und Erfahrungen zufriedenzugeben. Jeglicher Ausbruch aus der Tradition gilt als ketzereiverdächtig. Unter diesen Umständen wäre die Entwicklung der islamischen Welt im dritten Jahrtausend leicht voraussehbar. Aber das Verständnis der Tradition, ja selbst des Qur'an als der eigentlichen Stiftungsurkunde des Islam, ist nicht einheitlich. Davon zeugt das Vorhandensein von verschiedenen Deutungsschulen, die gelegentlich erheblich voneinander abweichen. Einheitliche, dem Gesamtislam eigene Handlungsmuster sind schwer auszumachen. Der amerikanische Gesellschaftsanalytiker Samuel Huntington unterliegt einem gravierend schweren Fehler, wenn er das gegenwärtige Verhalten der Araber zum Einheitsmaßstab erhebt und darauf seine Theorie vom Zusammenprall der Zivilisationen aufbaut. Die Araber machen ja nur ein Fünftel der muslimischen Weltbevölkerung aus. Außerdem bekennen sich nicht alle Araber zum Islam. Wenn, wie er behauptet, die westliche Demokratie dort die antiwestlichen Kräfte stärkt, so bedeutet das bei weitem nicht, daß es so in der ganzen islamischen Welt zugeht. Wenn die demokratische Gesinnung des heutigen Arabers fraglich ist, so heißt es nicht, daß es so ewig bleiben wird. Ein Sinneswandel ist früher oder später zu erwarten, zumal der Islam als zivilisatorisches Grundmotiv multikulturell ist. Er ist nicht auf Ausschließlichkeit angelegt und hat stets neben sich andere Kulturen und Religionen geduldet. Man vergißt sehr leicht – namentlich im Abendland –, daß der Islam für Kulturen und Anschauungen offen ist und von diesen, soweit sie positiv sind, profitiert hat. Nicht zu übersehen ist seine Übernahme des griechischen und des indo-iranischen Kulturerbes samt Weitergabe an das Abendland. Genauso wie das Judentum eines aufgeklärten Juden nicht sein vorherrschendes Bewußtsein ist, sondern die Humanität, so kann es mit dem aufgeklärten Muslim von morgen stehen. Sein Ziel kann nicht, wie Huntington meint, die Erniedrigung des Westens sein, sondern Gleichschritt mit ihm.

Akkulturelle Ursachen können eher Zivilisationskonflikte auslösen. Große Denker der Aufklärung haben mühsam Begrifflichkeiten erarbeitet, die die modernen Prozesse wie Dialog, Wahrheit, Freiheit, Toleranz und Frieden ermöglichen. Die Ökumene greift um sich, wenn auch vornehmlich unter elitären Kreisen. Im Islam sind alle theologischen Voraussetzungen – manchmal allerdings nur rudimentär – vorhanden, um den Muslimen eine aktive Teilnahme an diesem Geschehen zu ermöglichen. Sie fürchten nicht, daß dadurch der Bestand ihres Ein-Gott-Glaubens gefährdet sein könnte, denn Gott selbst verbürgt sich für sein Weiterbestehen (Qur'an 15:9). So konnte seinerzeit ihr Denker Averroes (1126–1198) die These von der bleibenden Unversehrtheit der Offenbarung bei der Aufnahme eines außertheologischen Lehrbetriebes, für den er sich einsetzte, rechtfertigen.

Durch seine Lehre wurde in Europa tatsächlich ein Freiraum für unabhängige Wahrheitsforschung geschaffen. Das wissenschaftliche Denken, die Erforschung der Natur und deren Gesetze werden also vom Islam weitgehend mitgetragen. Da liegt seine Europa-Eingebundenheit – nicht weniger als in der Tatsache, daß die großen mittelalterlichen Kulturen über die Muslime in Spanien, Sizilien und Nordafrika nach Westeuropa gelangten.

Nach dem Ende der Kolonialzeit lebt die Welt des Islam noch immer gewissermaßen vom Rückstau ihrer Kolonialherren. Die Tradition, weitgehend zerschlagen, bietet eine Geborgenheit. Sie ist in der Mentalität und in lokalen Notwendigkeiten begründet. Der Materialismus und der überzogene Individualismus des Abendländers wirken abstoßend, weil sie das gruppen- und gesellschaftsbetonte Denken mißachten. Man redet wegen fehlender gemeinsamer Begrifflichkeit vielfach aneinander vorbei. Aber im Grunde beruht der Islam auf denselben Grundlagen wie das Judentum und das Christentum. Ursprünglich ist er nicht eine neue Religion, sondern der Ausfluß der einen Botschaft, die die ganze Geschichte durchzieht, nämlich der biblischen Offenbarung.

Das als Folge des Aufklärungsgrundsatzes „Der Mensch ist Maßstab aller Dinge“ aufgekommene Postulat von der Selbstverwirklichung des Menschen muß in den übergreifenden sozialen und ethischen Rahmen eingebunden werden, will es sich nicht destruktiv auswirken. Dieser Rahmen sichert die Wirksamkeit der Menschenrechte, deren Bedeutung zwar die Aufklärung in unser Bewußtsein gebracht hat, die aber nur im Absoluten begründet sein müssen, wenn sie höchst heilig und maximal bindend sein wollen. Der Islam kennt von Haus aus eine Reihe grundlegender Menschenrechte, wie das Recht auf das Leben, das Vermögen, die Unverletzbarkeit des Hausfriedens, die Religionsfreiheit, das Asylrecht; ihm ist der Rassendünkel fremd. Er verpflichtet die Begüterten mit Sozialsteuer, fördert Entsagung und Solidarität und drosselt ganz entschieden den Alkoholverbrauch und die sexuelle Zügellosigkeit. Ich glaube, gerade durch diese Wesenszüge seiner Zivilisation wird der Islam gegenüber dem Westen im Vorteil bleiben. Seine Mentalitätsgesundheit und seine gepflegte Nüchternheit sichern ihm eine Stärke – in bezug etwa auf die Geißel der modernen Menschheit, AIDS, und in bezug auf die Alkoholexzesse. Aber infolge der Lockerung der religiösen Bande, die mit dem Einzug des Nationalismus in den Orient begonnen hat, wird die Welt des Islam zusehends zum Austragungsraum ethnischer Zusammenstöße werden. Dies und der innere Widerspruch zwischen einer nach Totalität strebenden Religiosität und den Erfordernissen des modernen Lebens wird, neben den klaffenden sozialen Unterschieden, diese Welt zum dauerndem Krisenherd im dritten Jahrtausend machen. Eine Entschärfung der krisenhaften Phänomene kann sehr wohl mit Hilfe des Westens erfolgen.

Die Muslime pflegen bekanntlich einen anderen Umgang mit der Zeit als der abendländische Mensch. Das Leben in dieser Welt betrachten sie, wenn sie fromm sind, als eine vorübergehende Station, die lediglich dazu dient, sich als Mensch oder eben als Unmensch zu erweisen. Alle Zeit gehört Gott. Der Beginn einer Zeitrechnung – der Ära – ist daher weniger wichtig. Im Qur'an gibt es eine Metapher, die die Gläubigen am ehesten dazu anleiten sollte, die Jahre mit der Geburt Christi zu beginnen. Dort spricht Maria, die Mutter Jesu, die Zeitgenossen mit dem Hinweis an, alle Argumentation mit ihrem Kind zu beginnen. „Da deutete sie auf ihn", heißt es wörtlich. „Sie sprachen: ‚Wie sollen wir mit einem reden, der ein Kind in der Wiege ist?' Er (der kleine Jesus) sprach : ‚Ich bin ein Diener Allahs. Er hat mir das Buch gegeben und mich zu einem Propheten gemacht'" (19:29/30). So hat, wie mir scheint, der Qur'an mit dieser Erzählung der kommenden Entwicklung vorausgegriffen und eine Revolution des Geistes angekündigt. Nichtsdestotrotz haben sich die ersten Muslime für eine eigene Zeitrechnung entschieden, vom Wunsch getragen, sich von der Vorzeit abzuheben. Ihr Anfang wurde mit der Zeit der Auswanderung Muhammads von Mekka nach Medina festgesetzt. Aber nicht genau der Tag dieses Ereignisses wurde ins Auge gefaßt, sondern der erste Tag des Mondjahres, in dem dieses geschah. Das ist der 16. Juni 622. Nicht alle Gläubigen halten sich an dieses Schema. So hat der libysche Revolutionsführer vor einigen Jahren bestimmt, daß die Hidschra-Zeitrechnung in seinem Land mit dem Todestag des Propheten, das ist der 8. Juni 632, beginnt. Dennoch haben alle Muslime vor 22 Jahren, als das 15. Jahrhundert der Hidschra angebrochen war, dies zum Anlaß der großen Feiern genommen – wohl in der Hoffnung, daß die Zeit danach ihnen die ersehnte Prosperität bringen werde, wie sie das 15. Jahrhundert der christlichen Ära der Christenheit gebracht hat.

Was kann im kommenden Millennium aus islamischer Sicht anders laufen als bisher? Nach dem Qur'an ist alle Lebenszeit des Menschen dem Teufel freigegeben, damit er diesen in Versuchung führen könne (15:39). Der Teufel oder Schaitan ruht nimmer. Als Muhammad einmal seinen Gefährten einschärfte, nicht zu den Frauen zu gehen, deren Männer abwesend sind, begründete er dies mit der Tatsache, daß der Teufel den Menschen durchfließe wie das Blut. Dann wendete einer der wißbegierigen Gefährten ein: „Auch dich, Gottes Gesandter?" – „Auch mich", erwiderte der Glaubensverkünder, „aber Gott steht mir darin bei, und so bin ich sicher."

Die Befürchtung, daß es im nächsten Jahrtausend zum Weltuntergang kommen wird, ist im Islam kein Thema. „Man fragt dich", steht im Qur'an, „wann der Weltuntergang eintreten wird. Sage: ‚Das weiß nur mein Herr'" (7:187).

Eines ist ganz sicher: Die lange Zeitspanne, die vor uns liegt, wird viele Veränderungen in der Welt mit sich bringen. Die um sich greifende vermeintliche Rückbesinnung auf die Ursprünge wird zwar die weitere Versteifung im „Hause des Islams" bewirken, aber diese wird sich nicht lange halten können. Das Überlegene wird letztlich siegen. Das Schicksal des Kommunismus ist eine Lehre. Es ist nicht vorstellbar, daß im Informationszeitalter, das bereits angesetzt hat, etwa die Frau auf die Dauer von allen Lebensläufen abgeschnitten werden kann. Auch eine Lebensführung nach Mönchsart (unzählige Gebetsrituale, die viel Zeit verschlingen, Abwürgen der freien Meinungsäußerung, das Festhalten an Scheidungsmerkmalen des Standes, des Geschlechts und der Religion und anderes mehr) ist nicht mit dem Zeitgeist in Einklang zu bringen. Erschütterungen sind unvermeidbar.

Zu hoffen ist, daß sich dabei der Islam und das Christentum auf die Gemeinsamkeiten der Lehre zurückbesinnen. Die Qur'an-Aussagen sind eindeutig: Die wahrhaft gläubigen Christen und Juden werden positiv beurteilt. Sie werden für ihre Gesinnung und ihre guten Taten belohnt. Die päpstliche Enzyklika „Nostra aetate" hat mit ihren anerkennenden Worten an die Adresse des Islam als Religion das Klima des gegenseitigen Vertrauens geschaffen. Die Zeit des Aufeinanderzugehens steht erst bevor.

Nicht darin besteht die Frömmigkeit, daß ihr euer Antlitz nach dem Osten oder Westen wendet. (2:177)

Wollt ihr den Höllenqualen entgehen, so macht den Tyrannen und Gewalttätern keinen Hof! (11:113)

Wie begreiflich zu machen, was die Erhebung des Menschen ist ?

Den Sklaven zu befreien, den Hungrigen zu sättigen, das Waisenkind in der Nachbarschaft aufzuheben und den in der Gosse liegenden Unglücklichen zu retten – das ist es. Dabei von denjenigen zu sein, die im Glauben leben und sich in Geduld und Barmherzigkeit gegenseitig unterstützen". (90:13)

Gott befiehlt euch, euren Mitmenschen gegenüber gerecht, großzügig und freigebig zu sein, und verbietet schändliche Taten, Bosheit, Verbrechen und Intrigen. (16:90)

Rufet zu eurem Herrn in Demut und im Verborgenen: Er liebt nicht Übertreter. Stiftet nicht Unfrieden auf der Erde nach deren Befriedung! (7:56)

Wem die Weisheit gegeben ist, dem ist viel Gutes geschenkt. (2:269)

Schreite gelassen einher und dämpfe deine Stimme! Die gräßlichste Stimme ist der Eselsschrei. (31:19)

Dein Herr hat geboten: „Verehret keinen denn Ihn, und erweiset Güte den Eltern. Wenn eines von ihnen oder beide bei dir ein hohes Alter erreichen, sage nie ‚Pfui!' zu ihnen und stoße sie nicht zurück, sondern sprich ehrerbietig zu ihnen. Neige gütig gegen sie den Fittich der Demut und sprich: ‚Herr, erbarme dich ihrer ebenso mitleidig, wie sie mich aufgezogen haben, als ich klein (und hilflos) war!'" (17:23, 24)

Gott belastet niemanden über sein Vermögen. (2:286)

Alles, was auf der Erde ist, wird vergehen, aber das erhabene und ehrwürdige Antlitz deines Herrn wird bestehen bleiben. (55:26/27)

Gläubige, betretet nicht fremde Häuser, ohne vorher um Erlaubnis zu bitten und die Bewohner zu begrüßen! (24:28)

Die Feindseligkeit eines Volkes soll euch nicht verleiten, anders als gerecht zu handeln. Seid gerecht, das ist näher der Frömmigkeit. (5:8)

Kein Zwang im Glauben! Die Reife des Geistes unterscheidet sich klar vom Irrtum. (2:256)

Gottes ist der Osten wie der Westen. Wohin ihr euch auch wenden möget, da habt ihr Gottes Antlitz vor euch. Er umfaßt (alles) und weiß Bescheid. (2:115)

Wir haben euch zu Völkern und Stämmen gemacht, damit ihr euch auseinanderkennt. Der Edelste unter euch ist bei Gott derjenige, der sich am besten selbstbeherrscht. (49:13)

Dem Menschen gebührt nichts anderes, als was er sich selbst erwirkt hat. (53:39)

Die Zeit ist mir Zeuge, daß der Mensch Verlierer ist. Außer jenen, die glauben und Gutes tun, den Wahrheitbetreibern und den Fürsprechern der Geduld. (103:1-4)

Esset und trinket, doch haltet das Maß ein! (7:31)

Gott liebt diejenigen,die sich rein halten. (2:222)

(Zu den Frauen gewandt:) *Und doch das Schutzkleid des Selbstbewahrens – das ist das beste. (7:26) Gott hat für diejenigen von euch, die rechtschaffen sind, reichlichen Lohn bereit. (33:29)*

Die Frauen sind euer Gewand, und ihr seid das ihrige. (2:187)

Können die Wissenden mit den Unwissenden gleichgestellt werden? (2:272)

Die Männer sollen ihren Anteil erhalten, nach ihrem Verdienst. Desgleichen sollen die Frauen ihren Anteil erhalten, nach ihrem Verdienst. (6:33)

Fürwahr, einer, der Geduld und Vergebung übt, der gibt ein Zeichen von der Stärke des Geistes. (42:44)

Vermeidet übertriebenen Argwohn, denn mancher Argwohn ist Sünde. Belauert nicht, und führt nicht die üble Nachrede übereinander. Würde wohl einer von euch das Fleisch seines toten Bruders essen? Sicher würdet ihr es verabscheuen. Fürchtet Gott! Er ist gnädig und barmherzig. (49:12).

Ihr Leute der Schrift! Übertreibt nicht in eurer Religiosität und sagt von Gott nichts außer Wahrheit! Marias Sohn, Jesus Christus, ist nur der Gesandte Gottes und sein Wort, das Er der Maria entboten hat, und Geist von Ihm. (4:171)

Und kämpft auf dem Wege Gottes gegen diejenigen, die gegen euch kämpfen! Doch begeht keine Gewalttat, denn Gott liebt nicht die Gewalttäter. (2:190)

Der Qur'an zum Wert des Lebens: „*Und die Lebendigen sind nicht den Toten gleich. (35:22)* „*Und stürzt euch nicht eigenhändig ins Verderben! (2:195).* (Beim Überdenken kultischer Vorschriften gilt der Grundsatz: Das Leben hat den Vorrang.)

Helft einander in Frömmigkeit und Enthaltsamkeit, aber nicht in Sünde und Übertretung! (5:2)

Wer hat einen schöneren Glauben als derjenige, der sich Gott hingibt, Gutes tut und der Bekenntnis Abrahams, des Reinherzigen, folgt? (4:125).

*Gott ist mit den Geduldigen. (2:153)**

Und Gott lädt ein zum Haus des Friedens und leitet, wen er will, zum geraden Weg. (10:25)

---

* *Diesen Vers hat der Schriftsteller Peter Scholl-Latour zum Titel eines seiner Bücher genommen. Dort lautet die Übersetzung nicht ganz korrekt:* Allah ist mit den Standhaften.

ERKLÄRUNG DER FREMDAUSDRÜCKE

a. = arabisch
lat. = lateinisch
p. = persisch
s. = siehe
t. = türkisch

ahl al-Kitāb (a.) – „die „Leute der Bibel“, die Schriftbesitzer, d.s. die Juden und Christen

Aleihisselam (von ᶜAlayhi's-salām, a.) Friede sei über ihn! Hier Beiname des Religionsverkünders

Allāh (a.) – Gott als der alleinige Schöpfer und Erhalter der Welt und das erste und letzte Prinzip im Weltgeschehen. Unveränderlich in seinem Wesen und unüberbietbar in seiner Vollkommenheit, gilt er als Ausgangspunkt der islamischen Ethik und des humanen Verhaltens. Auch die Christen arabischer Muttersprache beten Allāh an, weil das Absolutum arabisch eben *Allāh* heißt.

Allāhu akbar (a.), Allāhü ekber (t.) – „Gott ist größer“ (als alles, was hienieden geschieht). Weniger korrekt ist die Übersetzung: „Gott ist der größte“.

ʿaqā'id (a., Plural von ʿaqīda) – die Gesamtheit der Glaubenseinheiten; die Glaubenslehre

ars moriendi (lat.) – „die Kunst des Strebens“. Unter diesem Titel erschienen im Mittelalter zahlreiche christliche Trostschriften.

Azhar, genauer: al-Azhar – die zweitälteste islamische Universität, benannt nach Muhammad's Tochet Fāṭima az-Zahrā'. Gegründet in Kairo Mitte des 10. Jahrhunderts.

As-salāmu ʿalaykum s. unter Salām

Bayram (t.), Bajram (bosnisch) – der Feiertag, das Fest. Es gibt zwei islamische Feste: Ramazan Bayramı (t.) = das Fest des Fastenbrechens nach dem Ablauf des Fastenmonats Ramadān und Kurban Bayramı = das Opferfest etwa zwei Monate und 10 Tage nachher. Das letztere Fest findet zur Erinnerung an die verhinderte Opferung Ismāʿīls bzw. Isḥāqs (Isaaks) statt. Zu derselben Zeit versammeln sich die Mekka-Pilger in der arabischen Wiege des Islam. Deshalb hat das Fest auch den Namen „Pilgerfahrtsfest“ (in Bosnisch: Hadžinski Bajram). Ein Bayram im religiösen Sinne dauert drei bis vier Tage.

Aš'ariyya (a.) – die von 'Alī al-Aš'arī, gest. um 873, gegründete Richtung des sunnitischen Islam, die die starre Rechtgläubigkeit der islamischen Frühgeschichte und den Rationalismus der Mu'taziliten miteinender versöhnte. Begründerin der islamischen Scholastik 'ilm al-kalām (s. unten). Zu dieser Interpretationsweise der Glaubensinhalte bekennen sich vor allem die seit altersher in Europa und im Vorderen Orient beheimateten Muslime.

basmala (a.), besmele (t.) – Name der Einleitungformel des Qur'an Bismillāhi'r-raḥmāni'r-raḥīm

Daǧǧāl (a.) – falscher Messias, der nach der islamischen Mythologie kurz vor dem Weltuntergang erscheint

dār al-ḥarb – (a.) – jener Teil der Erde, in dem der Islam bekämpft wird; Kriegsschauplatz

dār al-islām (a.) = „Haus der Islam"; die islamische Welt

da'wa (a.) – Ruf zum Islam; „Aufforderung zum wahren Glauben". Wird vielfach als „islamische Mission" verstanden, was – zumindesten theoretisch – nicht zutrifft. Der Islam kennt keine Mission im christlichen Sinne.

dīn (a.) – Religion

Dschihād (ǧihād, a.) – Aufbruch; das Aufbieten aller Kräfte, um eine Aufgabe von essentieller Bedeutung optimal durchzuführen. Selbstverteidigungskriege, wenn die eigene moralische Ausgangslage einwandfrei ist, können im Zeichen des Dschihād über die Bühne gehen. Dadurch werden sie vielfach als Dschihād selbst bezeichnet.

fanā' fi'llāh (a.) – das Aufgehen in Gott; die Entwerdung (mystischer Begriff)

faqīh, Plural fuqahā' (a.) – Hermeneutiker; Rechtsgelehrter

fetva emini (t.), amīn al-fatwā (a.) – Beamter in der obersten religiösen Behörde eines Landes, der mit der Ausarbeitung von religiösen Verdikten beauftragt ist

fiqh (a.) – Kultus- und Rechtslehre; Hermeneutik

ǧāhiliyya, al- = die „Zeit der Unwissenheit"; die vorislamische Zeit von Arabien

ǧihād (a.) s Dschihād

hadīṯ (a.), hadis (t.) – Bericht über Taten, Äußerungen oder stillschweigende Billigungen des Religionsboten

hadīṯ qudsī (a.) – eine Überlieferung, in der Gottes Worte oder direkt eine Sentenz aus der Bibel oder dem Psalter vermittelt werden halīfa (a.) – Muhammads Nachfolger im Bereiche der Leitung der Gemeinde; Kalif

Hidschra (hiğra, a.) = Übersiedlung von Muhammad und der kleinen Schar seiner Anhänger von Mekka nach Yaṯrib (dem heutigen Medina) im Jahre 622. Das war ein Umbruchsjahr in der islamischen Geschichte. Es signalisiert den Aufstieg des Islam in der Welt. Daher ist die Hidschra der Anfang der muslimischen Zeitrechnung.

Hodscha (t. hoca, von p. Hwāğa) – Lehrmeister; Lehrer; gebildeter Kultusdiener; Professor. In Bosnien: hodža.

hūrī (a.) – feenhaftes paradiesisches Wesen; liebreizendes Mädchen, das, seiner himmlischen Schönheit angemessen, die Gefilde des Paradieses bewohnt

ʿibāda (a.) – Knechtschaft; Gottesdienst

ʿīd (a.) – Fest, Feier; entspricht dem türkischen Bayram

iğmāʿ (a.) – consensus doctorum; Übereinstimmung der maßgeblichen Religionsgelehrten in einem bestimmten Zeitabschnitt

iğtihād (a.) – freie Rechtsfindung

ʿilm asbāb an-nuzūl (a.) – Wissenschaft über die äußeren Veranlassungen der einzelnen Offenbarungspartien

ʿilm al-kalām (a.) – islamische Scholastik; spekulative Theologie

imām (a.) – Vorsteher beim gemeinsamen Gebet; Patron einer der fünf anerkannten Interpretationsschulen; geistlicher Führer (bei den Schi'iten)

al-insān al-kāmil (a.) – „der perfekte Mensch"; eine Vorstellung aus dem Bereiche der islamischen Philosophie und der Mystik. Detailliert ausgearbeitet von Ibn al-ʿArabī (gest. 1240) aus Murcia, Spanien.

Islam (a.) – Name für den universalen Monotheismus, dem die Offenbarung zugrunde liegt. Dieser Monotheismus verwirklich sich in der Lebens- und Leidensbewältigung im Zeichen der Hingabe an Gott.

iʿtiqādāt (a.), Plural von iʿtiqād – religiöse Überzeugungen; fester Glaube

Kaʿba (a.) , Kaaba – Heiligtum in Mekka

Kalif s. halīfa

madhab (a.) – Rechtsschule

malak (a.), melek (t.), Plural malā'ika (melā'ike) – Engel

mansūh (a.) – außer Kraft gesetzte qur'anische Anweisung

Masdschid (masğid, a.), mescit (t.) = kleineres islamisches Gebetshaus oder Gebetsraum

Mawlid an-Nabiyy (al-mawlid an-nabawī, a.), Mevlid-i nebevi (t.) – Geburtstag des Glaubensboten

Medressa (a.) – theologische Mittelschule; Theologenseminar
naib (genauer: nā'ib, a.) – Stellvertreter (des Reīs ul-ulemā oder des Kadi)
Mekteb-i nuwwāb (a. – p.) - Scheriatsrichterschule
muršid (a.), mürşit (t.) – der geistige Führer
Mu'tazila (a.) – freidenkerische (nicht-orthodoxe) Richtung
nāsiḫ (a.) – der abrogierende (außer Kraft setzende) Vers im Qur'an
nūr (a.) – das Licht
Qāḍī (a.), Kadi – der Scheriatsrichter
qibla (a.) – die Gebetsrichtung
qiyās (a.) – Analogieschluß. Eine Methode der Rechtsfindung
Ramaḍān (a.), Ramazan (t.) – der 9. Monat im islamischen Mondkalender. In diesem Monat wird gefastet.
Rasūlallāh (a.), Resulullah (t.) – Gottesgesandter
ra'y (a.) – persönliche Meinung, die „bessere Einsicht"
Reis ul-ulemā (genauer: Ra'īs al-'ulamā') – Präsident des Theologenrates; Oberhaupt der Islamischen Gemeinschaft in Bosnien
salafiyya (a.) – islamischer Puritanismus
Salām (a.) – Friedensgruß. As-salāmu 'alaykum – Gottes Friede sei mit Ihnen! Pax vobiscum!
Scharī'a (šarī'a, a.), šeriat (t.) – das Gesamtkorpus der islamischen Lebensregeln
Siyāsetnāme (t./p.) – staatspolitische Schrift
Sunna (a.), sünnet (t.), sunnet (bosn.) – die Tradition
ṣūfī (a.), Sufi – Mystiker
šahīd, şehit (t.) – Märtyrer, Blutzeuge
Šayṭān (a.) – Teufel; Sotona
širk (a.) – Beigesellung; die Götzendienerei
taṣawwuf (a.) – die Mystik
türbe (t.), turbe (bosn.) – das Mausoleum
vakuf (bosnisch) vom arab. waqf – fromme Stiftung
Wahhābiten (a.) – eine im 18. Jahrhundert aus der rigoristischen Schule der Hanbaliten in Mittelarabien hervorgegangene Glaubensrichtung.
waḥy (a.) – die Offenbarung; die Selbstmitteilung Gottes
zakāt (a.), zekat (t.) – die Sozialsteuer, zu der der Gläubige von religionswegen verpflichtet ist

Erläuterungen zur Umschrift

ḏ (arabisch: ذ) entspricht dem stimmhaften englischen th wie in *this*.
ḍ (ض) wiedergibt ein emphatisches d.
ğ (ج) entspricht dem deutschen Lautkomplex *dsch*, wie in Dschungel.
ġ (غ) = tönender Reibelaut des weichen Gaumens, gutturales g.
h (ه) deutsches h (niemals stumm).
ḥ (ح) starkes h mit reibungsgeräusch (sehr aspiriert).
ḫ (خ) entspricht dem deutschen ch, wie in *Ich möchte*.
q (ق) emphatisches k.
s (س) hartes ß des Deutschen, wie in *Maß*.
ṣ (ص) emphatisches ß. Der Buchstabe ṣ darf im Rahmen dieser Transkription niemals weich oder stimmhaft ausgesprochen werden.
t (ت) wie im Deutschen.
ṯ (ث) hartes th des Englischen, wie in *thing*.
ṭ (ط) emphatisches hartes t.
w (و) englisches w.
y (ى) entspricht dem deutschen j.
z (ز) weiches s des Deutschen, wie in Hase.
ẓ (ظ) emphatisches z.
ʿ (ع) dient zur Wiedergabe eines eigentümlichen Lautes, der durch kräftiges Zusammendrücken der Stimmritze entsteht und eine Art Stimmabsatz zustandebringt (arabischer Name des Buchstaben: ʿayn).
- (oder ^) oberhalb des Vokals bezeichnet die Länge.

Die Aussprache der übrigen Buchstaben entspricht jener des Deutschen.

Auswahlliteratur

Asghar Khan: Islam, Politics and State. The Pakistani experience. London 1985. 270, XV S. (Zed Books).

Ali Muhammad Naqavī: Islam and Nationalism. Transl. by Alaedin Pazargardi. Tehran (1985). 110 S.

Balagija, Abduselam: Les Musulmans yougoslaves. Etude sociologique (Alger1940). 451 S. (Publications de l'Inst. des études orientales. Faculté des lettres d'Alger. 9.).

Balić, Smail: Das unbekannte Bosnien. Europas Brücke zur islamischen Welt. (Köln/Weimar/Wien 1992). XX, 526 S., 1 Landkarte.

Balić, Smail: Der Islam – europakonform? – Würzburg, Altenberge: Echter (usw.) 1994. 322 S. (Religionswissenschaftliche Studien. 32.)

Balić, Smail: Ruf vom Minarett. Weltislam heute – Renaissance oder Rückfall? Eine Selbstdarstellung. 3., überarb. Aufl. Hamburg: E.B.-Verlag Rissen 1984. 272 S.

Becker, Carl Heinrich: Islamstudien. Vom Werden und Wesen der islamischen Welt. (Nachdruck der Ausgabe 1924). Bd 1.2. - Hildesheim: Olms Buchhandlung 1967. X, 534; XI, 550 S.

Bischofsberger, Otto (Hrsg.): Der Islam in Bewegung. Begegnung oder Konfrontation? – Freiburg, Zürich: Paulusverlag 1991. 172 S.

Boisard, Marcel A.: Der Humanismus des Islam. (Übers.: Bettina Hoessli.) – Kaltbrunn: Hecht (1982). 432 S.

Braun, Maximilian: Die Anfänge der Europäisierung in der Literatur der muslimischen Slaven in Bosnien und Herzegowina (Leipzig 1934). 148 S. (Sächs. Forschungsinstitute in Leipzig. Forschungsinstitut f. Indogermanistik. Slav., At.-Slav.-balt. Quellen d. Forschungen. 7.)

Brockelmann, Carl: Geschichte der islamischen Völker. (Nachdruck der Ausg. von 1943.) – Hildesheim, New York 1977. XIII, 495 S.

Bürgel, Johann Christoph: Allmacht und Mächtigkeit. Religion und Welt im Islam. – München: Beck (1991). 416 S.

Busse, Heribert: Fürstenspiegel und Fürstenethik im Islam. In: Bustan (Wien) 9/1908, S. 12–19.

Busse Heribert: Tradition und Akkulturation im islamischen Modernismus 19./20. Jahrhundert). In: Saeculum (München) 26/1975, H. 2, S. 157–165.

Denffer, Ahmad von: 'Ulūm al-Qur'ān. An introduction to the sciences of the Qur'an. – Leicester: The Islamic Foundation (um 1983). 89 S.

Djozo, Husein: Formalizam i izopačavanje islamskih institucija. [Der Formalismus u. d. Pervertierung islamischer Institutionen.] In: Glasnik Vrhovnog Islamskog starješinstva 12/1961, 1–3, S. 9–18.

Ders.: Islam u vremenu. [Der Islam in der Zeit.] – Sarajevo: (Izvršni odbor Udruženja ilmije) 1976. 212 S.

Donia, Robert J.: Islam under the double eagle: The Muslims of Bosnia and Hercegovina, 1878–1914. (Mit Kt.–Skizz.) – New York 1981. XIX u. 237 S. (East European Monographs. 78.)

Donia, Robert. – Robert Donia and *Williant G. Lockwood:* The Bosnian Muslims: class, ethnicity, and political behavior in a European state. In: Muslim-Christian Conflicts: economic, political, and social origins. Ed. by *Suad Joseph* and *Barbara 1. K. Pilsbury.* – Colorado 1978, S. 185–207.

Durán, Khalid. – Children of Abraham. An introduction to Islam for Jews. Khalid Durán with Abdelwahab Hechiche. – Hoboken, Nİ: Ktav Publishing House 2001. VII, 326 S.

Ende, Werner und *Udo Steinbach* (Hrsg.): Der Islam in der Gegenwart. – München: Beck 1984). 774 S., 4. neubearb. u. erweiterte Auflage 1996, 1045 S.

The Encyclopaedia of Islam, 2. ed. Bd. 3. London 1971, Sachartikel Ḥidjāb, S. 359–361.

Fazlur Rahman: Islam and Modernity. Transformation of an intellectual tradition. – Chicago, London: The University of Chicago Press (1982). 172 S. (Publications of the Center for Middle Eastern Studies. 15.)

Grunebaum, Gustave Edmund von (Hrsg.): Der Islam, II. Die islamischen Reiche nach dem Fall von Konstantinopel. – Frankfurt/M.: Fischer 1971. 486 S. (Fischer Weltgeschichte. 15.)

Hadžić, Osman Nuri: Muhamed a.s. i Kur'an. Kulturna istorija Islama. (Muhammad u. d. Qur'an. Eine Kulturgeschichte des Islam.) (Illustr.) 2.izd. – Sarajevo: Vrhovno Starješinsto Islam. Vjerske zajednice 1968. 188 S.

Hartmann, Richard. – Islam und Nationalismus. – Berlin 1948. 47 S. (Abhandlungen der Deutschen Akademie der Wissenschaften zu Berlin Phil.-hist. Kl. 5. 1945/46.)

Hilf, Rudolf (Hrsg.):Weltmacht Islam. 1. Aufl. – München 1988. 576 S. (Bayerische Landeszentrale für politische Bildungsarbeit. Zur Diskussion gestellt. D 28.)

Hofmann, Murad: Der Islam als Alternative. Mit einem Vorwort von Annemarie Schimmel. – München: Diederichs Verlag (1992). 214 S.

Hunke, Sigrid: Allahs Sonne über dem Abendland. Unser arabisches Erbe. – Stuttgart: Deutsche Verlags-Anstalt (1984). 375 S.

Italiaander, Rolf (Hrsg.): Die Herausforderung des Islam. Ein ökumenisches Lesebuch. Erw. Neuausgabe. – Göttingen (1987). 301 S.

Khoury, Adel Theodor: Der Koran. Unter Mitwirkung von Muhammad Salim Abdullah. – Gütersloh 1989. (Gütersloher Taschenbücher. Siebenstern.783.)

Khoury, Adel Theodor (Hrsg.): Lexikon religiöser Grundbegriffe. Judentum, Christentum, Islam. – Graz, Wien, Köln: Styria 1987. XXXVII S., 1175 Sp., S. XXXIX-XLIX.

Ritter, Helmut: Das Meer der Seele. Mensch, Welt und Gott in den Geschichten des Farīduddīn 'Aṭṭār. – Leiden: Brill 1978. VIII, 780 S.

Ronart, Stephan und *Nandy [Ronart]*: Lexikon der Arabischen Welt. Ein historisch-politisches Nachschlagewerk. (Abschlußredaktion: Walter W. Müller.) – Zürich, München: Artemis (1972). XV, 1085 S.

Nagel, Tilman: Gab es in der islamischen Geschichte Ansätze einer Säkularisierung? In: Studien zur Geschichte und Kultur des Vorderen Orients. Festschrift für Bertold Spuler. Leiden 1981, S. 275–288.

Maḥmûd Šalṭût: Al-Islām – 'aqîda wa šarī'a. (Islam – Glaube und Gesetz.) Ṭab'a 10. Al-Qâhira 1980. 550 S.

Maṭlūb, Aḥmad (Hrsg.): Nahğ Ḫumaynî fî mîzân al-fikr al-islâmî (Khumeinis Methode der Akzentuierung des islamischen Gedankens). Šâraka fî ta'lîfihâ Aḥmad Maṭlūb (u.a.) – Amman 1985, 114 S.

Niẓâmulmulk: Siyâsetnāma. Gedanken und Geschichten. Zum ersten Male aus dem Persischen ins Deutsche übertragen und eingeleitet von Karl Emil von Schowingen. – Freiburg 1960.

Qāsim Amīn: Die Befreiung der Frau. Aus dem Arabischen übertragen von Oskar (Osman) Rescher. – Würzburg, Altenberge: Echter & Oros 1992. 129 S. (Religionswissenschaftliche Studien. 20).

Schowinger, Karl Emil von: Der bleibende Sinngehalt von Niẓâmulmulk's Siyâsatnâma. Gedanken zur historischen Kontinuität. In: Historisches Jahrbuch 91. 1971, S. 292–308.

Seçkin, Haydar: Müslümanlıkta yeni görüşler. Müslümanlıkta reform mümkündür ve artık lüzumludur. (Neue Ansichten innerhalb des Islam. Reformen sind möglich, ja erforderlich). – Istanbul 1974. 277 S.

Sezgin, Fuat: Geschichte des arabischen Schrifttums. 1. Qur'anwissenschaften, Ḥadīṯ, Geschichte, Fiqh, Dogmatik, Mystik bis ca. 430 H. – Leiden: Brill 1967. XIII, 935 S.

Tibi, Bassam: Der Islam und das Problem der kulturellen Bewältigung sozialen Wandels. – Frankfurt/M.: Suhrkamp 1985, 325 S.

Tworuschka, Udo (Hrsg.): Gottes ist der Orient, Gottes ist der Okzident. Festschrift für Abdoldjavad Falaturi zum 65. Geburtstag. – Köln, Wien: Böhlau (1991). XVI, 650 S.

Watt, W. Montgomery und *Alford T. Welch*: Der Islam. (Übers. von Sylvia Höfer. Bd 1. – Stuttgart, Berlin, Köln, Mainz: Kohlhammer (1980). 368 S., 369–371 Kt. (Die Religionen der Menschheit)

Wielandt, Rotraud: Offenbarung und Geschichte im Denken moderner Muslime. – Wiesbaden 1971. 179 S. (Akademie d. Wissenschaften und der Literatur. Veröffentlichungen der Oriental.Kommission. 25.)

Nachweis

Für die Erteilung der Nachdruckerlaubnis einiger in diesem Buch veröffentlichten Kapitel, die ursprünglich als Aufsätze erschienen sind, dankt der Autor den Professoren Michael von Brück, Adel Th. Khoury, Manfred Kwiran, Hans-Martin Barth, Christoph Elsas und Siegfried Wiedenhofer sowie dem Redakteur Norbert Sommer, dem Franziskanerpater Martin Kämpchen, dem Entwicklungspolitiker Andreas Liebmann und dem Nationalratsabgeordneten Werner Amon. Ebenso sehr gilt sein Dank den Verlagen, in denen diese Herren als Herausgeber gewirkt haben.

Im einzelnen sind die nachstehend angeführten Beiträge erschienen: *Islamisch contra europäisch*? in:*Dialog der Religionen* 3/1994. Heft 2, S. 135–153; *Gleichberechtigung der Frau* in: *Qāsim Amīn: Die Befreiung der Frau* (Einführung), Würzburg, Altenberge 1992; *Der Glaubenskrieg – gibt es den noch*? in: *Dimensionen 2000*, Wien 1999, S. 157–162; *Der Islam in der europäischen Schule* in: *Dialog der Religionen im Unterricht*, Münster 1996, S. 171–180; *Göttliche Wahrheit und menschlicher Glaube im Islam* in: *Zur Logik religiöser Traditionen*, Frankfurt/M. 1998, S. 341–362 (verkürzte Fassung in: *Hermeneutik in Islam und Christentum*, Hamburg 1997, S. 96–107); *Ein Euro-Muslim wie er lebt und leibt* in: *Liebe auch den Gott deines Nächsten*, Freiburg im Br. 1989, S. 53–63, und *Vor der Zukunft stehend* in: *Mythos Jahrtausendwechsel,* Berlin 1998, S. 33–37.

REGISTER

1. Sachregister

Abbasiden 5
Abbröckelungsprozeß 70
Abendland 16, 28, 30
Abraham s. *Ibrāhīm*
Adam 214
Afrikanisierung 100
Agitation 92
Agnostizismus 72
Aḥkām as-sulṭāniyya, al- 16
Aḥmadiyya 92
Akkulturation 172
Albaner 4, 17,189
Alkoholkonsum 44
Alkoholverbot 144
Allāh s. auch *Gott* 146, 167, 172, 173
Alltagspolitik 75, 126
Altruismus 59
Andersgläubige 62
Anpassungsfähigkeit 34, 44
Antike 29
Anthropomorphismus 207
Apologetik 15
Araber 39, 60, 85, 154, 226
Arabisierung 11
Archaismen 34
Armenier 143
Armensteuer 43
Asiatisierung 75
Askese 99
Asylrecht 140
Aufklärung IX, 5, 30, 44, 75, 202
Aufrichtigkeit 15
Ausbeutung 27
Auserwähltheit 27, 195
Ausschließbarkeit 82
Autorität 26, 52, 202
Autoritätsglauben 36, 118
awqāf 181

Bahaismus 107
Banken 40
Barmherzigkeit 25
Barttragen 109
Basmala 51
Befreiung 14
Bekenntnisformel s. *Schahāda*
Bektaschi-Derwische 128, 178
Belehrung 26, 46
Beliebigkeit 142
Beratung 31, 33, 66
Besitz 23
Bestrafung 64
Beweislast 40
Bewußtsein 25, 35
Bibel 36, 41, 64, 78, 79, 83, 130, 170
Bildungsausgleich 108
Bildungsideal 75, 163
Bildungsinhalte 75
Bogumilismus 178
Bosniaken 4, 17, 173, 181
Bosnier s. Bosniaken
Bosnisch (Sprache) 182
Bosnische Kirche 179
Böse, das 27, 79, 82
böszörmeny 4
Brüderlichkeit 22, 47, 95
Buchstabe(n) 41, 45

Bund 115

Caritas 70, 95
Christen 32, 76,
Christentum 27, 30, 36, 43, 46, 55, 64, 65, 75, 79, 80, 82, 114, 116, 130
Christologie 125
Christus 80, 82, 178

Dār al-ḥarb 124
Dār al-islām 124
„Darlehensgewährung“ 81
Deklaration, Kairoer 139
Dekultivierung 51
Demokratie X, 29, 30, 32, 33, 35, 36, 37, 95, 119, 117
Demokratiebegriff 30
Demonstriergehabe 109
Denkklischees 72
Denkrichtungen 75
Denksystem 40
Derwische 100
Despotismus 113
Deutschtum 74
Dialektik 74, 85
Dialog XI, 3, 96, 116, 118, 119, 120, 122, 123, 125, 129
Dialogbereitschaft 55, 191
Dialogoffenheit 27
Diaspora-Situation 34
Diebstahl 63, 104
Differenzen 103
ḏimmī 8, 32, 33, 138
Dīn 'aql(un), ad- 163
Diskriminierung 105, 139
dıyāna s. Gläubigkeit
Diyânet Işleri Başkanlīğī 35
Dīn wa dawla 47
Diesseits 98
Dreifaltigkeit 81, 83, 120
Drogenverbot 144
droit 81

Ehe 26, 82
Eherecht 103
Eheschließung 106
Einehe 103
Eigenverantwortung 118
Eigenwert 40, 54
Endurteil 93
Entgeistlichung 52
Entsagung 80
Entscheidung 29
Entscheidungsfreiheit 28
Erbrecht 40
Erde 77
Erfahrungswerte 55
Erleichterungen 69
Erneuerer 92
Erschaffenheit (des Qur'an) 63
Erweckungsprediger 55
Erziehung 50
Ethik 40, 64, 67, 80, 161, 176
Ethos 74, 98
„Euro-Islam“ XI
Europäer 74
Evangelium 90
Exegese 120
Existenz 74
Existenzängste 73
Exkommunizierung s. *Takfīr*
Extremismus 36

Familie 23, 71, 82, 105
Familienrecht 40, 104
Familienunterhalt 101, 105, 108
Familienverband 71
fanā' fi'llāh 39
Fatalismus 51
Fatimiden 94
Fatwā(s) 69

Feinde 83
Feindesliebe 82
Feindschaft 43, 82
Feudalismus 27
fiqh, al- 14, 49, 56, 69, 113, 122, 210
Fiqh-Gelehrte 53, 87
Fladenbrot 74
Forschen 27
Forschung 55
Formalismus 52, 54
Franzosen 17, 18, 75
Frau(en) 11, 13, 41, 85, 99, 101, 105, 106, 108, 109, 110, 205
Frauenfrage 32
Freiheit 15, 22, 25, 28, 32
Frieden VI, 84, 91 ,122, 130, 216
„Friedhof der Ausgestoßenen" 85
Frömmigkeit 16, 41, 56, 78, 96
Fundamentalismus 11, 18, 34, 133
Fundamentalisten 24, 102, 134
Fuqahā' s. Rechtsgelehrte

ğāhiliyya, al- 133
Galābī(s), ğalābīb 74, 150
Gastarbeiter 72, 84
Gebet(e) 81, 82, 205
Gebetspraxis 40
Gebetszeiten 40
Gebote 84
Gedankenfreiheit 13
Geist 49
Gerechtigkeit 31, 42, 43, 82, 95
Gerechtigkeitssinn 31
Gesandte(n) Gottes 71
Geschichte 21, 24, 31, 51, 74
Geschöpflichkeit s. Kreatürlichkeit
Gesellschaft 9, 14, 20, 46, 48, 49, 50, 53, 59, 71, 80, 81
Gesellschaftsordnung IX

Gesetz(e) 23, 25, 63, 79
Gesicht, folkloristisches 70
Gesundheit 77
Gettoisierung 5
Gewaltenteilung 33
ğidāl 117
ğihād 26, 113, 132, 133, 134, 135, 144, 169, 189, 205, 209
Glauben 46, 56
Glaubensabfall 82
Glaubenskrieg 130, 131
Glaubenslehre 27
Glaubenssubstanz 41, 73
Glaubensverständnis 70
Glaubenszwang VIII
Gläubigkeit 16, 54, 60, 96
Gleichberechtigung 41, 108, 110
Gleichheit 31, 32
Globalisierung 155
Glück 10
Gnade 81, 85
Gott, Gottesbegriff 3, 22, 31, 47, 50, 54, 66, 67, 74, 76, 77, 81, 118, 127
Gottesdienst 49, 65
Gottesgesandter 79
Götzendienst 132
Gräzisierung 4
Grundausrichtung 51
Grundgesetz 34
Grundrechte 33
Gruß 43
Güte 59
Gute, das 27, 97
Gymnastikunterricht 112

Ḥadīt(e) 45, 87
Hanafiten 60, 63
Hanbaliten 59
Handabschneiden 79
Händedruck 109

Ḥarakat at-tahǧīr wa't-takfīr 92
Ḫāriǧiten X
Haß 43
„Haus des Islam" 50
Heil 27, 38, 77, 214
Heilige Schrift s. Bibel
Hermeneutik 45, 99, 199, 201, 207
Herrschaft 31
Hidschra s. *hiǧra*
hiǧra 68, 69, 228
ḥikma(t) s. Weisheit
Ḥilal aš-šarī'a s. Rechtskniffe
Hilfswerk, Evangelisches 95
Himmel 77
Hingabe 38, 46, 76, 80
Hinterfragung 55
Holocaust 72
Humanismus, Humanität I, 50, 135, 154, 226
Humanist 63
Hut 107
Hutterer 150
Hygiene 52

'ibāda s. Gottesdienst
Ibrāhīm 78, 125, 193
Identität 14, 24, 39, 47, 48, 56, 68, 70, 71, 72, 84
Identitätskrise 17, 59, 63, 73, 86, 93
Identitätsverlust 17, 71
Ideologie 85
Iǧmā' 87
iǧtihād s. Rechtsfindung
Iḥyā' al-'ulūm ad-dīn 81
'ilm 15
'ilm al-kalām 7, 8
'ilm asbāb an-nuzūl 14
Imāmat 16
Immoralität 91
Indifferentismus 40, 71, 72
Integration 20
Interpretationsschulen 224
Iraker 195
Iraner 60, 154, 191
'Īsā s. Jesus
Islam 43, 46, 50, 53, 69, 74, 76, 77, 81, 82, 83, 84, 89, 94, 96, 110, 113, 114, 116, 125, 226
„Islam and the West" 18
„Islam and the Modern Age" 94
„Islam and the Modern World" 94
„Islam und der Westen" 18,
Islam-College 18
„Islamische Bewegung" 33
Islamische Liga s. Islamische Weltliga
Islamische Weltliga 59
Islamisten X, 33
Islamiyyūn s. Islamisten
Islampraxis 69
Ismailiten 200
Isolierung 73
Isrā'iliyyāt 56, 100
ius 81
ius divinum 25
izmaeliták 4

Janitscharentruppe 178
Jesus 64, 78, 80, 81
Juden 32, 52, 64, 66, 83
Judentum 27, 30, 46, 51, 75, 77
Jugend 71

kāfir 132
Kalifat 59
Kasuistik 21
Kind(er) 84, 86, 101, 110
Kirche, Kirchen 1, 24, 26, 32,
Kirche, Katholische 17

Kleidung IX, 104
Knabenaushebung 185
Koedukation 112
Koexistenz 18, 131
Kolonialzeit 59, 66
Kompetenz 31
Konfliktpotential 156
Konsensus VI, XII, 53
Konsultationsprinzip s. Beratung
Konsumgewohnheiten 73
Konsumzwang 51
Konzil 119
Kopftuch 18, 150, 151, 152
Kopftuchtragen 41, 102, 109, 138, 171
„Koran-Schulen“ 68
Korrekturen 34
Krankheit 77
Kreativität 53
Kreatürlichkeit 21, 27, 38
Kreuzfahrer 151
Kreuzzüge 130
Kriege 28, 130
Kritik 52, 57
Kritizismus 21
kufr 90
Kultur 48, 70, 72
Kulturerbe 39, 52, 73
Kulturgeschichte 56
Kulturkreis 74
Kulturniveau 37
Kultus 205
Kultuslehre s. *fiqh, al-*
Kunst 41

Last 99
Lauterkeit des Herzens 16, 60, 96
law 81
Leben 23
Lebensbeispiel 29
Lebensbewältigung 23
Lebensgefühl 103
Lebenshilfe 51
Lebenssinn 51
Lebensweg 27, 60
Legitimität 54
Lehrauftrag 29
Lehrbücher 173
Lehrinhalte 75
Lehrmeinungen 52
Leib 65
Leidensbewältigung 23
Leitbild 80
Leitkultur XI
lex charitatis 13, 25
Liebe 82, 104, 148
Linguistik 18
Linkshändertum 52
Linksparteien 17
Liturgie 89
Lumen Gentium 124

Macht 27
Mädchenbeschneidung 223
maḏhab-Lehren 85
maḏhab-Mentalität 86
Mann, Männer 11, 41, 87, 101, 105, 108
Märtyrertum 91
Masīḥ s. Jesus
Massenneurose 51
Mauren 59
Maßhalten 73
Medinenser 61
Medizin 76
Medresse(n) 181, 282
Meinungsfreiheit 41
Mekteb(s) 181
Melik Šāh 97
Mensch 22, 42, 50, 55, 83, 127, 227

Menschenbild IX, 1, 2, 17, 24, 30, 38, 118, 205
Menschenliebe 83
Menschenrechte XI, 2, 10, 13,42, 119, 137, 140, 144, 145, 177, 228
Menschenwürde VIII, 22, 42, 140, 147
Menschlichkeit 60
Mentalität(en) 74, 83
Metaphysik 25, 41
Millets 5, 32
Minderheitenschutz 33
Mi'rāǧ 54
Mischehe 27, 75
Mißbrauch 153
Missio 95
Missionen 117
Missionsauftrag 132
Mitleid 59
Mitmenschen 82
Mittelalter 56
Moderne 6, 14, 45
Modernismus 18, 94
Moguln 5
„Mohammedaner“, Muhammedaner 120, 163
Mönchschristentum 27, 99
Mongolensturm 5, 59/
Monotheismus 40, 130
Moral 9, 27, 30
Moraltheologie 75, 116
Moschee(n) 106, 111
Moses s. Mūsā
Mudéjares 6
mukallaf 29, 38
Murǧi'tische Schule 28
Mūsā 29
Musik 61
Muslime 66, 77, 83
„Muslimbrüder“ 94
Mutakallimūn 46
mutašābihāt 63
Mu'tazila 85
Mu'taziliten 1, 56, 63, 203, 211
Mu'tazilitische Schule 21, 38
Mystik 1, 3, 8, 10, 18, 39, 67, 82, 147, 159, 161, 201
Mythen VIII

Nachdenken 27
Nachwelt 41
Nächstenliebe 43, 137
naṣṣ 95
natio militans 31
Nationalismus 196, 197
Nationalität 96
Nativismus 102
Naturbeobachtung 27
Neomu'tazilismus 38
Neoplatonismus 8
Nirwana-Philosophie 67
niẓām al-islāmī, an- s. Gesellschaftsordnung
Nomokratie 32
Nostra aetate 124, 125, 126, 186

Offenbarung VIII, 25, 26, 29, 38, 39, 46, 51, 53, 56, 69, 77, 79
Offenbarungsrecht 24
Offenbarungsreligion 79
Offenbarungsverständnis 38, 39, 63, 118, 203
Okzident 17
Ökumene 184, 191
Omaijaden 5
Ordnung 81
Originalität 79
Orient 17, 43, 60, 61, 74, 75
Orientierungshilfe 68
Orthodoxe 57, 85

Osmane 3
Osmanenvorstoß 143
Osmanistik 5

Pakistaner 52, 91, 194
Pancasila 196
Parabel 41
Partei 33
Patarener 178
Patriarchalität 33
Patriotismus 198
Personenstandsrecht 40
Pflichtenlehre 26
Philosophie 10, 25, 55, 56
Pluralismus 33
Politik 42, 59, 88, 89, 98
Politiker 53
Politisierung 81, 84, 93, 94
Polygamie s. Polygynie
Polygynie 106
Pomaken 4, 94
Populärmedizin 76
Postmoderne 6, 14
Präexistenz 91
Predigt 57
Presse 41
Pressefreiheit 70
Priesterschaft 26, 50, 71
Primus inter pares 79
Propaganda 91
Prophet(en) IX, 78
Prophetenmedizin 57
Psychologie 51
Pubertät 71

qiyās 87
Quellenverständnis 207
Qur'ān VI, IX, 14, 29, 36, 38, 41, 44, 45, 46, 53, 56, 57, 60, 63, 64, 79, 83, 85, 87, 93, 97, 103, 120, 37, 213, 226
Qur'ān-Exegese 38, 53, 80, 94, 202
Qur'ān-Kurse 84
Qur'ān-Verständnis 46

Raubzüge 28
Recht 11, 32, 161
Rechtsdenken 25, 34, 41
Rechtsfindung 12, 41, 48, 106, 200
Rechtsfixierung 55
Rechtsgefühl 41
Rechtsgelehrte 39, 53
Rechtslehre 66
Rechtsschulen 45
Rechtsschutz 32
Rechtsstaatlichkeit 33
Rechtskniffe X
Rechtsstaat 32, 35
Rechtswissenschaft 38, 54
Reconquista 6, 69
Redefreiheit 70
Reduktionismus 51, 78
Reduktionsprozeß 34
Reformer 45, 69
Reifungsprozeß 36
Reislamisierung XI, 57, 71, 90
Reformation 75
Reiten 113
Renaissance 42, 57, 59, 75, 98, 102
Reinlichkeit 40
Religion(en) 23, 24, 41, 57, 79, 88, 90, 98
Religionsfreiheit 15, 41
Religionsunterricht 71
Religiosität 42, 54, 65, 124
Rentenkapitalismus 27
Repräsentationssystem 33
Ressentiments 94
Revolution 74

Rigoristen 34, 40, 53
Ringparabel 131
Rittertum 131
Ritual 49
Roma 94
Rückfall 59
Rückständigkeit 49

Sabier 32
Sachzwänge 30, 51, 147
Säkularisierung 114
Säkularismus 1, 30
šahāda 47
Sakramente 26
salafiyya-Bewegung 83, 88
Sarazenen 4
šarī'a IX, 8, 11, 22, 23, 24, 33, 84, 87, 93, 97, 103, 111, 128, 138, 142, 166
Sassaniden 67
Schablonen 51
Schahada s. šahāda
Scharī'a s. *šarī'a*
„Schariatisierung" 153
Scheidung, Scheidungsrecht 103, 106
Scheriat s. šarīʿa
Schia s. *šī'a*
Schicksal 76
Schiiten 93
Schleier 102
Schöpfer 77, 157
Scholastik 21, 135
Schriftgelehrte 52, 97
Schūrā s. Beratung
Schutzbefohlene s. *ḏimmī*
Schutzgebet 52
Schweinefett 40
Schweinefleisch, Schweinefleichkonsum 40, 44
Schwimmen 113
Schwimmunterricht 112
Selbstbeherrschung 60
Selbstkritik 52
Selbstverwirklichung 30
Seele 65
Selektivernährung 40
Sexualität 27, 40
Sicherheit 34
šī'a 90
Sinn 85, 201
Sinnfrage VI, 137
Sinnhaftigkeit 53
Sinninhalt 22
Sittlichkeit 98, 104
Sklave 27
Sklaverei 53, 56, 110, 154
Slawisierung 4
Solidarität 12, 22, 44, 47, 60, 72, 77, 95, 103, 193
Sozialanalysen 86
Sozialkritik 73
Soziallehre 9
Speisen 40, 109
Speisevorschriften 73, 76
Speisung 61
Spiritualität 53, 54, 60
Staat 9, 15, 24, 31
Staatsmacht 97
Staatstheorien 36
Staatswesen 81
Stammesbewußtsein 35
Stammländer des Islam 70
Steinigung 64
Stellvertreter 48
Strafarten 56, 71
Strafbarkeit 59, 65
Strafbestimmungen 78
Strafrecht 39, 104
Strafvollzug 35, 79
Straßenaufmachung 101
Ṣūfi(s) 60

Sünden 83
Sunna 29, 45, 46, 53, 69, 85, 140, 199
sunnet s. Sunna
šūrā s. Beratung
Synkretismus 107
Symbole 12
Synagogen 32

Tadelnswerte, das 97
Tahāfut al-falāsifa 7
Takfīr X, 75, 170
Tālibān XII, 154
Talionsgebot 64
Talmud 223
tanazzuh s. Frömmigkeit und Selbstbeherrschung
taqiyya 69
Taufe 26, 50
Technologie, Technik 57, 148
„Territorium des Islam“ s. *Dār al-islām*
Terrorismus XI
Testament, Das alte s. Bibel
Texte 41
Theokratie 11, 31, 66
Theologen 36, 46
Theologie 24, 30, 39, 46, 48, 87, 120, 123
Theologie, freidenkerische s. Mutaziliten
Thora 1, 64, 81
Toleranz 23, 155
Tradition 10, 13, 27, 40, 45, 48, 49, 51, 52, 54, 55, 56, 57, 65, 72, 74, 79, 104, 116, 204, 226
Traditionalismus 18, 55
Torbeschen 4
Türken, „Türken“ 91, 143, 185, 186, 187, 194, 195
Tyrannei 27

Überlieferer 45
Übersetzungsschule in Toledo 8
'Ulama' 31, 106
Umbruch 69, 72
Unerschaffenheit 39
Ungerechte 82
Ungerechtigkeit 98
Unterrichtswesen 40
Unterwerfung 46, 116
Unverständnis 40
'Urūba wa'l-islām, al 88, 160
uṣūl al-fiqh 128
uṣūliyya s. Fundamentalismus

Vaterunser 77
Vaticanum 120
Vatikan 88
Veda 131
Verantwortlichkeit 29
Verantwortung 38
Verbalismus 41
Verbote 84
Vereine 71
Verfassungskonformität 35
Verfolgung 84
Vergangenheit 45, 51
Verhaltensvorschriften 82
Verinnerlichung 9
Vermenschlichung 50
Vernunft 23
Vernunfturteil 109
Verschleierung 107
Verschleiß 73
Verschwendung 73
Verstand 13
Verständigungsschwierigkeiten 75
Verteidigungskrieg 135
Verwestlichung 30
Vicarius Dei 22
Vielweiberei 106

Völkermord 144
Volk 31
Vorurteile 72

Wahhabiten, *Wahhābis* XII, 59
Wahrheit 26
Wandel, sozialer 23, 24, 122
Wein 61
Weisheit 41, 55, 78
Welt 102
Weltbild 19, 38, 51, 54, 56, 71, 85
Weltfrieden 18
Weltgestaltung 36
Weltliga, Islamische 90, 221
Weltverbesserung 51, 80
Weltuntergang 229
Werte 30, 41
Wertesystem 19, 118, 142
Wertvorstellungen 78
Westen 40, 43, 52, 55, 56, 72, 73, 129
Westeuropa 84
Wirtschaftslehre 9
Wirtschaftsordnung IX
Wissen 27, 28, 39, 46, 50
Wissenschaft 41, 53, 56, 57, 73
Wuzara' 31

Zeit 14, 41
Zeitgeist 51
Zeitwidrigkeiten 34
Zeugnis 46, 47
Zinswirtschaft 40
Zionismus 72, 91
Zivilisation 41, 94
Zivilisationskonflikt 227
ẓiyy al-islāmī, aẓ- s. Kleidung, „islamische“
Züchtigung 103
Zukunft 67, 100, 124
Zuwanderer 84
Zwölfer-Schiiten 91

2. Personenregister

ʿAbdallāh al-ʿArwī 19
ʿAbdallāh al-Māwardī 16, 96, 160
Abdallah Laroui s. ʿAdallāh al-ʿArwī
ʿAbdalmalik al-Ǧuwaynī 16, 96, 97
ʿAbdarraḥmān, arabischer Heerführer 3
ʿAbdarraḥmān, Ǧāmi s. Ǧāmi
ʿAbdarrāziq, ʿAlī 92, 141
ʿAbduh, Muḥammad 16, 38, 67, 90, 92, 100, 197, 202
Abid, L. Jamila 111, 112
Abubacer s. Ibn Ṭufayl
Abū Ḥanīfa 62, 86, 151, 210
Abū Zayd, Naṣr Ḥāmid 210, 211, 212
Adam 3
Afġānī, Ǧamāladdīn, al- 67, 92, 197
Algazel s. Ġazālī, al-
Alhasen s. Ibn al-Ḥayṯam
ʿĀ'ischa (ʿĀ'išā), die junge Frau Muhammads 112
ʿAlī, der vierte Kalif 4, 31, 194
ʿAlī Efendi, Zembillī 143, 153
Alp Arslan 97
Amīn, Ḥusayn Aḥmad 141, 201
ʿAqqād, ʿAbbās 90
Aristoteles 7
Arkoun, Mohammad 18, 92, 212
Andrić, Ivo 175
Antes, Peter 118
ʿAšmawī, Muhammad Saʿīd 208
Atatürk, Kamal 107, 196
ʿAṭṭār, Farīdaddīn 207
Augustinus 130
Avempace s. Ibn Bāǧǧa
Averroes s. Ibn Rušd
Avicenna s. Ibn Sīnā

Badrī, al- 223
Bahja ibn Paquda 8
Balthasar, Hans Urs von 3
Baṣrī, Ḥasan al- 91
Becker, Carl Heinrich
Behmen, Salih 16
Berber, Mersad 183
Berque, Jacques 212
Bigović, Radovan 185
Boccaccio, Giovanni 131
Bougarel, Xavier 180
Brecht, Bert 73
Buber, Martin 51
Bucaille, Maurice 56, 57

Camus, Albert 143
Carlyle, Thomas 19
Ćatić, Musa Ćazim 175
Čaušević, Mehmed Džemaluddin 107, 179, 181
Cerić, Reis ul-ulema, Mustafa 186
Chirāgh, ʿAlī 151
Čimić, Esad 96
Chodkiewicz, Michael 18
Christus s. Jesus
Colpe, Carsten 9
Comte, Auguste 196

Dawālibī, Maʿrūf, ad- 18, 57
Descartes, René 10
Desnavi, Sayyid S. 92, 94
Dizdar, Mak Mehmedalija 183

Djozo, Husein 48, 49, 94, 181, 204, 205
Dorcsi, Mathias 76
Dschāmī, 'Abdarraḥmān s. Ğāmī
Durán, Khalid 19, 52
Džumhur, Zuko 183

Ehrenfels, Umar von 99
Engineer, Asghar Ali 94
Esack, Farid 212

Farābī, Muhammad al- 10, 158
Filipović, Željko 174
Forstner, Martin 30, 31, 141
Fromm, Erich 1
Fück, Johannes 77
Füssel, Hans-Peter 165

Ğābir ibn Ḥayyān 6
Ğāḥiẓ, al- 61, 194, 248
Ğāmī, 'Abdarraḥmān 82
Garaudy Roger (Rağā') 12, 41, 204
Ġazālī, Muḥammad, al- (1) 79, 80, 81, 126, 157, 201, 202
Ġazālī, Muḥammad, al- (1) 111
Gharīd, al- 61
Geyer, Rudolf 9
Gökalp, Ziya 67
Goldziher, Ignaz 206

Ḥasan ibn Muḥammad al-Wassān, al- 8
Haan, Eberhard de 84
Ḥabīb aṣ-Ṣaqlabī 174, 181
Hadžić, Osman Nuri 179, 181
Ḫalafallāh, Muḥammad Aḥmad 92, 93
Ḫālid, Muḥammad Ḫālid 92
Ḥamīdullāh, Muḥammad 135
Hammurabi 139
Ḥanafī, Ḥasan, al- 202
Hartmann, Richard 195
Ḫayyām, 'Omar 175
Heisenberg, Werner 83
Held, Robert 95
Herbst, Anne XI
Hišam Ğu'ayyit 19
Hofmann, Murad Wilfried 127, 128
Holl, Adolf 127
Horten, Max 42
Hozo, Dževad 183
Huntington, Samuel 142, 144
Ḥusayn, Muḥammads Enkelsohn 100
Ḥusayn Lamekānī 175
Huter, Jakob 150

Ibn al-Fārid 175
Ibn Ḫaldūn 174, 195
Ibn al-Ḥayṯam 7
Ibn Ḥazm al-Andalusī 176
Ibn Maskawayh 176
Ibn al-Muqaffa' 176
Ibn Qayyim al-Ğawziyya 176
Ibn Rušd 5, 7, 9, 26, 33, 56, 158, 161
Ibn Sīnā 7
Ibn Taymiyya 26
Ibn Ṭufayl 7
İqbal, Djawid 94
Iqbal, Muhammad 67
Izetbegović, Alija 182

Jevtić, Miroljub 189

Kalif 97
Kandīl, Fuad 19, 120
Kappert, Petra 35
Karadžić, Radovan 190
Karahasam, Dževad 175, 183

Karić, Enes 182
Kepel, Gilles 18
Khomeini 59
Katsh, Abraham 78
Kindī, al- 25
Khan, Inamullah 57
Khalid, Detlev, s. Durán, Khalid
König, Kardinal Franz 159, 225
Kosik, Karel 90
Kremer, Alfred von 7
Kuharić, Kardinal Franjo 184
Küng, Hans 121, 221
Kurjak, Asim 183
Kusturica, Emir 183

Laliwala, Jafar J. 92, 94
Lamartine, Alphonse de 17
Lessing, Ephraim 131, 168
Lewis, Bernard 8
Leo Africanus s. Ḥasan ibn Muḥammad al-Wassān, al-
Ljevaković, Zijad 179

Ma'bad 61
Maḏkūr, Ibrāhīm 95
Maechler, Winfried 216
Maḥǧūb ibn Mīlād 19
Maḥmud II
Maimonides s. Mūsā ibn Maymūn
Mālik ibn Ḥāriṯ 31
Marshall, Gordian P. 71
Massignon, Louis 17
Matthäus 64
Maudūdī, Abu'l-A'lā' X
May, Karl 167
Mazhar, Mīrzā Janjānan 131
Mensching, Gustav 2
Merad, Ali 18
Mevlić, Sejjid 189
Mladić, Ratko 190
Mrdja, orthod. Metropolit 186
Mez, Adam 161
Mufti, Heitham 19
Mu'ammar al-Qaḏḏāfī 33
Muḥammad al-Ġazālī s. Ġazālī, al-
Muḥammad ar-Rāzī 7
Muḥammad aš-Šaraḫsī 83
Muḥammad asch-Scharahsi s. Muḥammad aš-Šaraḫsī
Muḥammad 'Azīz al-Ḥabbābī 19
Mujezinović, Ismet 183
Mūsā ibn Maymūn 9

Nagel, Tilman 165
Na'im, 'Abdallāhi Aḥmad 142, 212
Nallino, Carlo A. 192
Napoleon 17
Nehemia 139
Nerval, Gérard 17
Niẓāmulmulk 97, 98
Numeiri, Ǧa'far 92

'Omar, der zweite Kalif 63
Oršolić, Marko 186

Pahlawī, Moḥammad Reẓā 107
Pajić, Muhammed Nasih 1764
Pavičić, Darko 134
Pavle, Patriarch der Serben 184, 186, 190
Parweez, Gulam Ahmad 92
Pignedoli, Kardinal Sergio 126
Pischon 106
Plank, Max 162
Plato 10, 147
Pruščak, Hasan Kāfī 174, 175

Qansuwa, Ṣāliḥ 93
Qardawī, Yūsuf, al- 1
Qāsim Amīn 100, 101, 112

Rahman, Fazlur 92
Ratschow, Carl Heinz 79
Ražnjatović, Željko 184
Razvi, Mehdi 117
Rhazes s. Muḥammad ar-Rāzī
Riḍā, Muḥammad Rašīd 197
Rodinson, Maxime 47
Rossano, Pater 112
Rūmī, Ǧalāladdīn 175
Ruschdi, Salman 169

Šabanović, Hazim 183
Sa'da, Ibrāhim 93
Šafi'ī, aš- 223
Salomon ibn Gabirol 8
Šalṭūt, Maḥmūd 90
Šarčević, Abdulah 183
Schabestārī, Moḥammad Modjtahid 212
Schariati, Ali s. Šarī'atī, 'Alī
Schiller, Friedrich 82
Schüller, Helmut 225
Šehić, Amir 180
Selimoski, Reis ul-ulema Jakub 184, 189
Selimović, Meša (Mehmed) 175, 183
Şenocak, Zafer 19
Sijarić, Ćamil 183
Silvester II 8
Smajlović, Avdo 183
Spaho, Fehim 181
Sulaimān al-Qānunī 202
Sušić, Derviś 188
Swidler, Leopold 186

Ṭāḥā, Maḥmud Muḥammad 92, 212
Ṭalbī, Muḥammad 19, 96, 122, 212
Thallóczy, Ludwig 174
Theodor, Gouverneur von Murcia 8
Ṭībī, Bassām 19, 56, 142
Tunku, Abdur Rahman 122
Turābī, Ḥasan X

Urban II 130, 168

Vitray Meyerovitch, Eva de 18

Wanzura, Werner 20
Watt, William Montgomery 19
Weber, Bischof Johann 225
Werblowsky, Zwi 78
Werenfels, Peter 206
Wielandt, Rotraud 15, 19

Yūnus Emre 175

Zā'im, Husnī 107
Zamaḫšarī, az- 206
Ziegler, Albert 108
Ziemer, Christof 186

3. Ortsregister

Ahmedabad 94
Afghanistan 154
Afrika 162
Ägypten 31, 92, 94, 153, 196
Albanien 4, 40, 70
Algerien 153
Arabien 61, 86
Asien 162

Babylon 115
Balkanstaaten 165
Bosnien XI, 4, 40, 107, 151, 174, 175, 177, 186, 191
Bulgarien XII

Chiang Mai 125
China 147

Dacca 9
Deutschland 24, 60, 68, 84, 120

England 19
Europa 13, 19, 28, 47, 164

Frankreich 17, 152

Griechenland XII, 14

Indien 96, 143
Indonesien 21, 196
Iran 59, 93, 94
Israel 21

Jugoslawien (ehem.) 48, 81

Kanada 87
Kandy 125
Kosovo XII, 189
Kufa 62

Lahore 92
Louvain 17

Mafraq XI
Maghrebiner 17
Medina 80, 91, 169, 228
Mekka 79, 91, 92, 112, 193, 215, 228
Mesopotamien 150
Mittelmeer-Inseln 4
Mongolei XII
Mostar 181

New Delhi 96

Österreich 62, 152, 164, 171, 223, 225

Pannonische Ebene 4
Paris 18

Rußland XII

Sarajevo 188
Saudi-Arabien 112, 154
Sizilien 4
Sowjetunion (ehem.) 107
Spanien 4, 9, 106, 143
Stockholm XI
Sudan 153
Süditalien 4
Südosteuropa 74
Syrien 153

Toledo 8

Türkei XII, 21, 40, 70, 106, 143, 165
Tunesien 21, 96
Uhud 103
Willebadessen bei Dortmund 84

Susanne Heine (Hg.)

Islam zwischen Selbstbild und Klischee

Eine Religion im österreichischen Schulbuch

(Kölner Veröffentlichungen zur Religionsgeschichte, Band 26)
1995. XVI, 327 Seiten. Broschur.
ISBN 3-412-09495-1

Was erfährt man aus den Büchern, die Kindern und Jugendlichen in die Hand gegeben werden, über die großen kulturellen und humanen Leistungen des Islam, der in vielem dem christlichen Abendland überlegen war? Zu wenig. Was erfährt man über den Dschihad, den fälschlich sogenannten »Heiligen Krieg«, über die Stellung der Frauen im Islam, über die Scharia, die islamische Rechtsordnung? Nicht immer das Richtige. Am Beispiel österreichischer Schulbücher wird dieses Bildungsdefizit analysiert.

Der Islam hat sehr viel mehr Gesichter, als wir alle gelernt haben. Das vorliegende Buch versucht, ihn nach seinem eigenen Selbstbild als Gegenüber wahrzunehmen, ohne seine fremden Aspekte zu leugnen; es will mit den Klischees auch die Angst vor dieser Weltreligion abbauen helfen und ein gutes Zusammenleben mit muslimischen Menschen fördern.

Böhlau

Köln Weimar

Johann-Dietrich Thyen

Bibel und Koran

Eine Synopse gemeinsamer Überlieferungen

Mit einem Vorwort von Olaf Schumann

(Kölner Veröffentlichungen zur Religionsgeschichte, Band 19)

3. Auflage 2000. XXX, 397 S.

14 s/w-Abb. Br.

ISBN 3-412-09999-6

Parallele Textpassagen und inhaltsgleiche Aussagen aus der Bibel und dem Koran werden hier synoptisch gegenübergestellt. Zahlreiche Entsprechungen und Querverbindungen in den religiösen Verkündigungen werden so erkennbar. Dieses Buch, das längst zu einem Klassiker der Religionswissenschaft geworden ist, liegt jetzt in dritter Auflage wieder vor.

Martin Bauschke

Jesus im Koran

2001.XII; 210 Seiten. Gebunden mit Schutzumschlag.

ISBN 3-412-09501-X

Dieses Buch trägt in allgemein verständlicher Sprache zusammen, wie Jesus im Koran dargestellt wird. Es eröffnet damit Zugänge zu einer Welt, die vielen Christen bislang unbekannt war und trägt zum interreligiösen Dialog in Wissenschaft, Schulen und Kirchen sowie zum persönlichen Verständnis von Christen und Muslimen bei.

Ursulaplatz 1, D-50668 Köln, Telefon (0221) 913900, Fax 9139011